LA ESENCIA
DEL JAZMÍN

Amor y Aventura

LA ESENCIA DEL JAZMÍN

Jude Deveraux

Traducción de Rosa Borràs

VERGARA

GRUPO ZETA

Barcelona • Bogotá • Buenos Aires • Caracas • Madrid • México D.F. • Miami • Montevideo • Santiago de Chile

Título original: *Scent of Jasmine*
Traducción: Rosa Borrás
1.ª edición: marzo 2014

© 2011 by Deveraux, Inc.
© Ediciones B, S. A., 2014
    para el sello Vergara
    Consell de Cent 425-427 - 08009 Barcelona (España)
    www.edicionesb.com

Printed in Spain
ISBN: 978-84-15420-59-0
Depósito legal: B. 1.856-2014

Impreso por Relligats Industrials del Llibre, S.L.
Av. Barcelona, 260
08750 Molins de Rei

1

Charleston, Carolina del Sur, 1799

—Piensa en las Highlands —dijo T. C. Connor a su ahijada Cay—. Piensa en la tierra de tu padre, en la gente de allí. Él era el terrateniente, lo que significa que tú eres la hija del terrateniente, lo que significa...

—¿Crees que mi padre querría que hiciera lo que me estás pidiendo? —preguntó Cay, con los ojos sonrientes bajo sus espesas pestañas.

T. C. permanecía tumbado en su lecho, entablillado de la rodilla a la cadera. Se había roto la pierna pocas horas antes y el mínimo movimiento provocaba en él una mueca de dolor. Aun así, dedicó a Cay una leve sonrisa.

—Si tu padre supiera lo que estoy pidiendo a su preciosa hija, me ataría a un carro y me arrastraría a través de las montañas.

—Iré yo —dijo Hope desde el otro lado de la cama—. Con el carruaje y...

T. C. posó su mano sobre la de ella y la miró cariñosamente. Hope era la única hija de Bathsheba e Isaac Chapman. Su preciosa y joven madre había muerto hacía años, no así el viejo cascarrabias de su padre, a quien nunca había modo de satisfacer. T. C. Connor siempre se había declarado simple «amigo de la familia», pero Cay había escuchado cuchichear a las mujeres que entre él y Bathsheba había habido algo más que una simple amistad. Se rumoreaba incluso que T. C. podía ser el padre de Hope.

—Eres muy amable ofreciéndote, cariño, pero... —Dejó la frase a medias por no decir una obviedad. Hope se había criado en una ciudad y jamás había montado a lomos de un caballo. Solo había viajado en carruaje. Y, además, a los tres años se había caído por las escaleras y su pierna izquierda no había sanado bien. Bajo sus largas faldas, llevaba un zapato con un alza de cinco centímetros.

—Tío T. C. —insistió Hope, pacientemente—, lo que le pides a Cay es imposible. Mírala. Va vestida para un baile. Difícilmente podrá cabalgar con ese vestido.

T. C. y Hope miraron a Cay, que parecía iluminar la habitación con su sola presencia. Cay apenas tenía veinte años y, aunque jamás había gozado de la belleza clásica de su madre, era francamente hermosa. Bajo unas pestañas extraordinariamente largas asomaban unos ojos de un azul oscuro, aunque su rasgo más característico era su espesa cabellera cobriza, ahora recogida y con algunos rizos sueltos que le suavizaban la marcada mandíbula que había heredado de su padre.

—Quiero que vaya directamente del lugar de encuentro al baile —dijo T. C., y al intentar incorporarse, tuvo que reprimir un gemido—. Tal vez yo pueda...

Hope le dio un ligero empujoncito en el hombro y T. C. se dejó caer de espaldas sobre el colchón. Hope le enjugó el sudor de la frente con un paño frío.

Sin aliento, volvió a mirar a Cay. El vestido que llevaba puesto era exquisito. Raso blanco revestido de tul y cubierto de centenares de minúsculas cuentas de cristal dispuestas en intricados dibujos. Se adaptaba perfectamente a su figura y, conociendo a su padre, Angus McTern Harcourt, debía de haber costado más de lo que T. C. ganaba en un año.

—Hope tiene razón —admitió T. C.—. No puedes reemplazarme. Es demasiado peligroso, especialmente para una jovencita. Si al menos estuviera aquí Nate... O Ethan o Tally.

Al oír nombrar a tres de sus cuatro hermanos mayores, Cay se sentó en la silla contigua a la cama.

—Cabalgo mejor que Tally —dijo, refiriéndose al hermano que apenas le llevaba un año—. Y disparo tan bien como Nate.

—Adam —dijo T. C.—. Si estuviera aquí Adam...

Cay suspiró. No podía hacer nada tan bien como el mayor de sus hermanos. En realidad, solo su padre podía compararse con Adam.

—Tío T. C. —intervino Hope con voz cautelosa—, lo que haces no está bien. Intentas provocar a Cay para que haga algo que está totalmente fuera de su alcance. Ella...

—Tal vez no tanto —repuso Cay—. En realidad, lo único que tengo que hacer es cabalgar guiando un caballo de carga y pagar a un par de hombres. Eso es todo, ¿verdad?

—En efecto —respondió T. C. mientras trataba de incorporarse de nuevo—. Cuando encuentres a los hombres, les das la bolsa de monedas y, a Alex, el caballo cargado. Los hombres se marcharán y tú te irás con tu yegua al baile. Es bastante sencillo.

—Tal vez pueda... —comenzó Cay, pero Hope le hizo un ademán de que callara.

Hope se había levantado y, brazos en jarras, observaba a T. C., aún tendido en la cama.

—T. C. Connor, lo que estás haciendo con la mente de esta pobre chiquilla es una maldad. Le estás enredando las ideas hasta el punto de hacerle olvidar los hechos... Si es que alguna vez los ha tenido presentes.

Hope tenía casi treinta años, nueve más que Cay, pero la trataba como si aún estuviera en la edad de saltar a la cuerda.

—Entiendo lo que me está pidiendo —protestó Cay.

—No, no lo entiendes. —Hope alzaba cada vez más la

voz—. Todos ellos son delincuentes. Todos y cada uno de ellos. Esos dos hombres a quienes vas a pagar... —Miró a T. C—. Dile de dónde los sacaste.

—De la car... —murmuró T. C., pero la mirada de Hope le obligó a aclararlo mejor—. De la cárcel. Los contraté justo al salir de la cárcel. Pero ¿dónde si no iba yo a encontrar hombres que hicieran lo que necesitaba que hicieran? ¿En la iglesia? Hope, olvidas que el que importa de verdad en todo esto es Alex. Es Alex quien...

—¡Alex! —Hope se llevó las manos a la cabeza y desvió la mirada. Cuando volvió a fijarla en el hombre tendido en la cama, estaba roja de ira. No era especialmente bonita y el rostro colorado flaco favor hacía al conjunto—. No sabes nada de ese Alexander McDowell. Antes de ir a verlo a la cárcel ni siquiera lo conocías.

Cay abrió los ojos como platos.

—Pero yo creía...

—Tú creías que nuestro querido tío T. C. lo conocía, ¿verdad? Bueno, pues no es así. Nuestro padrino sirvió en el ejército con el padre del tal Alex y con tu padre, y...

—Y ese hombre me salvó la vida varias veces —la interrumpió T. C., claramente molesto—. Nos protegió cuando estábamos tan verdes que ni siquiera sabíamos cómo cubrirnos cuando nos disparaban. Mac fue como un padre, o un hermano mayor para todos nosotros. Él...

—¿Mac? —preguntó Cay, que por fin empezaba a atar cabos—. ¿El hombre al que estás ayudando a escapar de la prisión es el hijo del Mac que siempre nombra mi padre?

—Sí —respondió T. C., volviéndose hacia Cay—. Tu padre posiblemente no estaría donde está de no haber sido por Mac.

—Cuéntale qué hizo su hijo —le instó Hope, todavía roja como un tomate—. Dile a Cay qué hizo ese hombre para que lo metieran en la cárcel.

Al ver que T. C. no contestaba, Cay dijo:

—Pensé que él...

—¿Qué? ¿Que le detuvieron por ir borracho? ¿Por caerse de morros en un abrevadero de caballos?

—¡Hope! —exclamó T. C. con voz severa, y Cay observó que su rostro también había enrojecido... Exactamente igual que el de Hope—. Estoy convencido de que...

—¿De que puedes embaucar a Cay para que haga lo que tú quieres sin contarle la verdad?

—¿Qué hizo? —preguntó Cay.

—¡Asesinó a su esposa! —prácticamente gritó Hope.

—Oh... —fue lo único capaz de decir Cay, con los ojos abiertos como platos. Tres estrellas cubiertas de diamantes relucían en su cabello a la luz de las velas.

Hope se sentó en la silla que había junto a la cama y miró a T. C.

—¿Se lo cuentas tú o se lo cuento yo?

—Parece que se te da muy bien referir los detalles morbosos, así que adelante.

—Tú no estabas aquí —empezó Hope—, de modo que no viste las desagradables noticias que traían los periódicos. Alexander Lachlan McDowell llegó a Charleston hace tres meses, conoció a la preciosa e inteligente señorita Lilith Grey y se casó con ella de inmediato. El día siguiente a la boda, le rebanó el cuello.

Cay se llevó la mano a la garganta, horrorizada.

Hope miró a T. C., que le devolvió la mirada.

—¿He dicho alguna mentira? ¿He exagerado algo?

—Son las palabras exactas de los periódicos —admitió T. C. fríamente.

Hope miró a Cay.

—A ese hombre, a Alex, lo encontraron por casualidad. Alguien lanzó una piedra con una nota atada contra la ventana del dormitorio del juez Arnold. La nota decía que la nueva esposa de Alex McDowell estaba muerta y que la encontrarían junto a su marido en la suite del ático del mejor hotel de la ciudad. Al principio, el juez pensó que se trataba de una broma macabra, pero cuando el doctor Nickerson aporreó su puerta y le dijo que había recibido la misma nota, el juez salió con él a investigar. —Hope miró a T. C.—. ¿Quieres que siga?

—¿Acaso puedo detenerte?

Cay miró a uno y a otro y se encontró dos mandíbulas apretadas y dos pares de ojos que disparaban odio exactamente con la misma intensidad. Le dio por pensar en el momento en que regresara a casa y en lo mucho que se reiría con su madre al recordar cada gesto, cada palabra, cada detalle de lo ocurrido allí aquella noche. También se lo contaría a su padre, pero después de editar la historia cuidadosamente para obviar cualquier mención a «cárcel» y «asesinato».

—El juez y el doctor irrumpieron antes del alba en la habitación del tal Alexander McDowell y, junto a él, en la cama, yacía su nueva esposa. ¡Con el pescuezo rebanado!

Cay volvió a resollar mientras se llevaba la mano al cuello.

—Estaría dispuesto a jugarme la vida a que el hijo de Mac no cometió el crimen —afirmó T. C., con calma.

—Y eso está muy bien, pero la vida que estás arriesgando es la de Cay, ¡no la tuya! —le espetó Hope.

Cay los miró y dudó que aquellos dos volvieran a dirigirse la palabra.

—Entonces ¿lo vas a sacar de la cárcel para que se fugue?

—Ese es el plan, con la salvedad de que yo pensaba acompañarlo.

—En otra de sus largas y peligrosas aventuras —apuntó Hope, aún airada—. ¿Dónde pensabas ir esta vez?

—A las espesuras salvajes de Florida.

Hope se estremeció de disgusto.

Cay había oído hablar toda su vida de los viajes del tío T. C., que había formado parte de expediciones al lejano Oeste y visto cosas que ningún otro hombre blanco había visto jamás. Al tío T. C. le encantaban las plantas, cuyos nombres en latín parecía conocer, y se había pasado tres años aprendiendo a dibujar a fin de plasmar en el papel lo que veía. Ahora bien, mientras todos los demás se habían dedicado a elogiar aquellos dibujos, Cay y su madre siempre se habían guardado sus opiniones para sí. Para ellas, que compartían un especial talento para el arte, los cuadros de T. C. eran demasiado simples y muy poco ortodoxos. Entre los diversos maestros de dibujo que Cay había tenido desde los cuatro años, se encontraba el inglés Russell Johns. El artista había sido un tirano en el estudio y Cay había tenido que trabajar de firme para cumplir con sus expectativas, pero lo había logrado. «Si fueras un chico...», le había dicho él con aire nostálgico en muchas ocasiones.

Cay no se había dado cuenta de que había pronunciado las palabras en voz alta hasta que se percató de que T. C. y Hope la miraban fijamente.

—Estaba pensando en...

—El señor Johns —dijo T. C—. Tú último maestro —añadió con evidente envidia—. Cuánto desearía tener tu talento, Cay. Si pudiera dibujar tan bien y tan rápido como tú, pintaría el triple y todo sería bueno. ¡El escorzo me trae de cabeza!

Hope no sabía demasiado de Cay ni de su familia. De hecho, lo único que tenían en común era su interés por T. C., el padrino de ambas. A Hope, solo le habían contado una cosa de Cay: que «tenía que tomar una decisión» y que hasta que lo hiciese estaría en Charleston.

—¿Pintas?

T. C. soltó una risilla que le hizo estremecer de dolor. Y mientras intentaba recuperar el aliento, se frotó la rodilla por debajo de los vendajes.

—Miguel Ángel envidiaría su talento.

—No lo creo —replicó Cay, pero acompañó sus palabras con una sonrisa. Acto seguido bajó la mirada a las manos que reposaban sobre su regazo.

—¿Y quieres poner en peligro a esta encantadora jovencita para rescatar a un asesino? —preguntó Hope, mirando a T. C.

—No, ¡solo quiero que haga algo por un hombre que lo ha perdido todo! Si hubieras venido conmigo a la cárcel, como te supliqué, habrías visto su sufrimiento. Estaba más preocupado por lo que había perdido que por lo que le pudiera suceder.

Hope no se ablandó y Cay supuso que aquella era una discusión que ya habían tenido.

—Y una vez rescatado, ¿qué va a hacer ese hombre? —preguntó Hope—. ¿Pasarse el resto de la vida huyendo de la justicia?

—Como ya he dicho, el plan original era que Alex me acompañara a Florida con el señor Grady. —Miró a Cay—. El señor Grady es el jefe de esta expedición y llevamos planeando el viaje desde esta primavera. Yo tenía que ser el documentalista, dibujar y pintar lo que viéramos. El señor Grady me iba a contratar, por decirlo de algún modo, porque sabe que no soy capaz de dibujar personas ni animales. Solo me interesan las plantas. Cay sabe...

A Cay no le apetecía escuchar más elogios sobre sus dotes artísticas; le parecía superficial cuando estaba en peligro la vida de un ser humano.

—Y si no hay nadie allí para recibirle, ¿qué hará el hombre?

—Lo atraparán, lo devolverán a prisión y por la mañana lo habrán colgado —respondió T. C.

Cay miró a Hope buscando su confirmación, pero Hope se cuidó muy bien de hacer ningún comentario.

—Y lo que quieres es que le lleve un caballo, ¿no?

—¡Sí! —exclamó T. C. antes de que Hope pudiera hablar—. Eso es todo. Pagar a los hombres que lo van a sacar de la cárcel, entregar el caballo a Alex y volver.

—Y ¿adónde irá él cuando yo haya hecho todo eso?

—Con el señor Grady. He dibujado un mapa para que Alex sepa dónde debe reunirse con la expedición. —Miró a Cay y añadió—: Imagino que ahora el señor Grady tendrá que buscarse a otro que documente, porque yo no puedo ir. Es una pena...

Cay sonrió, consciente de la insinuación.

—Aunque fuera un hombre, no es algo que yo quisiera hacer. Soy muy feliz viviendo cerca de mi familia en Virginia, y ahí es donde quiero estar. Lo de las aventuras, se lo dejo a mis hermanos.

—Como debe ser —opinó Hope—. Se supone que las mujeres no tienen que cruzar el país haciendo cosas de hombres. Y, por supuesto, se supone que no tendrían que salir al trote arrastrando un caballo para encontrarse con un asesino.

T. C. miraba a Cay con expresión solemne.

—Te conozco desde que eras pequeña y sabes que no te pediría que hicieras nada que te pusiera en peligro. Puedes ocultar el vestido bajo la enorme capa con capucha de Hope, y sé que sabes cabalgar. Te he visto saltar vallas que amedrentarían a muchos hombres.

—Si no lo hubiera hecho, mis hermanos se habrían burlado de mí —aclaró Cay—. Ellos... —Al pensar en sus hermanos, se preguntó qué harían ante una situación como esa. Tally ya habría ensillado, Nate habría hecho cientos de preguntas antes de salir, Ethan estaría haciendo el equipaje para sustituir a T. C. en la expedición y Adam...

—Ellos, ¿qué? —preguntó T. C.

—Ellos ayudarían a cualquier amigo de nuestro padre —dijo Cay, levantándose.

—No puedes hacerlo —insistió Hope, mirando a Cay desde el otro lado de la cama.

—¿Acaso no has dicho que tú irías si pudieras? —preguntó Cay.

—Sí —admitió Hope—, pero eso es distinto. Tú eres tan joven y... y...

—¿Infantil? ¿Mimada? ¿Rica? —preguntó Cay, entornando los ojos. Desde el primer momento había tenido la sensación de que Hope la tenía por demasiado joven, demasiado frívola, demasiado consentida y demasiado dispuesta a hacer cualquier cosa. Si bien era cierto que Cay no había tenido que pasar por los infortunios que Hope había vivido, como el accidente que la había dejado coja, la muerte de su madre y una vida dedicada a un padre viejo y cascarrabias, Cay también había sufrido algunos reveses en la vida. En su opinión, tener que vérselas con cuatro hermanos mayores y varones era motivo suficiente para ser una luchadora.

—Lo haré —añadió Cay, dedicando a Hope la mirada que solía usar para evitar que Tally le metiera una segunda rana por el escote.

—Gracias —dijo T. C., con lágrimas en los ojos. Le cogió la delicada mano y se la besó—. Gracias, gracias. Todo irá bien. Alex es un joven muy agradable y...

—Dudo que la familia de su esposa piense lo mismo —sentenció Hope.

T. C. la miró y ella se sentó en la silla. Sabía cuando había perdido la batalla.

—Tal vez debería cambiarme —dijo Cay.

—No, no, quiero que vayas así. Ve directamente al baile desde el punto de encuentro.

—Te proporcionará una coartada —dijo Hope. Parte de la rabia había abandonado su voz.

—Sí, así es. No creo que te pregunten dónde estuviste, pero... —dijo T. C.

Hope soltó un suspiro de derrota.

—Y mantén tu rostro oculto. No dejes que nadie te vea. Ni siquiera ese hombre.

—¿Habrá alguien persiguiéndole? —preguntó Cay, que empezaba a comprender para qué se había ofrecido.

—He estado planeándolo durante semanas, desde que está en la cárcel —dijo T. C.—, y creo que he considerado todas las posibilidades. Habrá tres fugas de prisioneros y solo tú sabrás dónde encontrar al hombre correcto.

—Debe de haberte costado mucho —dijo Hope.

T. C. movió la mano con ademán disuasorio. Aquel rescate le había costado todo lo que tenía, pero no iba a admitirlo ante ellas.

—¿Cuándo tengo que salir? —preguntó Cay, tragando saliva con dificultad al pensar en la noche que le esperaba.

—Hace unos veinte minutos.

—No quiere darte tiempo para que te lo pienses —intervino Hope.

—Mi doncella...

—La mantendré ocupada —dijo Hope—. No se dará ni cuenta de que le has dado esquinazo.

—Yo... Yo... Mmm... —balbuceó Cay.

—¡Ve! —exclamó T. C.—. No lo pienses más y ¡ve! Cúbrete, no dejes que nadie te vea la cara, ni siquiera Alex, y después cabalga hasta el baile. Deja el caballo en la parte de atrás, así nadie comentará cómo has llegado al salón. Hope se encargará de eso.

Cay miró a Hope, que asintió levemente.

—Muy bien, pues, supongo que tendré que irme. No sé cómo voy a cabalgar con este vestido, pero...

—La capa lo cubrirá por completo —dijo T. C., rogándole con la mirada que no perdiera ni un segundo más hablando—. Mañana tendremos chocolate para desayunar y nos reiremos de todo esto.

—¿Me lo prometes? —preguntó Cay, sonriendo.

—Te lo juro.

Tras vacilar el tiempo suficiente para dirigir otra sonrisa a su padrino, Cay se recogió la falda y bajó corriendo por las escaleras. El corazón le latía desbocado, pero sabía que tenía que hacerlo. Iba a salvarle la vida a un hombre. Si se trataba o no de un asesino era algo en lo que no quería pensar. No, lo mejor era hacer el trabajo cuanto antes y pensar en ello después.

2

Sentada en la oscuridad a lomos de su yegua, Cay sintió deseos de hallarse en Virginia junto a su familia. Era otoño, de modo que allí haría más frío. ¿Habrían encendido un fuego en la salita? ¿Estarían sus hermanos en casa, o estarían fuera, haciendo... lo que fuera que hicieran los chicos? Ethan se había estado viendo con una de las hijas de Woodlock, pero Cay no creía que fuese a salir nada de aquello. Esa muchacha no era lo bastante guapa ni lo bastante lista para Ethan.

Cuando la yegua empezó a hacer corvetas, Cay se acomodó en la silla y se tranquilizó. Oculto entre los árboles de detrás y cargado hasta los topes, permanecía el caballo que Alexander McDowell se llevaría cuando llegara con los hombres que lo habían ayudado a escapar.

Miró alrededor, pero poco podía ver en la oscuridad de la noche. Le había resultado difícil dar con el lugar donde su tío le había dicho que debía encontrarse con el hijo de Mac. Ese era el único modo en que Cay podía pensar en él. Era el hijo del hombre que había ayudado a su padre y esa era la razón por la que ella estaba allí. Sabía que, si no se concentraba en eso, perdería la mirada en el campo oscuro y comenzaría a pensar que estaba a punto de encontrarse con un hombre que probablemente había cometido un asesinato.

Hope había bajado las escaleras con Cay, la había ayudado a ocultar el vestido bajo su amplia capa de lana y le había entregado el mapa que T. C. había dibujado para indicarle el camino.

—Aún no es demasiado tarde para decir que no —insistió Hope mientras le ataba la capucha.

Cay compuso como pudo una expresión de valor.

—Estoy segura de que irá bien. Además, tengo mis dudas de que ese hombre sea realmente un asesino.

—No has leído los artículos de los periódicos —dijo Hope bajando la voz—. El doctor y el juez la encontraron encerrada en la habitación con él, que dormía como un tronco. No era consciente de lo que había hecho. Ese hombre es la maldad en estado puro.

Cay tragó saliva con dificultad.

—¿Y qué explicación dio él de lo ocurrido?

—Que se había dormido tras tomar un vaso de vino.

—Puede que estuviera diciendo la verdad.

—Eres tan joven... —dijo Hope con condescendencia—. Ningún hombre se duerme en su noche de bodas.

—Pero quizá... —comenzó Cay, pero Hope la interrumpió.

—Cuanto antes te marches, antes volverás. Te estaré esperando en el baile. No iré tan elegante como tú, pero me pondré mi vestido de seda rosa. Búscame en la parte de atrás. —Hope apoyó las manos en sus hombros y la miró un instante—. Que Dios te acompañe —añadió, y le dio un rápido beso en la mejilla.

Al minuto siguiente ambas corrían hacia los establos donde esperaban los caballos. Hope ayudó a Cay a ajustar la voluminosa capa sobre el vestido y la parte inferior de las piernas, que quedaban al descubierto mostrando sus medias de seda. El vestido era estrecho y, al acomodarse en la montura, se deslizó hacia arriba por sus piernas.

—No importa lo que diga nuestro padrino; por favor, ten

mucho cuidado con ese hombre —dijo Hope cuando, por fin, tuvo a Cay perfectamente cubierta sobre la silla.

—¿Quieres que te traiga algo? —preguntó Cay, tratando de romper la seriedad del momento.

—Con que vuelvas sana y salva será suficiente —respondió Hope sin un ápice de sonrisa, pero, al ver la cara de decepción de Cay, añadió—: Un marido. Ni demasiado alto ni demasiado bajo, ni rico ni pobre. Solo quiero un hombre capaz de aguantar a mi padre. —Sonrió—. Y que no se duerma en nuestra noche de bodas.

—¿A qué padre? —preguntó Cay, y en ese preciso instante se dio cuenta de que estaba más nerviosa de lo que creía. Iba a disculparse, pero Hope se echó a reír.

—Al cascarrabias, por supuesto. Con el otro, no tengo problemas... Salvo que no me obedece. ¡Vamos, vete!

Cay espoleó la yegua y cabalgó hacia el oeste, en dirección al lugar donde debía encontrarse con el asesino.

Ahora, continuaba a lomos de su montura, esperando. Ya deberían haber llegado, pero no veía ni oía nada. ¿Habría salido algo mal? ¿Se habría frustrado la fuga? Cayó en la cuenta de que sabía muy poco sobre el plan que había trazado el tío T. C. Tendría que haberle hecho más preguntas. Tendría que haber sido más como su hermano Nate, a quien le encantaba resolver rompecabezas. Le gustaba descubrir quién había hecho el qué y por qué. En aquel oscuro silencio, pensó en la primera vez que Nate había resuelto un enigma que había tenido en ascuas a toda su familia y a quienes trabajaban para ella. La harina de la cocina desaparecía a una velocidad alarmante, pero nadie admitía ser el responsable.

Cay sonrió al recordarlo, pero en ese instante un sonido a su derecha la obligó a tirar de las riendas para retener la yegua. Había atado bien el otro caballo a un árbol, a unos cincuenta metros de ella, y aunque mirara hacia allí, no podía ver nada.

Sus sentidos, sin embargo, le decían que algo había cambiado.

—¿Quién anda ahí? —gritó.

De la oscuridad emergió un hombre alto, con barba y de aspecto mayor, tan cerca de ella que la muchacha tiró de las riendas con intención de huir. Pero él la agarró de la pantorrilla y, al hacerlo, quedó al descubierto la seda que le recubría la pierna y un pedazo de vestido. Las cuentas de cristal brillaron incluso en la negrura de la noche.

—¡Maldición! —exclamó el hombre con fuerte acento escocés—. Vaya mujer inútil. Esto es demasiado para un solo hombre. Ya me puedo dar por muerto. —Hizo una pausa y continuó—: ¿Va usted a una fiesta, señorita?

Ella se sacudió la mano del hombre de la pierna y miró hacia abajo con todo el desdén que fue capaz de mostrar. Había pasado varios veranos en Escocia con sus primos y había comprendido el insulto que él le había lanzado, motivo por el cual no podía por más que pensar que era un patán desagradecido.

Ni siquiera se molestó en señalar dónde se encontraba el otro caballo. Si estaba tan seguro de que era una mujer inútil y se podía dar por muerto, sería capaz de encontrar perfectamente solo el caballo.

El hombre se quedó ahí plantado, mirándola boquiabierto, pasmado. Cay pensó que probablemente estaría sorprendido de que una joven como ella hubiera entendido aquella jerga tan espesa. El tipo dijo algo en voz muy baja que sonó a: «Eres una McTern», pero no estaba segura.

Cay ni siquiera se sorprendió al escuchar un tiro. Era obvio que el plan de T. C. se había torcido. Los hombres a los que se suponía que debía pagar no se habían presentado y el grosero escocés había aparecido solo. Y, desde luego, ahora sí iba a estarlo, pensó ella mientras espoleaba a la yegua.

Mientras cabalgaba, iba notando cómo el vestido se le subía por las caderas. A ese paso, llegaría al baile en unas condiciones terribles. La capucha de la capa se le había caído de la cabeza y sentía que el pelo perfectamente peinado se iba soltando de las agujas. Se alegró de haberse puesto las estrellas de diamantes en el corpiño. Su padre se las había regalado cuando cumplió dieciocho años y habría detestado perderlas, especialmente en una situación tan incómoda.

Tras ella, oyó un caballo acercarse a toda prisa. Al volverse, vio que era el escocés. A pesar de la espesa cabellera que le cubría parte de la cara, fue capaz de adivinar unos ojos encendidos de rabia.

—¡Tápate, niña boba! —le gritó.

—¡No es momento de recatos! —replicó ella, y hundió los talones en los hijares de la yegua, que aceleró. Siempre le había encantado montar y había pasado gran parte de su vida a lomos de un caballo. Competir con sus hermanos, y ganarles, era uno de sus pasatiempos favoritos.

—¡Así no verán que ya eres una muchacha! —gritó él mientras intentaba seguirla de cerca. Pero su caballo iba tan cargado con lo que debía llevar a la expedición, que no podía mantener el ritmo. Aun así, el hombre seguía forzándolo, lo que hizo que Cay empezara a sentir pena por el animal.

—Tenemos que separarnos —dijo ella, haciendo girar la yegua hacia la izquierda. Cay no conocía muy bien los alrededores de Charleston, pero tenía buena orientación y, además, veía las luces en la distancia. Iría directamente a casa de T. C. a empaquetar su ropa para volver a casa por la mañana. Ya había tenido suficientes emociones para una sola visita.

Sin embargo, el hombre giró con ella y, el hecho de que casi la echara del camino, la obligó a recurrir a todos sus años de experiencia para mantener a la yegua en su rumbo.

—¿Qué cree que está haciendo? —gritó Cay.

—Salvarte la vida —gritó él—. Si vuelves a la ciudad, te detendrán.

—Nadie sabe que nos hemos visto. —Miró por encima del hombro. Había oído un tiro, pero no había visto a nadie.

—Te han visto.

—¡No es cierto! —gritó ella.

Para su sorpresa, él agarró la brida de la yegua y tiró tan fuerte que casi la hizo caer de la silla. Si Cay hubiera llevado una vara en la mano, le habría atizado con ella.

—Tienes que venir conmigo.

—¡Ni hablar! ¡Es un delincuente!

—Y ahora tú también. O me sigues o te arranco del caballo y te tiendo sobre mi silla.

Cay sintió la tentación de comprobar si era capaz de hacerlo. Se le veía muy delgado bajo las ropas harapientas y ella era mucho más joven que él, pero aun así seguramente tendría fuerza suficiente para arrastrarla.

—De acuerdo —dijo Cay al fin, y él aceleró en el acto, aparentemente convencido de que ella lo seguiría. Cay sintió el impulso de dar media vuelta y alejarse, pero oyó otro tiro en la distancia, de modo que le siguió. Tal vez él conociera algún lugar seguro para esconderse. ¿Acaso no sabía esa clase de cosas la gente que acababa en prisión?

Cabalgó tras él más de un kilómetro, y de pronto le pareció que lo perdía en la oscuridad. Miró alrededor mientras detenía la yegua, pero no vio ni señal de él. Oyó el silbido de un pájaro, pero también unos cuantos sonidos más. Al instante, oyó los cascos de un caballo sobre el camino y, cuando el hombre apareció, a pesar de la cantidad de pelo que le cubría el rostro, supo que estaba enojado.

Maravillada ante tal ingratitud, condujo su yegua hacia los arbustos del margen del camino y desmontó.

—Pensaba que ibas a seguirme para demostrar que tienes seso, pero no, eres tonta de remate.

—No tolero que emplee esos términos conmigo. Cuando vuelva...

—Calla, niña —gruñó él, y acto seguido la tomó por la cintura y la obligó a apearse.

Cay estaba a punto de protestar cuando oyó que se acercaban los caballos. Bajó la cabeza y notó que el brazo del hombre se deslizaba sobre ella. Apestaba, y se preguntó si tendría piojos y otros parásitos. Si los tenía, ella jamás conseguiría eliminarlos de su melena cobriza.

Cuatro caballos con sus jinetes se detuvieron no muy lejos de allí, y ella contuvo la respiración esperando que se fueran.

—Te digo que era esa joven pelirroja que está en casa de T. C. Connor. Le vi la cara cuando miró hacia atrás —dijo uno de los hombres en voz alta.

Cay resolló.

El escocés le tapó la boca con la mano. Lo tenía muy cerca, su largo cuerpo presionaba el suyo y uno de sus hombros reposaba sobre el de ella, manteniéndola pegada al suelo.

Ella movió la cabeza para librarse de su mano. Él la retiró, pero le dirigió una mirada de advertencia para que permaneciese callada.

—¿Una chica? —preguntó otro hombre—. ¿Por qué iba una chica a ayudar a escapar a un asesino?

—Probablemente ella sea la razón por la que mató a su esposa, y ahora estarán huyendo juntos. Todo el mundo sabe que se casó con la señorita Grey por dinero.

—Qué estupidez haber matado a una mujer tan bella.

—Parecéis dos gallinas cotilleando. Creo que tendríamos que ir a casa de Connor a ver si la chica está allí. Si no está, supongo que tendremos que hacerle algunas preguntas.

Y con esto, volvieron grupas y se marcharon.

Cay hizo inmediatamente ademán de ir hacia el caballo, pero el hombre la agarró por los bajos de la capa y volvió a tenderla en el suelo.

—¿Dónde te crees que vas?

—A casa de mi padrino, a advertirle.

—¿Quieres decir a casa de T. C.?

—Pues claro.

—Si vuelves, te capturarán y te meterán en la cárcel por haber ayudado a un asesino fugitivo.

Ella le miró fijamente mientras él se incorporaba.

—Supongo que eso significa que no piensa mover un dedo para proteger a su benefactor, ¿no es cierto?

Tras soltar una risotada para dar a entender que Cay era la persona más necia de toda la tierra, el hombre se levantó y echó a andar hacia su caballo.

—Connor puede cuidar de sí mismo. Por lo que he escuchado de él, se ha enfrentado a indios, osos y barcos llenos de piratas. Creo que se las puede apañar con un puñado de vecinos que buscan a una niña bonita para aterrorizarla.

—Sí, pero... —Cay no quería perder el tiempo discutiendo con él—. Está bien, entonces me iré a casa.

—Y eso es...

—A Edilean, Virginia.

—¿Alguien en Charleston sabe que es ahí donde vives? —preguntó, mientras comprobaba los macutos que cargaba el caballo.

—Mucha gente del lugar conoce a mi familia. Mis padres han estado aquí varias veces y mis hermanos...

—Ahórrame la historia familiar. No puedes irte a casa porque es el primer sitio donde van a buscarte después de interrogar a Connor.

—¿No puedo volver a casa? —Cay se levantó sonriendo, se acercó a su yegua y, volviéndose hacia él, añadió—: No tiene ni idea de quién es mi padre, ¿verdad?

—Ahora no te puede ayudar. Sube al caballo e intenta que no se te vean las piernas. Me distraen de mi objetivo.

Cay no estaba segura de si aquello era un cumplido, pero si lo era, no le había gustado. Tenía muy frescas en su mente las imágenes que Hope le había descrito sobre lo que ese hombre le había hecho a su esposa.

—¿Adónde vamos? —preguntó Cay—. Mi padre conoce a mucha gente y podría...

El hombre agarró fuerte las riendas de su caballo para detenerse junto a ella.

—Tu padre fue criado para convertirse en el terrateniente del clan McTern, ¿no es así?

—Sí, así es —respondió ella, orgullosa.

—Entonces, será un hombre que protege a su familia, ¿no es cierto?

—Por supuesto. Es el mejor...

—Si sabes que es así, ¿qué pretendes? ¿Iniciar una guerra entre tu padre y la ciudad de Charleston?

—Claro que no.

—Si vuelves a casa y te escondes con tu padre, sin duda luchará hasta la muerte para protegerte. ¿Es que quieres ver a tu familia muerta?

—No —respondió ella, aguantando la respiración, consciente de que eso sería exactamente lo que harían su padre y sus hermanos—. No quiero eso, y cuando mi padre se entere de esto...

—Estoy seguro de que T. C. Connor procurará que no lo sepa. Lo que tenemos que hacer es encontrar un escondite hasta que pueda probar mi inocencia. Cuando yo sea libre, tú también lo serás.

—Pero... —empezó ella, pero calló para no decir que no estaba segura de que lo fuera—. ¿Cómo puede demostrar que no es culpable mientras deambula por los bosques de Florida?

—Tengo que dejar pasar el tiempo para que esta gente se calme. En el juicio, me di cuenta de que nadie iba a escucharme. Eran demasiados los que querían... —El hombre pareció enmudecer de pronto.

—¿A su esposa? —preguntó ella—. ¿La gente la quería?

—¿Crees que me casaría con una mujer a la que no quisiera nadie? —le espetó él.

—Su ingratitud me deja pasmada. Con lo que me he arriesgado por usted, y usted... —Cay contuvo la respiración. Decir lo que pensaba no iba a mejorar la situación—. ¿Qué dijo el médico?

—El malnacido murió de un infarto el día después de que

Lilith... me dejara. Antes de que pudiera volver a verla, la habían enterrado.

—Si era tan querida y el doctor murió como consecuencia de la impresión que le provocó el asunto, no es de extrañar que la gente quiera colgarlo por haberla asesinado.

Alex pareció hacer caso omiso de la acusación de Cay.

—Yo haré algo más que colgar al que la mató —murmuró él—. Ahora sígueme y guárdate tu insolencia.

Mientras hacía lo que le decía, Cay se esforzaba por pensar en algún modo de salir de aquel aprieto. Si no podía volver con su padrino, ni ir con ninguno de los amigos de la familia, ni volver a casa, ¿qué podía hacer? ¿Cuánto tiempo se puede ser fugitivo de la justicia? Tal vez debería embarcarse hacia Escocia y vivir con la familia de su padre un tiempo. Pero ¿durante cuánto tiempo? ¿Seis meses? ¿Un año? El escocés había dicho que quería que las autoridades de Charleston se «calmaran» y, después, pensaba encontrar al verdadero asesino de su esposa. ¿Tomaría eso mucho tiempo? ¿Y si realmente era el asesino? Eso significaría que jamás retirarían los cargos. Siempre estaría huyendo, con lo que ella también sería una forajida hasta el final de sus días.

Aún le seguía, pero sin dejar de pensar en volver grupas y regresar a Charleston. Sin embargo, recordar que los hombres del camino la buscaban, que sabían quién era y dónde encontrarla, bastó para disuadirla. También contribuyeron a ello las palabras del escocés sobre el modo en que reaccionaría su familia al conocer la situación. Si regresaba a Charleston, iba a casa de T. C. y se entregaba, la meterían en la cárcel sin dudarlo. No podía imaginar siquiera la ira que provocaría eso a su familia. Casi podía visualizar a su padre y sus cuatro hermanos irrumpiendo a tiros para sacarla de la prisión. ¿Y si alguno caía en el acto?

Cuando las lágrimas comenzaron a resbalar por sus mejillas, ni siquiera se molestó en enjugárselas. Intentó pensar en algo bueno, pero todo lo que le venía a la cabeza era lo estúpida que había sido. Era la primera vez que viajaba sola —sola, aunque con su doncella, Cuddy— y había tenido que pelear mucho para conseguirlo.

—Sin nosotros, no tardarás en meterte en un lío —le había asegurado Tally.

—Conocerás a otros hombres y, entonces, tendrás más de tres propuestas de matrimonio en que pensar —había bromeado Ethan con mirada socarrona.

Nate le había dado una lista de libros que quería que le comprara y le había dicho:

—Tendrás cuidado, ¿verdad?

Pero el peor de todos había sido Adam. Le había besado la frente y le había dicho que confiaba en ella, que creía en ella y sabía que tenía bastantes luces para comportarse como era debido en cada momento.

Cay miró a un lado del caballo y vio que llevaba una pierna descubierta por encima de la rodilla. Intentó cubrirse con la capa, pero esta había quedado atrapada bajo su cuerpo.

En cuanto a su padre... Cuando le había pedido permiso para viajar sola, le había contestado: «No.» Simple y llanamente. «No.» Pero su madre le había dicho:

—No te preocupes, yo lo convenceré. —Y así había sido.

Y, en resumidas cuentas, Cay había acabado por traicionar la confianza de todos ellos, salvo la de Tally, que desde el principio pensaba que su hermana era una boba descerebrada.

—¡Toma! —le dijo el escocés, ofreciéndole un sucio pañuelo. Al observar que ella vacilaba, añadió—: Lo vas a ensuciar más con tu nariz, así que ya me dirás qué sentido tiene que esté limpio.

Al ver que ella se disponía a replicar, levantó la vista al cielo y espoleó a su caballo.

Cay se sonó la nariz y alejó el pañuelo cuanto se lo permitía la longitud del brazo, no muy segura de saber qué hacer con él.

—No lo tires —advirtió el escocés—. Mandarán perros tras nosotros.

A Cay le impresionó tanto la idea que soltó el pañuelo sin querer, pero el escocés refrenó el caballo y lo cogió antes de que tocara el suelo.

—Puede que no te caiga bien, pero estamos juntos en esto —dijo con furia, mientras metía el sucio pañuelo en la alforja de la silla. Acto seguido, suavizó la voz y añadió—: Lo siento, niña. No era mi intención meterte en esto, pero es que yo nunca habría enviado a una chica...

—Si vuelve a decir «a hacer el trabajo de un hombre», le entrego personalmente.

Cay no habría podido asegurarlo, pero le pareció percibir una leve sonrisa bajo aquel rostro hirsuto.

—Vamos, niña —dijo él—, anímate. Si me atrapan, me verás colgado.

—Y usted me verá colgada a su lado, ¿verdad? —preguntó Cay mientras él espoleaba su caballo.

—No. Diles que te secuestré. Te creerán.

—Hasta yo me lo creo —murmuró ella, mientras fustigaba a su yegua tras él.

3

A Cay le dolían las piernas y la espalda, y tenía tanto sueño que apenas podía sujetar las riendas de la yegua. Llevaban cabalgado toda la noche y parte del día, y su montura parecía aún más cansada que ella misma.

Pero Cay no se quejó en ningún momento al hombre al que seguía. Miró su espalda, el modo en que iba erguido en su silla, sin signos de fatiga, y se preguntó si sería humano.

De repente, él se volvió y pronto lo tuvo a su lado.

—Los caballos necesitan descansar —dijo.

Cay estuvo a punto de replicar que haría mejor en interesarse por el estado de ella, pero calló.

—Sí, mi yegua está exhausta —dijo con su tono más arrogante. Y no pudo asegurarlo, pero creyó advertir de nuevo una sonrisa en los ojos azules del escocés. Con tanto pelo en la cara, era difícil de decir.

—Quiero que esperes aquí —dijo Alex, acercándose a un añoso roble cuyas ramas colgaban hasta el suelo—. No desmontes o jamás volverás a montar.

—Me parece que soy perfectamente capaz de desmontar y volver a hacerlo —protestó ella.

Alex sacudió la cabeza.

—¿No te han dado educación?

—Me gradué en buenos modales —repuso ella—. ¿Ha oído hablar de eso?

—En este país, no —contestó él.

Cay lo siguió hasta ubicarse debajo del árbol, agachándose para esquivar las ramas bajas.

—¿Tienes el dinero con que ibas a pagar a los hombres? —la interrogó Alex.

El miedo afloró al rostro de la muchacha. ¿Es que iba a quitarle el poco dinero que tenía y dejarla ahí tirada y sola ante el peligro?

—¡No soy un ladrón! —exclamó él, con los ojos encendidos de rabia—. Necesito unas monedas para pagar un sitio donde pasar la noche y algo de comida. Puedes quedarte el resto.

Ella metió la mano en el macuto y sacó la bolsa de dinero que el tío T. C. le había dado. No pudo evitar recordar el momento en que lo había hecho. Él y Hope estaban tan lejos ahora...

—¿Piensas tardar toda la noche? —le espetó el escocés.

A Cay le entraron ganas de arrojarle las monedas a la cara, pero se contuvo.

—¿Cuánto necesita?

—Uno o dos dólares deberían bastar. Y entonces ¿piensas quedarte aquí y esperar o vas a correr en busca de las autoridades? Tengo que saber con qué me voy a encontrar a mi regreso.

Una parte de ella quería ir en busca del sheriff y contarle que ese hombre la había secuestrado, pero otra, sin duda mayor, sabía que no podía hacerlo. Sería incapaz de volver a mirar a su tío T. C. a la cara.

—Necesito una pluma, papel y tinta —dijo—. Tengo que enviar una carta a mi familia para avisarles de que estoy bien.

—Entonces ¿piensas mentirles? —preguntó él.

—¿Cómo dice?

—Estás al cuidado de un hombre a quien le faltaba un día

31

para ser colgado. No creo que a tu familia le parezca que eso sea estar «bien».

Cay no quería pensar en el enfado de su padre ni en las lágrimas de su madre. Y en especial, no quería ni imaginar lo que sus hermanos harían por encontrarla.

—Si piensas echarte a llorar otra vez, tendré que sacar el pañuelo.

Cay se irguió en la silla.

—No pienso derramar una sola lágrima, y antes de usar ese harapo asqueroso me sonaría en mi manga.

—Buena elección —dijo él, entornando los ojos—. Ahora, quédate ahí quietecita y espera.

—Lo haré si quiero —replicó ella, desafiante, aunque lo que más deseaba era dejar de moverse.

Le pareció que el escocés contenía la risa mientras volvía grupas para, a continuación, dirigirse hacia el este.

Ya a solas, Cay pensó que debía desmontar, aunque solo fuera para mostrarle a aquel escocés que no mandaba sobre ella. Pero no tenía fuerzas suficientes. De modo, pues, que dejó caer la cabeza hacia adelante y se durmió de inmediato.

Así fue como la encontró Alex al regresar, a lomos de su yegua, con las riendas en la mano y profundamente dormida. Se inclinó para contemplar mejor su cara. Era muy bella. Las cuentas de su elegante vestido se reflejaban en su pequeña barbilla. No parecía tener más de doce años. ¿En qué demonios estaría pensando T. C. Connor al enviar a esa criatura al infierno en el que se había convertido la vida de Alex?

Una parte de él quería entregarse y acabar con todo, aunque esto incluyese su vida. No pasaba un solo instante sin que recordara la visión de su amada esposa tumbada a su lado, con el ensangrentado corte en su hermosa garganta.

Todo lo que había ocurrido después, la forma como lo habían tratado en la cárcel, el juicio, todo, le había parecido bien merecido, y no por haber hecho daño a su esposa, sino por haber sido incapaz de protegerla.

Y ahora T. C. Connor, su único amigo durante todo aquel calvario, acababa de poner a otra mujer en sus manos... Y lo tenía bastante mal para protegerla de los peligros que los acechaban.

Con mucho cuidado, le quitó las riendas de las manos y guió a la yegua hacia el granero donde había conseguido cobijo para esa noche. Iba atento, asegurándose de que la muchacha no se escurriera de la silla, pero ella se mantuvo firme. El viejo dueño del granero, Yates, le había puesto muy difícil el regateo, por lo que Alex se había alegrado de llevar encima poco dinero. Si el viejo hubiera visto el carísimo vestido de la muchacha, les habría pedido cuanto tenían. O peor aún, habría atado cabos y habría ido a avisar al sheriff.

Alex sabía que formaban una pareja muy extraña y que levantarían sospechas fueran donde fuesen. La muchacha era joven y había algo en ella que proclamaba a los cuatro vientos que también era rica. Desde sus cabellos, cuyos rizos brillantes y frondosos le caían sobre los hombros, hasta sus minúsculos pies enfundados en zapatillas plateadas, todo en ella proclamaba «dinero». Rezumaba riqueza y clase, cultura y refinamiento. Alex se preguntó si alguna vez habría tomado el té en una taza que no fuera de porcelana.

Por su parte, él parecía todo lo contrario; la ropa sucia y hecha trizas, el cuerpo esquelético tras pasar semanas en prisión. En todas sus visitas, T. C. le había llevado una caja con vituallas, pero los guardias solían emplearse tanto en el «registro» de los contenidos que, para cuando le llegaba, la comida estaba prácticamente podrida.

No le habían permitido disponer de enseres para afeitarse ni de agua para lavarse. Los habitantes de Charleston le odiaban por lo que creían que había hecho y en todo momento le habían dispensado un trato acorde: peor del que habrían dado a un animal.

Y ahora debía hacerse cargo de aquella jovencita inocente y no tenía la menor idea de qué hacer con ella. ¿Debía urdir una mentira para que ella se la contara a su familia? Podía decir que la había secuestrado un asesino convicto y que no la había querido soltar. Pero dudaba que la muchacha pudiera mantener la mentira por mucho tiempo. Si T. C. había logrado embaucarla para que fuera al encuentro de un reo a la fuga, era porque la chica tenía un buen corazón pero ningún instinto de supervivencia.

Además, ¿cómo iba ella a volver sola con su familia? ¿Cómo iba él a dejar a una muchacha como esa librada a su propia suerte? Con solo echar un vistazo a su elegante vestido, cualquier ladrón en kilómetros a la redonda se echaría encima de ella.

No, le gustaba el plan de T. C., según el cual iba a reunirse con un grupo de exploradores para adentrarse en la Florida más frondosa. De acuerdo con el plan trazado, T. C. se encargaría de dibujar cuanto viesen, mientras Alex hacía las veces de mozo: se encargaría de los caballos, iría en busca de la caza y ayudaría en lo que fuera necesario.

Mientras se dirigía hacia el sur con la chica, Alex le había preguntado por qué T. C. no se había presentado y ella le había contado que su padrino se había roto una pierna. Esa misma mañana, T. C. se había caído de espaldas de la escalera por la que intentaba subir al tejado. Alex había murmurado, aunque con voz inaudible, que le parecía una estupidez hacer algo así precisamente el día en que iba a ayudar a escapar a un preso. Que la muchacha pudiera entenderle hasta cuando utilizaba su acento más cerrado le había impresionado. Cuando llegó a América por primera vez, nadie le entendía ni una sola palabra. Durante los seis primeros meses lo había tenido que ejemplificar todo con mímica. Pero había empezado a aprender la forma de hablar de los norteamericanos. Personalmente, su pronunciación le parecía aburrida y totalmente carente de creatividad, pero se había acostumbrado.

Cuando conoció a Lilith, la mujer con quien acabó casándose, ya hablaba casi con la misma claridad que la mayoría de norteamericanos. Solo ocasiones de gran tensión, como la fuga de la prisión o encontrar a una muchacha esperándole, le hacían recuperar su fuerte acento.

Solo tardó unos segundos en encontrar el ruinoso granero del señor Yates y, cuando vio el rostro del viejo curioseando a través de la sucia ventana, se plantó de inmediato delante de la muchacha y se alegró de haber caído en la cuenta de cubrirle la cabeza con la capucha. Desde aquel ángulo, nadie habría sido capaz de distinguir si se trataba de una chica o de un chico, que era lo que él pretendía, pues había dicho que viajaba con su hermano pequeño.

Alex condujo los caballos al granero y, una vez dentro, trabó la puerta con la barra. El viejo tenía allí una vaca y un caballo viejo, y también unas cuantas gallinas. Era una construcción sucia y vieja, por lo que esperaba que no lloviera, pues debía de estar llena de goteras, y llevaban casi veinticuatro horas seguidas cabalgando sin parar.

Dejó a la muchacha, aún dormida, a lomos del caballo y comprobó que todo aquello por lo que había pagado estuviera allí. Había una bala de paja en un rincón, algo de avena para los caballos y, sobre una mesa, un cuenco de sopa aguada y un mendrugo. Por poco que fuera, sin embargo, a Alex le pareció que el viejo había dejado cuanto podía compartir con ellos.

Tras esparcir la paja sobre un pesebre vacío, fue en busca de la muchacha. Se hallaba sumida en un profundo sueño y de vez en cuando se movía sobre la yegua. Alex le puso la mano en la cintura para sujetarla y tiró de ella con cuidado. Era más pesada de lo que había imaginado, pero, por supuesto, él se sentía particularmente débil. Aún dormida, la muchacha se acurrucó contra él, como si estuviera acostumbrada a los brazos de un hombre... Y Alex sabía que así era. Una de las razones por las que sabía quién era ella y qué vida llevaba era que, de pequeño, su madre les leía, a él y a su padre, las cartas que le mandaba Edilean Harcourt, la madre de Cay.

Cuando la madre de Alex murió, el niño, con solo nueve años, empezó a cartearse con Nate, el hermano de Cay. Ambos habían nacido el mismo año, y a la señora Harcourt le parecía que escribirse con un niño de su misma edad ayudaría a Alex a superar su dolor. Así había sido, y él y Nate jamás habían dejado de intercambiar cartas.

En los aproximadamente quince años que llevaba la relación epistolar con Nate, Alex había descubierto muchas cosas de la familia Harcourt. Al cumplir los diez años, él y Nate habían decidido mantener sus cartas en secreto. En el caso de Alex, aquello había significado no seguir leyendo en voz alta las cartas de Nate a su padre, aunque había acabado contándoselo todo. Sin embargo, para Nate, que vivía en una gran familia donde todo se compartía, aquello había significado quedarse a Alex para él solo. Únicamente sus padres sabían que los muchachos se carteaban.

Alex recordaba cada palabra que Nate había escrito sobre su hermana pequeña y, estando él en la cárcel, T. C. le había contado que la muchacha estaba de visita en Charleston.

—Pero no hacía falta que me la mandara —murmuró Alex.

La muchacha se movió entre sus brazos y, al levantarla un poco más, le rodeó el cuello con los brazos. La capa resbaló por completo, dejando al descubierto el vestido blanco irisado, el brazo desnudo y el escote.

Al intentar taparla, casi resbala de sus brazos. Era la consecuencia de tantas semanas con escasa comida y nulo ejercicio.

Con cuidado, la tendió sobre la paja del pesebre y, acto seguido, se irguió y se desentumeció la espalda. No pudo evitar mirarla. Su oscuro cabello cobrizo enmarcaba su rostro como si de un halo se tratara, y el precioso vestido centelleaba bajo la huidiza luz del atardecer, que se filtraba por el tejado. Yacía sobre la enorme capa, extendida bajo su cuerpo a modo de manta. Era, a todas luces, una imagen entrañable, una visión que arrancó un suspiro a Alex.

¿Qué demonios iba a hacer con ella?

Enviar a alguien tan frágil e inocente a enfrentarse sola al mundo era algo que ni siquiera podía plantearse.

La dejó acostada, profundamente dormida, y se dedicó a los caballos. Les quitó las sillas y las alforjas, los cepilló con un manojo de paja y les dio comida y agua.

Cuando volvió junto a la chica, vio que ni siquiera se había movido. Se sentó a la vieja y desvencijada mesa al fondo del granero y la observó mientras engullía la mitad de la escasa comida que Yates les había dejado. Hubo terminado en cuestión de minutos y su único objetivo era dormir. Ojalá hubiera tenido su tartán para poder enrollárselo sobre las finas ropas harapientas, pero no lo tenía.

Se estaba planteando dónde dormiría cuando la muchacha se volvió de lado y dejó parte de la capa de lana libre. Alex sabía que no debía, pero la comodidad que la muchacha le brindaba era irresistible. Levantó una punta de la capa, se tumbó al lado de ella y se echó la pesada tela de lana por encima. Si no hubiera estado tan sucio, se habría arrimado a ella, pero temía mancharle el vestido. Mientras se dormía, se preguntó cómo era posible que siguiese tan limpia tras cabalgar tantas horas. Al fin y al cabo, para él la habilidad de permanecer limpias era uno más de los misterios de las mujeres.

4

Alex despertó sobresaltado, pero permaneció tendido e inmóvil, con los ojos cerrados y aguzando el oído. Como no oyó nada, se levantó y miró alrededor. A primera vista, el granero estaba tal como él lo había dejado, pero sentía que algo había cambiado... O estaba a punto de cambiar. Su padre siempre había dicho que Alex había heredado algo del sexto sentido femenino de su madre. Ella siempre sabía cuando alguien se acercaba. Ya a los seis años, cuando Alex veía que su madre se apresuraba a limpiar la casa, su corazón se aceleraba con expectación, seguro de que algo iba a ocurrir. Su madre jamás se equivocaba.

Alex miró a la chica, aún tumbada de lado y profundamente dormida. Se quedó allí plantado en silencio, escuchando los suaves sonidos de los animales del granero. Nada estaba fuera de lugar. Pero Alex no podía librarse de la sensación de que algo malo estaba a punto de suceder.

Al mirar hacia los agujeros del techo, se dio cuenta de que aún faltaban horas para el alba, lo que significaba que había descansado poco. Algo en su interior le decía que debía sacar los caballos. Sabía que, cuando llegara el peligro, él y la chica tendrían que salir rápido, de modo que debía tener las monturas preparadas.

En silencio, Alex se acercó a su caballo y le acarició el lomo. No era uno de los veloces caballos que estaba acostumbrado a montar, ni uno de los robustos ponis de su juventud en las Highlands, pero era un buen animal para cargar con todo el equipamiento que T. C. sabía que iba a necesitar.

Alex empezó a cargar de nuevo al animal mientras le pedía perdón en voz baja. El animal no había tenido tiempo suficiente para descansar, pero bajo las manos amables y comprensivas de Alex no protestó.

A continuación, Alex se acercó a la yegua de la muchacha y le acarició los flancos. Imaginó que aquel animal debía de ser el mejor que T. C. tenía en sus cuadras. La yegua se mostró inquieta, pero Alex la tranquilizó con murmullos y caricias. Era joven y por lo tanto, dedujo Alex, capaz de correr lo bastante para dejar atrás a muchos. Mientras comprobaba el estado de sus cascos no pudo evitar sonreír al recordar el modo de montar de Cay. La habían instruido bien y se desenvolvía con tanta soltura como un natural de las Highlands. Ese pensamiento hizo que su sonrisa fuese aún más amplia. Sin duda, ella le habría dicho que los virginianos podían montar tan bien como cualquier escocés.

Lentamente, con sigilo, comenzó a ensillar la yegua con la preciosa silla inglesa de la muchacha. No disponía de alforjas, per Alex se alegró de que no hubiera montado en una silla de amazona, aunque imaginaba que debía de hacerlo.

Cuando los caballos estuvieron listos, abrió con cautela la enorme puerta del granero. No oyó nada. No vio a nadie. En silencio, sacó a los animales, los condujo hasta el gran roble que se encontraba a unos seiscientos metros de distancia y los ató. Si no llovía, estarían bien, aunque sabía que echarían de menos la comodidad del granero. Y, tras disculparse con ellos, regresó a este.

Aseguró la puerta y se acercó a Cay, que todavía dormía en la misma posición en que la había dejado. Era obvio que se había sentido segura y no había tenido la necesidad de permanecer alerta durante la noche. Alex recorrió el granero, deslizando las manos por las paredes en medio de la oscuridad, explorando. La única puerta que había era la principal, pero tenía la sensación de que tal vez iban a necesitar otra vía de escape. En la parte de atrás había cuatro tablones podridos y medio sueltos que casi no opusieron resistencia. Los retiró y tapó la abertura apoyándolos sobre ella.

Cuando por fin volvió a sentirse seguro, regresó junto a la muchacha. Aún dormida, se frotó la nariz en un acto reflejo que provocó la sonrisa de Alex. Nate le había enviado una vez un dibujo que su madre había hecho de su hermanita, y Alex lo había tenido al lado de su cama durante años. Lilith casi sintió celos al verlo.

Al pensar en Lilith, la sonrisa desapareció de su rostro. La imagen de su esposa en medio de un charco de sangre ocupó su mente. Al principio, su muerte, su desaparición, le habían quitado las ganas de vivir, pero T. C. lo había animado a limpiar su nombre.

—Ve a Florida con Grady —le había dicho T. C. en voz baja para que los guardias no lo oyeran—. Unos cuantos meses en una barcaza te ayudarán a reflexionar y recordar.

—No quiero recordar —había dicho Alex.

—Sé lo que es perder a la persona a quien más amas en el mundo. Yo la perdí dos veces, primero porque su padre la obligó a casarse con otro y, después, cuando murió. Sé que te parece imposible, pero el tiempo acaba por curar las heridas. Ve a Florida y deja que todos en la ciudad se tranquilicen. Permítete un poco de paz. Alex, tienes que hacer saber a todo el mundo que eres inocente.

Alex miró al techo. Podía dormir un par de horas más antes de partir. Seguía sin saber cómo actuar con la muchacha, pero un plan empezaba a tomar forma en su mente. Lo único que tenía que hacer era mantenerla a salvo hasta que llegaran al lugar donde debía encontrarse con James Grady. Si lo conseguía, podría dejarla con los amigos de T. C. unas semanas y después pagar a alguien para que la acompañara de vuelta a casa. La chica contaría que el asesino —y contuvo el aliento al pensarlo— la había secuestrado, pero que había logrado escapar.

Mientras se tumbaba sobre la paja junto a ella, sacó un gran cuchillo de la vaina oculta bajo su sucia y harapienta camisa y lo dejó a un lado. Llevaba una pistola y un rifle en el caballo, pero sabía muy bien que las armas de fuego podían atascarse, que la pólvora podía humedecerse, de modo que, por ahora, el cuchillo era su mejor defensa.

Cay se despertó lentamente y tardó varios segundos en comprender dónde se encontraba. Sintió algo contra la espalda. Pestañeando y frotándose los ojos, volvió la cabeza. Al ver a Alex a su lado, tuvo que esforzarse por no soltar un grito. La cara peluda del hombre estaba a solo unos pocos centímetros de la suya y el hedor que desprendía era espantoso.

No podía pensar en nada que no fuera escapar de él. Estaba convencida de que, ahora que ya había pasado algo de tiempo desde la fuga, podría idear junto a su tío T. C. la manera de demostrar la inocencia de ella. Al advertir que dormía profundamente, pensó en deslizarse fuera del improvisado lecho y marcharse de puntillas, pero, como estaban enrollados en la capa, sin duda lo habría despertado al intentar moverse.

Mientras sus ojos se adaptaban a la mortecina luz del granero, vio el cuchillo junto a él. Si pudiera agarrarlo, se lo pondría en el cuello y le obligaría a... A dejarla ir. Sí, eso mismo.

Mientras tendía el brazo por encima del hirsuto rostro de Alex, mantuvo la mirada fija en él para asegurarse de que no se estuviera despertando. No se movió. Estaba tan segura de que dormía que, cuando lo oyó hablar, se le escapó un gritito.

Dejó correr el plan porque Alex le apartó el brazo del cuchillo y se puso en pie de un salto.

—Hay alguien ahí fuera —musitó mientras ayudaba a Cay a levantarse, pero a la muchacha se le enredaron los pies en la capa y cayó contra él.

»Vaya, nunca había visto una princesita tan torpe —añadió, apartándola de sí.

Cay estuvo a punto de dar contra la pared del granero, pero logró erguirse justo a tiempo para ver al escocés correr hacia la puerta y mirar hacia afuera por una rendija. En un abrir y cerrar de ojos, volvió a tenerlo a su lado.

—El viejo Yates viene hacia aquí y trae compañía. Hemos de irnos.

Cay acababa de ver la comida en la mesa y su estómago reaccionó con un rugido.

—Ahora no hay tiempo para comer —le advirtió Alex empujándola hacia el fondo del granero, donde estuvo a punto de tropezar de nuevo.

Mientras tanto, él cogió el mendrugo y se lo metió bajo la sucia camisa. Al instante, estaba otra vez junta ella, apartando los tablones de la pared. Alguien empezó a aporrear la doble puerta. Con voz enfurecida y soñolienta, Alex gritó con fuerte acento escocés:

—¿Qué pasa?

—Dígalo con acento inglés —siseó Cay. Ya estaba fuera del granero y le pasó por la cabeza echar a correr hacia los recién llegados, pero recordó lo que le había dicho el escocés sobre que les colgarían a los dos, o a los tres, y cambió de idea.

—¿Qué quiere? —gritó Alex mientras se deslizaba por la abertura de la pared. Pero la costura del pantalón se le enganchó en un borde y no podía soltarse.

En ese preciso momento, Cay reparó en que todavía llevaba el cuchillo de Alex en la mano. Lo levantó y, durante un segundo, sus miradas se cruzaron. Cay comprendió que el escocés creyó que iba a apuñalarlo.

Con un movimiento rápido, la muchacha bajó el cuchillo a un lado, cortó la costura del pantalón y lo liberó.

La mirada de agradecimiento de Alex casi la hizo sonrojarse.

—Los caballos están bajo el roble —dijo él—. A poca distancia por el camino, pero no podemos ir por ahí, sino campo a través, y rápido. ¿Puedes correr, niña?

—Mis hermanos nunca me pillan —respondió ella, como si esa fuera la respuesta que él esperaba. Se recogió la capa y el vestido.

Desconcertado por la respuesta de la chica, Alex echó a correr, con Cay a su lado. Después de casi veinte minutos corriendo en zigzag, Cay sintió la tentación de quitarse la capa y el vestido y seguir corriendo en ropa interior. Y si se hubiera decidido, habría usado el cuchillo del escocés para cortar los cordones de su corsé. Ahora necesitaba mucho más aire del que se requería para lucir una cintura estrecha.

Tuvieron que saltar una valla de madera. Alex pasó primero y levantó los brazos para ayudarla, pero al hacerlo a punto estuvo de perder el equilibrio.

—Está usted muy débil —dijo Cay—. Me he arrojado a los brazos de mis hermanos desde lo alto de un árbol y no los he tumbado.

Alex abrió la boca con intención de defenderse, pero la volvió a cerrar y echó a correr de nuevo. Cay, que lo seguía de cerca, lo oyó murmurar para sí y sacudir la cabeza unas cuantas veces. Al comprender que había conseguido ofenderlo, sonrió. Era lo mínimo que podía hacer para vengarse de las molestias que él le estaba causando.

Cuando por fin llegaron a los caballos, Cay se detuvo con expresión de sorpresa. Alex le había dicho que estaban bajo el roble, pero escucharlo y verlo eran dos cosas muy distintas. Allí plantada, con la falda y la capa echadas sobre un brazo, los calzones húmedos y rasgados y las medias rotas y sucias, preguntó:

—¿Cuándo ha hecho esto?

—No hay tiempo para explicaciones, niña —respondió

Alex—. Tenemos que irnos. —Como no se movía, la agarró de la mano y tiró de ella—. ¿Tengo que subirte arrastras a la silla?

—¿Usted? —se burló ella, saliendo de su sorpresa—. Mi hermano más pequeño tiene más fuerza.

—¿Tally? —dijo Alex; juntó las manos, Cay apoyó el pie sobre ellas y saltó sobre la silla—. Ese muchacho es de los que arrojan barro al enemigo en lugar de pegarle.

De inmediato se arrepintió de sus palabras. Había mencionado algo que Nate le había escrito sobre sus hermanos pequeños cuando Nate y Alex eran solo unos críos.

Ella lo miró con los ojos como platos.

—¿Cómo sabe eso? —Su padre aún bromeaba con la gran pelea de barro que habían protagonizado Cay y su hermano menor con tres y cuatro años respectivamente.

Mientras cogía las riendas a su caballo, Alex se dio unos golpecitos en la sien.

—¿No has oído hablar del sexto sentido, niña? Yo leo la mente —dijo con una amplia sonrisa que reveló una dentadura perfecta.

A continuación, se agachó y sacó al caballo por debajo de las ramas. Un instante después, lo estaba espoleando y salía al galope.

—Supongo que da por supuesto que le voy a seguir —dijo Cay, acariciando con golpecitos el cuello de su yegua. Miró hacia el lugar que habían dejado atrás. Aún no era completamente de día, pero veía lo suficiente para comprobar que nadie los seguía. Por un instante se dijo que tal vez debería volver al granero y pedir que la ayudaran a regresar con su familia.

A punto estuvo de volver grupas, pero algo la retuvo. Tal vez el hecho de que el escocés le dejara el cuchillo cuando podía habérselo arrebatado fácilmente, o quizá lo que había dicho de Tally o la fe que el tío T. C. tenía depositada en él. El caso es que no huyó.

—Creo que me arrepentiré de esto —dijo en voz alta para sí mientras iba tras el escocés.

Le llevó un buen rato alcanzarlo, y si el caballo de Alex no hubiese ido tan cargado de provisiones seguramente no lo habría conseguido. Aquel hombre era tan buen jinete como los primos escoceses de Cay.

Cuando llegó a su lado, la mirada de Alex reflejaba alivio.

—Lo he seguido porque lleva el pan —dijo ella, alzando la voz.

Él metió la mano bajo la camisa harapienta, sacó el correoso mendrugo y se lo ofreció.

No era tarea fácil cogerlo cuando los dos caballos iban al galope, pero Cay había hecho carreras de relevos con sus hermanos y sabía cómo agarrar algo incluso cabalgando a gran velocidad. Le arrebató el pan y, por un momento, pensó: «¿Se supone que tengo que comerme esto tan sucio?» Y si no hubiera estado tan hambrienta y él no la hubiera estado observando, lo habría tirado al suelo, pero no iba a darle esa satisfacción, así que arrancó un pedazo de un mordisco y lo masticó con gusto.

—Bueno, Catherine Edilean Harcourt, tal vez no seas tan inútil después de todo —dijo Alex con nítido acento norteamericano antes de volver a espolear a su caballo.

Cay quedó tan sorprendida de que supiera su nombre completo que dejó que su yegua bajara el ritmo.

—¡Vamos, niña! —gritó él—. ¡Espabila que no tenemos todo el día!

—¿Conque que espabile, eh? —murmuró ella mientras se acababa el último bocado de pan—. Vamos, muchacha —animó a su yegua—, a por él.

A los cinco minutos, lo adelantó y, a los diez, lo había dejado tan atrás que al volver la cabeza no lo vio. Al principio pensó que lo había perdido, pero, tras la siguiente curva, se lo encontró delante. Y estaba furioso.

—No vuelvas a hacer eso —dijo en voz baja, aunque en

un tono bastante amedrentador—. No puedo protegerte si no sé dónde estás. Bien está provocar a un hombre, pero poner en peligro tu montura es harina de otro costal. Podrías haber hecho que se lastimara las patas en este camino tan duro.

—¿Yo? —protestó Cay, describiendo círculos con su yegua alrededor de él, cuyo caballo permanecía inmóvil—. Si usted ha corrido más que yo... ¿O no ha venido por el camino?

—Por dónde he venido no es cosa tuya. Si tengo que protegerte, tendrás que obedecerme.

La rabia se apoderó de ella.

—El único hombre al que obedezco es mi padre —dijo—. Y a Adam, alguna vez —añadió como quien acaba de caer en la cuenta—. Y en cuanto a usted, si no puede mantener mi ritmo, le sugiero que se quede sentado esperando a que el sheriff le encuentre. —Y dicho esto, aguijó a la yegua y se alejó por el camino.

Tuvo que recorrer casi cinco kilómetros para que se le empezara a pasar la furia. De todas las impertinencias arrogantes y prepotentes que le habían soltado en la vida, aquella había sido la peor con diferencia.

Cay sofrenó a la yegua y miró hacia atrás. Ni rastro del escocés. En realidad, lo que le había dicho tampoco era para tanto... Uno tras otro, sus hermanos habían insistido en que debía «obedecerles». Y lo cierto era que lo hacía. Si no, siendo la menor, y además mujer, no habrían dejado que anduviese con ellos. Pero, a Tally, ¡a él jamás le había obedecido!

Al advertir que la yegua renqueaba ligeramente, Cay desmontó y la llevó bajo la sombra de un árbol. El pobre animal necesitaba descansar. Y Cay también. Aguzó el oído pero no percibió nada. No había nadie más en el camino. De pronto se dio cuenta de que estaba hambrienta y sedienta, y, al contrario que el escocés, ni siquiera tenía cantimplora.

Mientras descansaba sentada en el suelo y apoyada contra el árbol, oyó voces. Se levantó rápidamente, dispuesta a saludar a quienquiera que fuese, pero en seguida se dio cuenta de que se acercaba un grupo de hombres. Pensó en el aspecto que debía de tener. Su vestido de baile, antes precioso, ahora estaba sucio y con varios desgarrones. Aun así, era obvio que se trataba de una prenda cara. Y, además, estaba la yegua, un animal magnífico, y la silla de montar, hecha a mano. Comoquiera que fuese, Cay no pudo por menos de reconocer que lo más inteligente sería no dejar que un grupo de desconocidos viera que estaba sola. Así pues, decidió esconderse hasta comprobar quiénes eran y qué intenciones tenían.

Condujo a la yegua entre los árboles que crecían al costado del camino y esperó. Cuando los tuvo al alcance de la vista, se alegró de haber tenido el sentido común suficiente para ocultarse. Eran cuatro hombres, todos ellos sucios y desastrados, y por su forma de montar no parecían precisamente sobrios.

—Se han pasado la noche bebiendo —le dijo una voz al oído.

Cay no pudo sofocar un grito de sorpresa al ver al escocés a su lado.

—¿Qué ha sido eso? —preguntó uno de los hombres medio borrachos, antes de tirar de las riendas, detener el caballo y desmontar.

—Nada —respondió otro de ellos—. Vayámonos a casa.

—Te digo que he oído algo.

El que había desmontado se acercó más a los árboles y escudriñó las densas sombras.

Alex pasó un brazo por los hombros de Cay, le tapó la cabeza con la capucha de la capa y la empujó para que se agachara junto a él.

—Yates ha dicho...

—¿Ese viejo cuentista? ¿Acaso te crees que ha tenido dos asesinos pasando la noche en su granero?

—¿Por qué no? El asesino de Charleston huyó con su amiguita, ¿por qué no podían esconderse en el granero de Yates?

—Porque una cerilla bastaría para quemarlo todo. Y si eran asesinos, ¿por qué no mataron a Yates? Yo lo he pensado más de una vez.

—Pero tenía esas monedas, ¿de dónde las ha sacado?

—Yo siempre he creído que tenía dinero. Pero es demasiado tacaño para pagarse su propia cerveza. Venga, volvamos a casa. Será un gato lo que has oído.

Alex y Cay se quedaron observando hasta que el hombre se volvió de mala gana, montó de nuevo y el grupo se marchó.

Cuando Alex se apartó, Cay se volvió y, tumbada boca arriba, lo miró.

—Eres libre de irte —dijo él, a todas luces furioso—. No soy ningún carcelero y no quiero que nadie me tome por tal. Puedes marcharte cuando quieras, pero si te quedas conmigo, tienes que... —Se calló. Parecía estar buscando las palabras adecuadas—. Por lo menos, escucha lo que te digo y piensa en ello.

Cay sintió el impulso de desafiarlo y decirle que pensaba irse, pero las palabras de aquellos hombres resonaban en su conciencia. Que la noticia de la fuga del escocés hubiese llegado tan al sur era aterrador. Y peor era, todavía, que la consideraran su cómplice.

—No debe de tener hermanas porque, si no, sabría que no puede ir diciendo por ahí que le «obedezcan».

Seguía tendida sobre la espalda, mirándole desde el suelo. Alex negó con la cabeza.

—Ni hermanas ni hermanos. Soy el único hijo de mi padre.

—¿Y su madre?

—Murió cuando yo tenía nueve años.

—Lo siento —dijo ella.

Alex la miraba desde arriba, sin un ápice de diversión en los ojos azules, esperando a que ella le diera una respuesta.

Pero Cay no quería dársela. No quería comprometerse con aquel hombre. Lo que quería era volver a casa, estar con su familia, darse un baño caliente y ponerse ropa limpia. Y que todo aquello terminara de una vez.

Alex se sentó a su lado y suavizó la mirada.

—Niña, sé cómo te sientes. Yo tampoco quería esto. Un día estaba haciendo correr a mis caballos y ganando dinero con esos gandules ricos de Charleston, a punto de casarme con la mujer más hermosa de la tierra y, de repente, me encontré en una asquerosa prisión y a punto de ser colgado. —Bajó la voz—. Y la mujer a la que amaba estaba muerta.

Cay percibió la tristeza... no, el dolor en sus ojos. No se había parado a pensar en la situación desde el punto de vista de Alex.

Al ver que ella seguía callada, Alex se levantó, se acercó a su caballo y apretó las cinchas de la silla.

—Voy a llevarte de regreso —dijo—. No mereces estar metida en esto.

Cay se levantó y fue hasta su lado.

—¿Se refiere a Virginia?

—Pues claro, a Virginia, o a donde quieras ir.

—Pero ¿y el peligro para mi familia?

—Será mejor eso que andar por ahí con un asesino.

Desató el caballo y se dispuso a montar, pero Cay se lo impidió.

—Tenemos que hablar.

—No hay nada de que hablar —replicó él, mientras se acomodaba en la silla—. En mi opinión, deberíamos ponernos en marcha, pero si lo digo yo puedes pensar que tienes que obedecerme —añadió, con un énfasis irónico en esta última palabra—, así que dime qué quieres.

La chica no se movió.

—Tal vez deberíamos pararnos a trazar un plan.

Alex estaba a lomos de su caballo, mientras que ella permanecía de pie en el suelo. Se la veía tan pequeña... Su magnífica melena le caía sobre los hombros, desordenada y cubierta de hojas y ramitas, pero nada de ello conseguía empañar su belleza. Nate nunca había mencionado el cabello de su hermana, salvo que era pelirroja y que sus hermanos se burlaban de ella por esa causa. En una ocasión, Tally tiñó de rojo una vieja peluca y se paseó por la casa imitando a Cay. Ella acabó con la broma tirándole un carísimo jarrón de porcelana china de su madre, que terminó por caer por el balcón tras pasar a centímetros de la cabeza de su hermano. A Alex le había hecho gracia que les castigaran a los dos a lavar la ropa de toda la familia durante una semana.

—Me parece una buena sugerencia —admitió Alex—. ¿Tienes alguna idea de qué podemos hacer?

Cay parpadeó varias veces, sorprendida ante la honestidad del hombre, pero la verdad era que no tenía la más remota idea de cómo escapar en una persecución. Y como solía hacer siempre, recurrió al sentido del humor para salvar la situación.

—Le pondremos un vestido y volveremos a Virginia como si fuéramos un par de ancianas —dijo, con ojos risueños—. Pero, claro, para eso tendría que afeitarse e incluso darse un baño. —Acercó la yegua a un tocón, se subió a él y montó.

—Si hay que bañarse, entonces, imposible —dijo él, en un tono tan serio que Cay no supo si le estaba tomando el pelo o no—. Y no pienso ponerme ningún vestido. —La miró con expresión grave—. ¿Vamos al norte o al sur?

Cay tragó saliva con dificultad. Jamás había tenido que tomar una decisión de aquel tipo. Lo único que la hizo actuar fue pensar en lo que podrían hacerle a su familia. Si sus hermanos se vieran en tal tesitura, no dudarían en proteger a sus seres queridos.

—Al sur —susurró por fin.

Iba a añadir algo, pero él asintió, volvió grupas y se alejó. Se detuvieron dos veces a beber y a dar agua a los caballos, y siguieron adelante.

En una de esas pausas, Cay preguntó al escocés cuánto más creía que tendrían que cabalgar. No había prestado demasiada atención al mapa de T. C. y lo único que sabía era que iban hacia el sur, con el sol siempre de frente.

—A la gente le encantan las historias de terror, y supongo que no podremos escapar de los cotilleos hasta llegar a Florida.

«Florida», pensó ella, y no pudo reprimir un escalofrío. Pantanos, caimanes y plantas que se comen a la gente. Al menos eso era lo que el tío T. C. solía contarles, a ella y a Tally, cuando eran unos críos. Adam decía que no era verdad y, de hecho, fue quien la abrazó aquella noche que ella se puso a gritar en medio de una pesadilla.

—No te preocupes —dijo Alex—. Tú no tendrás que meterte en los pantanos conmigo. Te dejaré con los amigos de T. C.

Dicho esto, se acercó a su caballo, trasteó entre las alforjas y ofreció a la muchacha un trozo de cecina.

—Odio esta cosa —protestó Cay, masticando a regañadientes—. Pensaba que no tenía ningún plan.

—No lo tenía para devolverte a Virginia.

Al ver que no añadía nada más, Cay dijo:

—Entonces ¿piensa compartirlo conmigo o no?

—No —respondió él mientras le tendía las manos para ayudarla a montar.

Molesta, Cay apoyó una mano en su hombro y trató de darle una patada en el muslo. Solía hacerlo con sus hermanos, y siempre conseguía que perdiesen el equilibrio. Pero Alex estaba prevenido y se apartó tan rápido que Cay cayó hacia atrás. Él la cogió de la mano justo antes de que diese contra el suelo.

Cay empezó a chillar, pero observó tal cara de satisfacción entre tanto pelo que no pudo evitar sonreír.

—¿Seguro que no tiene hermanas?

—Absolutamente, pero me he dado cuenta de que lo más retorcido que se me pueda ocurrir es justo lo que haces.

Cay intentó defenderse, pero acabó echándose a reír.

—Puede que sea más débil y viejo que mis hermanos, pero es más listo. Salvando a Adam, por supuesto.

Alex volvió a ofrecer las manos y ella apoyó el pie y montó.

—Salvando a Adam —dijo Alex mientras se acomodaba en su silla. Y volviéndose hacia ella, preguntó—: ¿Cuántos años tiene Adam?

—Veintiocho.

—Eso me parecía —dijo Alex con aire pensativo, mientras levantaba la vista al sol—. No sé tú, niña, pero yo comería algo.

—Solo de mirar la grupa de ese caballo se me hace agua la boca.

—¿En serio? —dijo Alex—. A Dios gracias que no es la mía la que te provoca esas reacciones.

—En ese caso, seguro que me envenenaría —espetó ella sin atisbo de sonrisa—. El caballo está más limpio. Y, desde luego, huele mejor.

Alex no pudo evitar sonreír al ver que ella se echaba el cabello hacia atrás y lo adelantaba con la barbilla bien alta.

5

—¿Seguro que estarás bien? —preguntó Alex a la muchacha por tercera vez.

—Es usted peor que mi padre —protestó ella, haciéndose la jactanciosa. Lo cierto era que le daba un miedo terrible quedarse sola en el bosque. Echó un vistazo atrás, a las siniestras ruinas donde él había instalado un entoldado. Puesto que el frontal estaba completamente abierto, no tendría ningún tipo de protección frente... Frente a lo que pudiera acechar entre los árboles—. Estoy bien —insistió—. Esperaré aquí hasta que regrese.

—Tienes la pistola y sabes usarla, ¿verdad?

Alex ya había malgastado mucho tiempo convenciéndola de que era muy poco probable que los osos atacaran el campamento.

—Sé disparar bastante bien. —Se frotó los brazos para protegerse del frío y miró al cielo—. Parece que va a llover pronto, así que más vale que se marche. —Quería rogarle que no se fuera dejándola ahí sola, pero habría muerto antes que hacerlo.

Alex no se dejó engañar por su bravuconería. Sabía que estaba asustada y, puesto que las fuerzas del orden y todos los cazarrecompensas de tres estados les estaban pisando los talones, no le faltaba razón. Pero él tenía que conseguir comida y no podía dejar que la viesen con ella. Demasiada gente buscaba a un hombre que viajaba a caballo con una mujer.

—Me llevaré tu yegua —dijo, observando si su decisión la inquietaba. Y al ver el gesto de pánico que invadió el rostro de Cay, a punto estuvo de transigir. Tenían bolsas de comida desecada en sus alforjas, pero la iban a necesitar más adelante. Ahora, ambos deseaban una comida caliente y Alex tenía que intentar conseguirla.

—¡Váyase de una vez! —exclamó Cay, retrocediendo hacia el entoldado—. Deje de preocuparse por mí. Puedo cuidarme sola.

A Alex se le antojó que, en realidad, la muchacha apenas era capaz de caminar, pero no pensaba decírselo. El principal temor del escocés era que decidiera de nuevo que aquella era su oportunidad de escapar y se largara en cuanto él se volviese. No quería ni pensar en lo que un puñado de justicieros podían hacer con una jovencita a la que consideraban una forajida.

Algo renuente, ensilló la yegua y, tras echar un último vistazo atrás, dejó a Cay sola en el bosque, al amparo de las ruinas carbonizadas de una casa.

Cabalgó tan deprisa como pudo por el estrecho sendero que cruzaba el bosque y, por enésima vez, maldijo a T. C. Por una parte le debía la vida, pero por otra, suya era la culpa de que él tuviera que soportar la carga de cuidar —y alimentar— a una muchacha que no sabía hacer nada de nada. Aquella chiquilla se negaba a obedecer órdenes e iba a donde se le antojaba y cuando le apetecía. Y cada vez que él le sugería cómo hacer algo, ella le espetaba que era el hombre más desagradecido y maloliente que había conocido.

Cuando llegó al camino, le sorprendió una sonrisa que no pudo reprimir. La chica sabía montar, eso tenía que reconocerlo, y recordarla a lomos de su yegua, con la cabellera al viento, la enorme capa ondeando tras ella y el vestido blanco centelleando sobre su esbelto cuerpo le provocó una sonora carcajada.

Frenó de inmediato y miró alrededor para comprobar si alguien lo había oído, pero no había nadie más en el camino.

A decir verdad, la muchacha era buena compañía, algo que, tras los acontecimientos de los últimos meses, ansiaba con desesperación. El juicio había sido una farsa. No había habido en la sala una sola persona, incluido su abogado, que no le creyera culpable. Día tras día, prácticamente le habían arrastrado de la cárcel al juzgado, mientras la gente le silbaba, le escupía y hasta le arrojaba piedras. Para cuando le declararon culpable, Alex ya había empezado a dudar de su propia inocencia. Además, una defensa basada en un «no sé qué pasó» no era especialmente convincente.

Solo T. C. le había tratado con amabilidad y, aun así, cuando le había planteado su plan para liberarle, Alex se había mostrado escéptico. El hecho de que T. C. no hubiera podido estar supervisando la fuga porque se había roto una pierna ese mismo día, que hubieran matado a uno de los hombres a los que había pagado para liberar a Alex y que hubieran capturado al otro, le había parecido cosa del destino. Pero, llegar por fin a pie al punto de encuentro y que le estuviera esperando una preciosa jovencita con un vestido de baile resplandeciente, le había parecido el fin del mundo. No había dudado ni un instante que, en cuestión de minutos, estaría muerto... Y ella, junto a él.

Al constatar que, a diferencia de la mayoría de norteamericanos, la muchacha había entendido su jerga, había comprendido que era la hija de Angus McTern Harcourt. Le habían encomendado la protección de la querida y preciosa hermana del mejor amigo de Alex, cuando ni siquiera podía protegerse a sí mismo. Si hubiera tenido tiempo para pensar, se habría entregado antes de poner en peligro la vida de la muchacha. Pero la balas perdidas no les habían dejado más opción que la huida.

Al fin y al cabo, la chica había demostrado ser más fuerte de lo que en principio le había parecido. Alex sabía lo asustada que estaba, pero la había visto reunir todo su coraje y encarar airosa la peor de las situaciones.

Instó a la yegua a continuar. El mapa de T. C. mostraba una taberna en las inmediaciones y pensaba hacer lo que estuviera en su mano para conseguir algo que llevarse a la boca. Llevaba semanas sin probar la comida caliente y ya notaba el relieve de sus costillas. Se rio de nuevo al recordar que la muchacha le había llamado debilucho y viejo. Se pasó la mano por la barba. Ahora le era útil para ocultar una cara que tanta gente había visto en Charleston y sus alrededores. Pero era el motivo por el que la chica había pensado que era un hombre de cierta edad, mayor incluso que su adorado hermano Adam.

Alex agachó la cabeza al cruzarse con un hombre y una mujer que iban en una calesa descubierta y respiró tranquilo al ver que ambos pasaban sin reconocerle como un convicto a la fuga.

Mientras cabalgaba, intentó recordar lo que Nate le había contado de su hermana, aunque no era mucho. A Nate, lo que le interesaba era resolver enigmas y, en sus cartas, Alex y él siempre habían hablado de cosas que les parecían misteriosas. Nate solo la había mencionado en las ocasiones en las que la habían castigado por algo, y normalmente había sido por alguna pelea con su hermano Arthur Talbot Harcourt, Tally. Alex recordó las muchas veces que había hecho reír a su padre relatándole las travesuras de Cay y su hermano Tally.

—Me recuerda a su madre —solía decir el padre de Alex—. ¿Te he contado alguna vez lo de cuando le disparó a Angus?

Alex le respondía que sí, pero que quería oírlo otra vez. El primero en referirles la historia había sido Malcolm, el tío abuelo de Cay. Los McTern vivían al norte de Glasgow, y Alex y su padre les habían visitado tres veces. Alex conocía a los seis primeros primos de Cay, todos ellos mayores, más ricos y más cultos que él. Solo en materia de caballos, o de animales en general, era Alex quien despuntaba. Había sido Derek, el mayor de los primos, que le llevaba once años a Alex, quien había reconocido el talento del muchacho. Malcolm, el terrateniente del clan McTern, y su esposa Harriet habían adoptado a Derek y, como algún día sería Derek el terrateniente, todos los demás le escuchaban. Derek dijo a todo el mundo que Alex era un «mago» con los animales, capaz de conseguir que hicieran lo que él quería. Cuando se lo contó a Nate por carta, su amigo empezó a llamarle «Merlín», y para poner en contexto el apodo, le mandó un libro sobre el legendario mago. El nombre cuajó y, desde entonces, Nate no había dejado nunca de referirse a él como «Merlín».

La mente de Alex volvió al presente al divisar a lo lejos la taberna. Era más grade y más concurrida de lo que habría deseado. La intención era entrar a pedir comida, pero, con tanta gente merodeando, era probable que les hubieran llegado las noticias de Charleston. Si por lo menos fuera limpio y bien vestido, con la cara oculta tras la barba, seguramente habría pasado desapercibido, pero, tal como iba, parecía exactamente un fugitivo recién huido de la cárcel.

—¡Maldita sea! —masculló, pensando en regresar junto a Cay. Podrían subsistir con la cecina de ternera y la fruta seca unos días más. Cuanto más al sur llegaran, menores serían las probabilidades de que les reconocieran.

Pero su estómago le recordó la necesidad de comida con un rugido. Desmontó y escondió el caballo entre los árboles, desde donde podía vigilar la actividad de la taberna. Observó que la cocina estaba en la parte trasera del edificio y que incluso tenían una enorme tetera en la calle. Observó los movimientos de los cocineros y los carniceros con delantales ensangrentados.

En la fachada, las puertas dobles se abrían con frecuencia dejando paso a quienes iban y venían. No, no había modo de acceder sin que nadie le reconociera.

Y tuvo una idea. Si no podía entrar, lo único que tenía que hacer era conseguir que todos salieran. Comprobó las existencias de pólvora que había llevado consigo. Con esta y unas cuantas piñas, podría hacer un ruido considerable.

Cay corrió resiguiendo el camino hasta perder de vista al escocés y, después, regresó al campamento deprimente y se sentó sobre un tronco. Tenía la pistola que él le había dejado en la mano y se preguntó si la pólvora estaría seca. Si estaba húmeda y disparaba, podría explotarle la pistola en la cara. Y aunque no le explotara, tardaría por lo menos tres minutos en recargarla. Pero ¿y si la pólvora de recambio estaba justo al otro lado de su objetivo? Si, por ejemplo, se acercaba un oso y ella erraba el primer tiro, ¿cómo iba a montárselo para pasar al otro lado de ese bicho enorme a buscar la pólvora para recargar? Además, si no mataba al oso con el primer tiro, el animal acabaría con ella, de modo que el menor de los problemas sería conseguir la pólvora, porque ya estaría muerta.

Nada más oír el crujido de una rama, dio un respingo y llevó la mano a la pistola. Solo se trataba de una ardilla.

—Tienes que calmarte —se dijo en voz alta, y miró alrededor para comprobar que no la hubieran oído. Era pleno día, pero el alto dosel de ramas hacía que la luz pareciera crepuscular.

Cay no estaba acostumbrada a estar sola. Ya fuera en su casa de Virginia como en la de sus parientes en Escocia, siempre había algún hombre cerca. Cerró los ojos un instante y deseó ver a su padre o a alguno de sus hermanos o primos.

—Aunque fuera Tally —susurró.

Si Tally apareciera a caballo por ahí, se alegraría tanto de verlo que le soportaría las bromas y las burlas con su mejor sonrisa.

Abrió los ojos y se reclinó en el tronco. Ninguno de los hombres de su vida se presentaría para rescatarla, abrazarla y prometerle que todo iba a salir bien. Tampoco podría correr al regazo de su madre para descargar sobre ella todas sus preocupaciones. La verdad era que si acudía a alguno de ellos en aquel momento, les detendrían por haber ayudado a escapar a un asesino.

Se le llenaron los ojos de lágrimas, pero se las secó en seguida y echó un vistazo al sendero. El escocés se acababa de marchar, así que eran pocas las esperanzas de que no tardara en regresar.

Volvió a dar un respingo al escuchar un ruido a su espalda, pero no vio nada. Al menos no era un oso bajando por la colina para comérsela, a ella y al caballo. El hecho de que el caballo siguiera paciendo plácidamente como si no hubiera escuchado nada, la tranquilizó lo suficiente para volver a sentarse en el tronco.

Le habría gustado encender un fuego, pero se dijo a sí misma que no debía, por miedo a que alguien pudiera verlo. El bosque era frío, húmedo y muy solitario, y el fuego le habría aportado calor, luz y confort. Y las ramas encendidas también habrían servido para mantener a los animales alejados.

Volvió a repetirse que debía mantener la calma, pero su mente no cesaba de divagar. ¿Y si el escocés no volvía? Sin ella, podría moverse mejor y más rápido. Ella no había visto el mapa del tío T. C. y no tenía ni idea de dónde tenía que encontrarse Alex con los exploradores, cosa que tampoco le importaba demasiado, porque se suponía que la iba a dejar en alguna otra parte esperando o que mandaría a alguien a casa de su familia para que la fueran a recoger.

Se levantó, se metió bajo el toldo que Alex había colocado y se preguntó si realmente habría montado el campamento solo por ella.

Se enrolló la capa de Hope, se puso la capucha y se abrazó las rodillas. El tacto de la lana le hizo recordar la última noche en casa del tío T. C. Cay sabía que se había comportado como una bravucona, pero es que le había molestado la forma en que la había tratado Hope, como si fuera demasiado joven y frívola para llevar a cabo una tarea tan simple como la que T. C. le estaba encomendando.

—Y tenía razón —dijo Cay en voz alta, mientras reprimía las lágrimas que amenazaban con aparecer. Tenía que pensar en algo bueno. Podía pensar en... en... En que Hope le había pedido un marido, pensó. Era un buen recuerdo para echar una carcajada. Hope era mandona, controladora, no siempre agradable y, en ocasiones, hiriente. No le sorprendía que no estuviera casada.

Tal vez Hope debería casarse con el escocés, pensó Cay, y la idea la ayudó a relajarse e incluso a reconfortarse. Puesto que, al parecer, él esperaba que las mujeres le obedecieran, Cay comenzó a imaginarse las peleas que tendrían aquel par. Hope pediría a su marido que se bañara una vez al año y él le diría a ella que tenía que hacer lo que él le mandara, por descabellado que fuera.

Las imágenes le provocaron sonoras carcajadas. Mientras se tendía sobre el suelo cubierto de hojas, logró retener aquellos divertidos pensamientos en su cabeza. El escocés era mayor que Hope, seguramente rondaría los cuarenta, pero eso no era problema. Con casi treinta años, Hope tampoco podía permitirse el lujo de escoger demasiado con quién casarse.

Lentamente, Cay se fue relajando hasta sumirse en un más que necesario sueño.

6

Cuando Alex regresó con una enorme bolsa de comida, dio un rodeo para no entrar directamente en el campamento. Quería inspeccionar las inmediaciones para evitar incidentes. Al ver las ruinas y ni rastro del caballo ni de la chica, le entró el pánico. Tardó un buen rato en controlar el latido desbocado de su corazón, que parecía habérsele subido a la garganta. Cay se había largado con el caballo. ¡O peor! Tal vez la habían encontrado y se la habían llevado. ¿Tendría que sacarla de la cárcel?

Cuando el caballo, atado con una larga cuerda, apareció ante sus ojos, Alex sintió tal alivio que hasta se avergonzó de sí mismo. No iba a admitirlo, pero se alegraría de verla y no solo porque estuviera bajo su responsabilidad, sino por ser quien era. Ella era un vínculo con su padre, con Escocia y con Nate, que era su mejor amigo, a pesar de no haberse visto jamás en persona.

Alex descendió lentamente por la colina, con la enorme bolsa a modo de trofeo, deseando contemplar la alegría de la muchacha al ver la comida que traía.

Desmontó, desensilló la yegua y la dejó pastando antes de entrar en el pequeño refugio improvisado que había construido para la chica. La encontró tumbada sobre las hojas y ni siquiera se despertó al acercársele. Las mejillas manchadas de lágrimas le revelaron que la muchacha había estado llorando.

Al parecer, en su ausencia, toda la chulería de Cay se había venido abajo. Alex abrió la bolsa y comenzó a sacar las cosas sin hacer ruido. Primero, una hogaza de pan aún caliente del horno; después, una densa tarta de grosellas silvestres sobre un plato de cerámica. Debajo, un enorme cuenco de madera casi a rebosar de estofado de ternera, con grandes trozos de carne, patatas y zanahorias nadando en una fragante salsa espesa. Al fondo de todo, una sencilla cuchara de palo.

Alex sumergió la cuchara en el estofado y la acercó a la nariz de Cay. Ella tardó un instante en reaccionar, pero sacó la nariz de debajo de la capucha antes incluso de abrir los ojos.

Alex retiró la cuchara y ella la siguió instintivamente.

—¡Oooh!—exclamó, abriendo los ojos y alargando el brazo para agarrar la cuchara. Pero Alex la retiró aún más. Cay se quedó sentada, mirando a Alex con estupor.

»¡Démela!—Arremetió contra él, le arrebató la cuchara y se la llevó a la boca. Mientras masticaba, cerró los ojos extasiada—. Una delicia. Pura delicia.

Alex hizo ademán de quitarle la cuchara, pero ella se la apartó.

—Búsquese una.

—Ya la he buscado, y es esa. Hay que compartirla.

—¿Hay que compartir la cuchara?—preguntó ella, horrorizada.

Con su largo brazo, le arrebató la cuchara mientras le endosaba la hogaza de pan.

—Usa esto y dime, ¿quién es la desagradecida ahora? Supongo que estarás pensando que debí arriesgarme a que me pillaran solo por poder traer dos cucharas.

Cay cogió un pedazo de pan y lo hundió en el cuenco. Se empapó de salsa, pero pescar la carne era muy complicado. No paraba de caérsele.

Alex observó cómo intentaba inútilmente hacerse con la

carne y acabó por ofrecerle la cuchara con la que él ya había comido.

Consciente de que era o compartir o morirse de hambre, Cay se la arrebató.

—Tiene los modales de un bárbaro.

—Y tú el apetito de un leñador. Devuélveme la cuchara o no te contaré cómo he conseguido todo esto. Por poco me matan.

—¿Le han seguido? —preguntó ella, con media cuchara en la boca.

Alex le quitó el cubierto.

—¿Te digo que por poco me matan y lo único que te importa es que puedan capturarte?

Cay iba a defenderse, pero leyó el tono burlón en los ojos de Alex.

—Si le han seguido, tendré que compartir la cuchara con más gente. Ya tengo bastante con usted.

—Supongo que dormir al lado de un asesino convicto es demasiado para ti.

A Cay ya no le hizo ninguna gracia esa broma. Era demasiado real... Demasiado aterradora.

—Creo que debería contarme su versión sobre lo sucedido en Charleston —le propuso Cay en su tono más compasivo para animarle a hablar, pero él apenas levantó la vista.

—Mmm —murmuró él, arrebatándole de nuevo la cuchara.

—¿Qué significa eso?

—Significa que no es asunto tuyo.

—Me parece que si arriesgo la vida por usted y...

—¿Eso ha sido un oso? —preguntó él, con un pedazo de pan camino de la boca.

Cay dio un respingo y se acercó a él, mientras soltaba un gritito de alarma.

—Ah, no, es el viento —dijo él, y siguió comiendo.

Cay se percató de que había recurrido a la maniobra del oso para que dejara de hablar del asesinato.

—No me parece muy buena persona.

—En Charleston, todo el mundo estaría de acuerdo contigo.

—Toda una ciudad, eso sí es tener buen criterio. —Lo había dicho para quitar hierro a la situación, pero, por la cara de Alex, no lo había conseguido.

Pasaron un rato comiendo en silencio, hasta que Cay añadió:

—¿La quería mucho?

—Desde luego.

Animada por la respuesta, la muchacha se aventuró a seguir:

—¿Cómo se conocieron?

—En una carrera.

Se habían terminado ya el estofado y Alex se volvió a por la tarta que tenía detrás, y que Cay aún no había visto.

—¿De grosellas? Mi favorita.

—¿Acaso habría en estos momentos alguna comida que no fuera tu favorita?

Los ojos de Alex habían perdido aquella mirada triste y distante, y Cay se alegró.

—La cecina de ternera, las manzanas desecadas y el agua de arroyo con tropezones de musgo.

Con una risotada, Alex usó su cuchillo para cortar la tarta en cuartos.

—Guardaremos un poco para desayunar. Si dejas algo, claro. ¿Dónde metes tanta comida, niña? —dijo, mirándola. Aunque la capa la cubría casi por completo, su delgadez era obvia.

—Puro músculo —respondió ella, con la boca llena y lamiendo el jugo que le resbalaba por la muñeca—. Soy puro músculo.

Él se rio, y a ella le encantó escuchar su risa.

—¿Cuándo la conoció?

—¿A quién? —preguntó él.

—A su esposa. ¿Cuánto tiempo pasó desde que se conocieron hasta que se casó con ella?

—Tres semanas.

Lo miró fijamente, pasmada por la sorpresa.

—Pero eso no basta para conocer a una persona antes de casarte con ella.

—¿Quién te ha dicho eso? ¿Tu madre?

—Y mi padre.

—Y seguro que también el pastor.

Cay hincó de nuevo el diente a la tarta.

—Entonces, supongo que también es un experto en el amor, además de en esconderse de la justicia —dijo, y pensó que tal vez su apunte final le haría retraerse de nuevo, pero no pareció afectado.

—Sé cuándo me enamoro, sí. Pero ¿qué es lo que te dice tu madre? ¿Que tienes que conocer al hombre antes de casarte?

—Exacto.

—Porque es lo que hizo ella con tu padre, ¿no?

—Cuando se casaron, hacía años que se conocían —dijo Cay, entornando los ojos con desconfianza—. Parece saber muchas cosas de mi familia. ¿Se las ha contado el tío T. C.?

—Algunas sí. ¿Crees que ya estás servida o voy haciendo otra expedición a la taberna? Puede que aún les quede algunas onzas de ternera.

—Estoy bien, pero espero que tenga un plan para proteger ese trozo de tarta.

—La protegeré con mi vida.

Cay observó cómo Alex volvía a meter el plato con la tarta en la bolsa, la ataba con una cuerda y la colgaba de una rama.

—Protege siempre tu comida, niña. Me sorprende que tus parientes escoceses no te enseñaran esto.

—Cuando les visito, suelo alojarme en el castillo, no a la intemperie.

Mientras hablaba, comenzó a llover y bajó la temperatura. Cay se ajustó la capa y dobló las rodillas. Había oscurecido mientras comían y se encontraba sola con aquel hombre al que apenas conocía.

—¿Ahora volverás a temerme, niña? —le preguntó él con voz suave.

Ella irguió la espalda.

—¿Por qué iba a darme miedo un viejo debilucho como usted? ¿De qué estábamos hablando?

—De tu experiencia con los noviazgos —replicó él rápidamente con voz divertida.

—Me encanta que le parezca gracioso, pero, a decir verdad, si fui a Charleston fue para decidirme entre tres propuestas de matrimonio —dijo, y observó, encantada, la sorpresa de Alex.

—¿Tres?

—¿Acaso creía que los hombres no me quieren? Solo porque a usted le parezca una inútil no significa que...

—¿Me estás diciendo que no eres capaz de decidir con cuál de los tres quieres casarte?

El tono de Alex le sugirió que le parecía algo muy raro; quizás un error, incluso, pero no entendía por qué.

—Sí —respondió ella, vacilando—. Los tres son buenos hombres y...

—Pero ¿y la pasión? —preguntó él, enérgicamente.

Cay agradeció que la oscuridad ocultara su rubor.

—Si está hablando de lo que hacen un hombre y una mujer cuando están a solas, puedo asegurarle que sé todo lo que hay que saber. Me he pasado la vida rodeada de animales, y de chicos. Son criaturas obscenas, y hablo de los chicos, no de los animales. —Él la miraba con los ojos como platos—. ¿Por qué me mira así?

Alex ladeó la cabeza y la sacudió como si tratara de aclararse las ideas.

—¿Alguno de esos tres hombres te hace hervir la sangre?

—¿Hervir la sangre? Menuda ridiculez. No le hacen nada

66

raro a mi sangre. ¿Sabe? Me parece que deberíamos dormir. —Con esto, estiró las piernas con sus medias rasgadas e intentó concentrarse en dormir, pero había dormido muchas horas durante el día y ahora estaba inquieta. Además, él parecía seguir esperando una respuesta—. Son todos buenos hombres y pueden asegurar mi futuro y el de nuestros hijos. No veo qué hay de malo en eso... —Calló de golpe ante el resoplido burlón de Alex, y se incorporó sobre el codo para mirarle. El hombre se había tumbado sobre la hierba mojada, sin más protección que la fina ropa que le cubría, y le daba la espalda—. ¿Qué ha querido decir?

—Nada, niña. Duérmete.

Pero ella se sentó.

—No, quiero que me explique qué ha querido decir con ese odioso resoplido burlón.

—¿Qué resoplido? —murmuró él, aparentemente divertido por los comentarios de la chica—. No era ningún resoplido, era solo lo que suelo hacer cuando oigo algo tan inaudito que me cuesta de creer.

—Si no me dice qué ha querido decir, le...

—¿Me qué, niña?

—Le haré la vida imposible —replicó en voz baja, inclinándose hacia él.

Alex se volvió hacia ella y Cay vio claramente que el hombre se estaba imaginando los mil modos que tenía ella de cumplir tal amenaza.

—Supongo que eso significa que no pararás de hablar en toda la noche.

—Eso sería solo el principio.

Alex se quedó tumbado boca arriba, con las manos debajo de la cabeza.

—Por lo que yo he visto del matrimonio, no es algo fácil, y la única manera de salir adelante es amando a la otra persona.

—Estoy de acuerdo —replicó ella, vacilante y sin acabar de entender cuál era el reproche.

—Entonces ¿tú amas a los tres? —La miraba desde abajo, ya que él seguía tumbado y ella, en cambio, estaba sentada.

—Podría amarles. Para su información, he tenido ocho propuestas de matrimonio desde que cumplí los dieciséis y he reducido la elección a tres. No es que haya tenido solo tres propuestas y que me tenga que quedar con uno de ellos. El primero que se me declaró fue... Bueno, no era nada apropiado, y no lo incluí.

—Ah, o sea ¿que has escogido a tres hombres a los que crees que puedes amar y te has dado el paseo hasta Charleston para decidir cuál de ellos será?

—Sí —respondió ella, mirándole, sin entender qué le hacía tanta gracia—. ¿Qué le parece tan divertido?

Cuando parecía a punto de contestar, el hombre se tomó su tiempo para sentarse frente a ella.

—Niña, tienes que sentir pasión —dijo, y mientras hablaba, levantó la mano—. Al mirar al hombre, tendrías que sentirte como si fueras a morirte si no pudieras pasar el resto de tu vida junto a él. Se te tiene que subir el corazón a la garganta y quedarse ahí para siempre.

—Yo creo que se puede aprender a amar a alguien. Sé que piensa que no soy más que una cría, pero he visto unos cuantos de esos matrimonios «pasionales» de los que usted me habla y nunca han funcionado. Una de las amigas de mi madre se escapó con un tipo mucho más joven que ella y... Bueno, ahora no paran de discutir. Su hija es amiga mía y se pasa media vida en mi casa por no volver a la suya con esos padres que siempre se chillan.

—¿Cuántos hijos tienen?

—Once.

—¿Tienen once hijos y se pasan el día discutiendo?

Cay hizo un esfuerzo con tal de no sonrojarse, pero no pudo controlarse y solo le quedó desear que él no se hubiera dado cuenta.

—No son una pareja feliz.

—A mí me parece que están de maravilla. Los realmente infelices son los que siempre se muestran correctos.

—Eso es ridículo. Mis padres son muy correctos.

Alex la miró con dureza.

—Tal vez no siempre —concedió ella—. Mi madre es algo cabezota y mi padre se enfurruña a veces por eso, y mis hermanos y yo hemos tenido que decirles alguna vez que o hacían algo al respecto o nos tendríamos que ir de casa. Pero se quieren mucho.

—Y ambos se escogieron porque era lo más sensato, ¿no es así?

—Mi padre era el hacendado del clan y mi madre era heredera. Sí, creo que hacían una pareja perfecta.

Con otro pequeño resuello, Alex se volvió a tumbar en el suelo, con los brazos cruzados sobre el pecho, como si tuviera la intención de echarse a dormir.

—Eran la peor pareja de toda la cristiandad —murmuró.

—Quiero que me diga cómo es que sabe tantas cosas de mi familia.

—T. C...

—No creo que el tío T. C. le haya hablado tanto de nosotros. ¿Le ha contado lo suyo con Bathsheba?

—La mencionó —dijo Alex, sin volverse—. ¿Estaba apasionadamente enamorado de ella?

—Sí, locamente enamorado. Mi madre dijo que cuando Bathsheba se casó con otro, el tío T. C. por poco se quita la vida de la pena.

—Conozco ese sentimiento —dijo Alex en voz baja—. Lo conozco muy bien.

Cay quería añadir mucho más, llegar a discutir, incluso. No tenía demasiado sueño y la noche, y especialmente la lluvia que caía a su alrededor, alimentaban su nerviosismo.

—¿Y usted quería mucho a su mujer? —preguntó en tono suave.

—Con toda mi alma y todo mi corazón.

—Y la conocía desde hacía tres semanas, ¿no?

—Lo supe en el mismo instante que la vi. Me miró a los ojos y me atrapó.

—Pero ¿no sabía nada de ella, ni cómo era, ni qué le gustaba o qué detestaba, qué esperaba del futuro? ¿Nada?

—Supongo que tú lo sabes todo de los hombres con los que estás considerando casarte.

—Pues claro.

—Haces listas, ¿verdad?

Cay pensó en su libreta llena de comparaciones sobre los hombres con los que podía casarse. Había comparado sus edades, casas, antecedentes familiares, todo lo que se le había ocurrido. Sabía que el matrimonio era algo muy serio y no quería equivocarse. Quería un buen matrimonio como el de sus padres.

—Por supuesto que no —mintió—. Dejaré que mi corazón decida por mí. ¿Acaso no es eso lo que debe hacer una novia?

—Si me estás preguntado lo que creo que deberías hacer, te diré que deberías tumbarte a dormir. Saldremos pronto por la mañana, antes del alba, así que necesitarás descansar cuanto puedas.

A regañadientes, Cay se tumbó sobre el duro suelo y trató de frenar su mente, pero no la pudo controlar.

—¿Ha terminado su plan para mí?

—Pues sí, pero no pienso contarte lo que tengo en la cabeza, de modo que no tiene sentido que me atosigues ahora.

—No le estoy atosigando —replicó ella.

—Podrías dar clases. Podrías abrir una escuela para enseñar a atosigar a los hombres hasta tal punto que se echen a llorar desando liberarse de tu lengua.

¡Detestaba que la tratara como a una cría!

—Micah Bassett no quería librarse de mi lengua. De hecho...

—Niña, estás sola en el bosque con un asesino convicto.

Dime que no me vas a contar lo que puede hacer una chica con su lengua.

—Yo... —A Cay no se le ocurría nada para justificarse, porque no había justificación posible. Así pues, se acurrucó a un lado de la capa y, tras un momento de incertidumbre, echó la otra parte sobre él. Él se lo agradeció con un gruñido y, al acercársele, Cay notó el calor de su cuerpo contra la espalda. Tal vez fuera por la comodidad o tal vez por el suave sonido de la lluvia, pero el caso es que cerró los ojos y se durmió.

7

—No pienso vestirme de chico —anunció Cay—. ¡De ningún modo! Se acabó la discusión y no hay más que decir.

—¡Bien! —exclamó Alex—. Así no tendré que escuchar más tus quejas. Cuando te hayas vestido de chico, podrás tener la boca cerrada, a menos que te encuentres con algún hombre con el que puedas casarte... Entonces podrás hacer otras cosas con tu boca.

—Es usted repugnante. Peor que cualquiera de mis hermanos.

—¿Eso incluye a Adam? —preguntó él—. ¿O es demasiado perfecto para tener pensamientos impuros?

Cay estaba encinchando la yegua y lo miró por debajo del cuello del animal. Él no le devolvió la mirada, pero Cay pudo advertir que se sentía muy satisfecho consigo mismo, convencido de haberla vencido en un duelo a espada.

—Mi hermano Adam no tiene pensamientos que no pueda repetir delante de los congregados en una iglesia. ¿Está listo para partir o necesita ayuda?

—No necesito ayuda, y tu hermano me parece un aburrido —dijo Alex, mientras rodeaba al caballo, se agachaba, agarraba la pantorrilla de Cay y la subía limpiamente a su silla de montar.

Solo años de experiencia y unos músculos fuertes podían haber evitado que ella se tambaleara. Pero renunció a darle la satisfacción de quejarse de nuevo.

—Fíjate, si ya eres medio chico. —La miró desde abajo—. La verdad, niña, si no tuvieras todo ese cabello, pasarías perfectamente por un chico.

Con una sola frase, Alex había dicho todo lo que ella siempre había temido. Su madre era tan hermosa que varios hombres habían escrito poemas sobre ella. Un joven compuso incluso una canción sobre su belleza. Pero Cay, su única hija, no se parecía tanto a su madre como a su padre y a sus hermanos. En realidad, cuando eran pequeños, con solo diez meses de diferencia entre ella y Tally, algunos pensaban que eran gemelos... Niños gemelos.

Plantado en el suelo, Alex vio que había herido sus sentimientos y que estaba haciendo verdaderos esfuerzos para no llorar. No fue su intención. Lo cierto era que, tras una buena comida y una noche entera de sueño, se había despertado junto a una guapa muchacha con un bonito vestido tratando de alcanzar la bolsa que él había colgado en el árbol. Al principio, a Alex le había costado situarse y recordar todo lo sucedido en los meses anteriores. Se había anclado en el presente, pensando que jamás había visto una escena tan bonita en su vida... Y he ahí el problema.

La idea de hacer que Cay se vistiera de chico había surgido al contarle al viejo Yates que viajaba con su hermano pequeño, pero no se lo había contado a ella por miedo a que reaccionara tal como acababa de hacer. ¿Qué pasaba con las mujeres? ¿Por qué se creían invisibles si no lucían lazos a cualquier hora del día?

—Será por poco tiempo —dijo él suavemente, sin dejar de mirar hacia arriba—. Hay un pueblo cerca y es domingo. Me imagino que podremos entrar en una tienda cerrada y llevarnos lo que necesitemos. Dejaré dinero para pagar lo que nos llevemos —añadió, puesto que ya la conocía lo suficiente para saber que ella así lo querría—. Cuando estés equipada, podemos seguir hacia Florida. Te dejaré con los amigos de T. C., donde puedes esperar un par de semanas y después regresar a tu casa. La gente no se fijará en un muchacho que viaja solo, pero una preciosa joven podría atraer más problemas.

—No estoy de acuerdo. Usted ya cree que parezco un chico tal como soy. Supongo que lo que quiere es que me oculte el pelo bajo una peluca.

Al ver que él no respondía y se dedicaba a fijar concienzudamente las alforjas de su caballo, Cay aguantó la respiración.

—Quiere que me lo corte, ¿verdad?

Alex montó y, tras un momento de cobardía, la miró a los ojos.

—Le he dado muchas vueltas y tu pelo arruinaría todo el disfraz. Te hace parecer muy joven y, vestida de chico, se te verá más joven aún. Si te pones una peluca, llamarás la atención. Además, tal como montas, la peluca se te caería y saltaría a la vista toda tu melena.

Cay se puso la mano en el pelo, que le llegaba por debajo de los hombros. De pequeña, lo único que había logrado que dejaran de compararla con su hermano había sido su melena.

—No me lo cortaré. —Se adelantó con el caballo—. Puedo pensarme lo de la ropa —añadió—, pero no me cortaré el pelo.

—Bien —dijo él en voz baja—. No lo cortaremos —agregó, consciente de que mentía. No pensaba arriesgar la vida de la muchacha ni la suya propia por su vanidad femenina.

—¿Por qué no vas tú delante un rato? —le propuso él en tono conciliador. Era lo mínimo que podía hacer cuando sabía lo que le tendría que hacer. Si no accedía voluntariamente, tendría que cortárselo sin su permiso, y el solo pensamiento lo acongojaba. Si le cortaba la melena mientras estaba dormida, más le valdría no volver a cerrar los ojos con ella al lado, si no, ella le cortaría también algo... Y no precisamente el pelo.

Cabalgaron durante tres horas bajo la penumbra previa al alba, evitando los caminos principales y avanzando campo a través siempre que podían. Cuanto más al sur iban, mayor era la distancia entre los pueblos, y empezaban a ver plantaciones. Las plantaciones eran como pequeñas aldeas, con todo lo necesario para la familia terrateniente y los trabajadores crecidos o nacidos en sus tierras.

Cay se mantuvo en silencio la mayor parte del viaje y Alex sabía que su silencio se debía a que no quería vestirse de muchacho, pero no veía otro modo de garantizar su seguridad. Gracias a su vestido, que parecía confeccionado con polvo de estrellas, los hombres que le perseguían habían deducido fácilmente que era una mujer. Si lograba cambiar al menos ese aspecto de la descripción, estarían más seguros.

A ella no iba a decírselo, pero estaba convencido de que, a esas alturas, ya habrían repartido los carteles con sus caras por todas partes, y el pelo de Cay era el rasgo más distintivo. Casi podía imaginar las palabras: «Espectacular pelirroja.» O «poco más de un metro de lustrosa y espesa melena pelirroja» y «piel de porcelana como si jamás la hubiera acariciado el sol».

En cuanto a él, le encantaría afeitarse, pero el grabado que los periódicos habían diseminado durante el juicio le mostraban afeitado. Si había una forma de reconocerle, era viéndole con la cara despejada. Además, tal como Cay le había dicho en numerosas ocasiones, demasiadas para su gusto, la barba le hacía parecer mucho mayor de lo que era en realidad.

Cay miró hacia atrás y a la yegua para que él pudiera ponerse a su lado.

—¿A qué viene esa cara?

—A nada. Es mi cara —espetó él, malhumorado.

—No veo por qué tengo que aguantar su mal humor. La inocente aquí soy yo, y estoy metida en esto porque me ofrecí voluntaria para ayudarle.

—Bueno, no sé quién está de peor humor...

—Yo tengo derecho a estarlo. Usted debería sentirse agradecido.

—Te agradezco que me salvaras la vida, pero no que casi consiguieras que nos atraparan.

—¿Cuándo hice yo..? —comenzó Cay, pero cerró la boca e, inmediatamente, volvió grupas y se alejó a toda prisa por donde había llegado.

Alex tuvo verdaderos problemas para alcanzarla y maldijo que su caballo fuera tan cargado con equipos y provisiones para moverse con facilidad. Cuando la alcanzó, a punto estuvo de dislocarse el brazo tratando de arrebatarle las riendas para frenarla. Pero era muy buena amazona y, por mucho que lo intentó, no lo consiguió.

—Lo siento —gritó él, mientras ella ganaba distancia—. Me disculpo. De todo corazón, niña, siento lo que he dicho.

Alex estaba seguro de haberla perdido, pero, para su sorpresa, ella frenó y se volvió hacia él.

—Dígalo otra vez.

Humillarse iba contra la naturaleza de Alex. Su padre siempre le había inculcado que, aunque no tuvieran título ni dinero, tenían su orgullo, y un hombre jamás debe perderlo. Pero ahora, frente a aquella chiquilla, se sentía empujado a ceder. Le besaría los pies para que le perdonara. Y al pensar en besarle los pies, le volvió el malhumor y dejó de compadecerse.

—Lo siento, niña —repitió, pero lo dijo con media sonrisa—. Has demostrado gran valentía y fortaleza haciéndote cargo del lío que organizó T. C. y te pido disculpas por haber dicho lo contrario.

—¿Lo dice en serio o solo para que no le abandone?

Tuvo que aguantarse la risa ante el comentario. Estaría mucho mejor sin ella, pero no se lo iba a decir. En realidad, no dejaba de preguntarse en qué debía de estar pensando Angus McTern Harcourt para enseñar a su hija a montar de aquella manera, aunque, como era medio escocesa, tal vez lo llevara en la sangre.

—Me sigue mirando raro.

—Estaba pensando que con un buen traje de amazona podrías ganar cualquier carrera. Si aún tuviera mis caballos y no estuviéramos metidos en este lío, tú y yo podríamos hacer una fortuna en el hipódromo.

Cay no pudo evitar una sonrisa.

—¿Por eso estaba de tan malhumor esta mañana? ¿Porque echa de menos sus carreras?

Estuvo a punto de contarle la verdad, que le asustaba lo que les quedaba por delante, lo que ocurriría si les atrapaban, pero, en lugar de eso, bajó la mirada y dijo:

—Estaba pensando en lo terrible que sería tener que cortarte el cabello. Pero, niña, se te ve demasiado bonita con ese magnífico halo de pelo ondeando alrededor de tu cara.

Alex esperaba que ella le respondiera que él iba cubierto de estiércol de caballo y se largara al trote para no volver a verle, pero no fue su reacción. Se tocó el pelo y sonrió con dulzura.

—¿En serio piensa eso?

—Pues claro —respondió él, con total sinceridad.

—Supongo que me enfado demasiado deprisa —admitió ella—. Es un problema que tengo. Adam siempre dice que es mi gran defecto.

—Y Adam siempre está en lo cierto, por supuesto —murmuró él.

Ella le miró con dureza, intentando adivinar si estaba tratando de camelársela o estaba siendo sincero.

Alex se esforzó por mantener la calma en su mirada y contener su risilla interna.

—¿No vas a venir conmigo, niña?

—Solo si me llama por mi nombre —replicó ella—. Ya sé que le han dicho mi nombre completo, pero yo me llamo...

—Cay —intervino él—. Por tus iniciales C-E-H. Es como pensaba que te llamabas tu hermano Nate porque tu madre lo bordaba todo con esas iniciales antes de que nacieras. Estaba convencida de que serías una niña. Y ahora... Cay, ¿estás lista para seguir? Tendríamos que llegar al pueblo muy pronto.

Cuando Alex volvió grupas para seguir hacia el sur, esperando obviamente que ella le siguiera, Cay fue incapaz de moverse. Pero ¡cuánta información le había dado el tío T. C.! En su opinión, había revelado demasiadas intimidades a un perfecto desconocido. Al fin, con el ceño fruncido, se puso en marcha tras él.

Al oír los cascos de la yegua, Alex sonrió para sus adentros y pensó que tal vez hubiera aprendido algo sobre las mujeres. Aun sabiendo que había mancillado su orgullo teniendo que disculparse e implorarle que volviera con él, también se sabía ganador porque ahora le estaba siguiendo. Tal vez orgullo y mujeres fueran dos términos excluyentes. Comoquiera que fuese, se alegraba de que ella hubiera optado por lo más sensato para poder protegerla.

—Esto no me gusta —susurró Cay mientras Alex sacudía el clavo que acababa de arrancar de la cerradura de la puerta lateral del edificio.

—¿Y crees que a mí sí? —susurró también él—. Me encantaría estar en mi casa con mi esposa, en lugar de aquí.

—Lo siento —se disculpó ella, contrariada—. A veces olvido su pérdida.

Alex tiró del candado y apretó con el clavo hasta que la puerta acabó por ceder.

—Rápido —dijo, haciéndola pasar al interior. Él se quedó un instante fuera, mirando a su alrededor para asegurarse de que nadie les hubiera visto. Al parecer, aquella mañana de domingo, todo el mundo en el pueblo estaba en la iglesia, por lo que estarían un rato a salvo.

—Es una bonita tienda —valoró Cay, observando las estanterías bien abastecidas de las paredes. En la parte de atrás, había armarios repletos de ropa—. No es como en Charleston o Nueva York, pero para lo que es, no está nada mal.

A Alex le importaba muy poco lo buena que fuera la tienda siempre que pudieran encontrar lo que necesitaban y salir antes de ser descubiertos.

—Tenemos que largarnos pronto de aquí —dijo él en voz baja—. Y no hagas ruido.

—Siempre da por supuesto que soy una ignorante —protestó ella, mientras se dirigía al fondo de la gran tienda. En la parte de delante, había un mostrador largo con un montón de cajas y botellas detrás. Había varios barriles de galletas saladas y uno de pepinillos.

Alex agarró una enorme bolsa de lona de detrás del mostrador y empezó a llenarla de galletas y manzanas desecadas. No había compartido con Cay su preocupación por si la noticia de la implicación de T. C. en la fuga de la cárcel había llegado a oídos del señor Grady y le estaba esperando con una descripción. Le horrorizaba pensar que pudieran estar recorriendo todo aquel camino para encontrarse con una trampa al final.

Como no oía a Cay, dio por sentado que estaría cambiándose de ropa y no quiso molestarla. Dejó la bolsa en el suelo, al lado de la puerta, y se dirigió rápidamente al fondo de la tienda. Había armarios repletos de prendas de una calidad a la que estaba seguro que ella no estaba acostumbrada, pero prendas recias, bien confeccionadas y útiles al fin y al cabo. Alex no tardó ni un segundo en deshacerse de sus sucios harapos para vestirse con unos pantalones beige que le abrazaron los músculos, una camisa blanca con un pañuelo atado al cuello, y un largo chaleco de color verde oscuro. Vio una balda llena de sombreros de paja de ala ancha, y tomó uno. Le protegería del sol de Florida. Al mirarse, le dio por pensar que parecía un rico propietario de alguna plantación y no un reo de las Highlands de Escocia que se acababa de fugar.

Sonriendo, fue a buscar a Cay para mostrárselo y ver qué había encontrado ella, pero, al verla, se quedó petrificado.

Había un espejo alto sobre una plataforma en la parte trasera y ella estaba de pie delante de él, cepillándose lentamente el cabello. Alex pensaba que ya se había acostumbrado a su presencia, pero nunca la había visto sin la protección de su capa. Su vestido estaba salpicado de piedrecitas y algunas zonas no estaban en su mejor estado, pero seguía siendo una prenda preciosa. El escote era bajo y sobresalía la redondez de sus pechos. Las mangas cortas dejaban al descubierto los largos brazos desnudos, que él juzgó perfectamente moldeados tras años de pulsos con tercos caballos. El vestido blanco se ceñía sobre su busto, bien ajustado con un lazo justo por debajo, para caer luego suelto hasta los pies.

Permaneció inmóvil un instante, mirándola, y pensó en el tiempo que habría dedicado Cay a arreglarse para el baile de Charleston. Seguramente habría imaginado un escarceo romántico con algún joven, tal vez incluso alguna proposición de matrimonio a la lista de la que, sin duda, hablaría a sus nietos.

Pero, por su buen corazón, se había prestado a algo que pocas jóvenes ricas, o incluso pobres, habrían hecho. Había arriesgado su vida para salvar a un hombre al que jamás había visto, a un hombre al que tenía razones para creer culpable de asesinato.

Siguió observándola mientras se cepillaba el pelo e imaginó que estaría pensando que aquella sería la última vez. Por la triste mirada de pérdida en sus ojos, Alex supo que acabaría por aceptar.

¡Ojalá pudiera volver atrás en el tiempo! Si pudiera, si pudiera volver atrás... No podía pensar en eso, porque sabía que, de ser posible, volvería al momento más feliz de su vida, el momento en que se había casado con Lilith.

Respirando hondo, Alex salió de detrás de las estanterías repletas de artículos y se acercó a ella.

—¿Me concede este baile, señorita Cay?

Estiró los brazos con la esperanza de que a ella no le importara su pelo sucio y el hedor a prisión que aún impregnaba su cuerpo.

Pero a Cay le habían enseñado buenos modales. Le dedicó una dulce sonrisa, se levantó la falda con una mano y apoyó la otra en la del escocés. Mientras Alex le ponía la mano en la cintura, deseó que hubiera música para bailar, pero lo mejor que pudo ofrecerse fue tararear una vieja balada escocesa que su madre solía cantarle. No era un baile adecuado, con sus intricados cambios de ritmo, pero era algo íntimo, algo entre los dos.

Cuando ella empezó a tararear con él, demostrándole que se sabía la canción, Alex la condujo con una amplia sonrisa por toda la sala, rodeando las mesas y los estantes, pasando por delante y por detrás del mostrador. Al ver que ella estiraba el brazo para coger una botella marrón y la dejaba sobre el mostrador, soltó una carcajada. La muchacha no había olvidado por qué estaban allí.

Pasaron algunos minutos antes que volviera a dejarla frente al espejo. Previa reverencia, se apartó de ella.

—Debo decir, señorita Cay, que jamás he disfrutado tanto de un baile como en esta ocasión.

—Lo mismo digo —añadió ella, haciéndole una genuflexión abriendo los brazos hasta donde le daba la falda.

Mientras retrocedía, Alex la miró y pensó que estaba bellísima con aquel largo vestido blanco. Así era como quería recordarla. Era la chica que le había salvado la vida.

—Tendrá que ayudarme —dijo ella.

Alex seguía mirándola fijamente. En todos los años que llevaba carteándose con Nate, su hermano jamás había mencionado la gran belleza de su hermana pequeña.

—¿A qué?

—A desvestirme.

Alex tardó unos segundos en asimilar el alcance de lo que le acababa de pedir.

—¿Quieres que te ayude a desnudarte?

Ella sonrió con ternura.

—Si vamos a viajar juntos, tendrá que comportarse como

si fuera uno de mis hermanos. —Le dio la espalda y se recogió el cabello—. Puede empezar por desabrochar los botones de la espalda.

—Debe de haber un centenar. Nos pasaremos el día entero.

—Es un hombre casado, o sea que tiene que saber cómo desabrochar un vestido.

—Solo estuve casado unas horas —replicó Alex, peleándose con el cuarto botón. Eran minúsculos y los ojales muy resbaladizos.

Cay le miró por encima del hombro.

—¿Unas horas? Entonces, no...

—Entonces, nada de tu incumbencia, pero no, no lo hicimos —respondió él, ofuscado con los botones.

—Hope dijo que usted se había dormido en su noche de bodas, pero no le creí.

—Yo no me dormí, me drogaron.

—Ah, sí, el vaso de vino y después se durmió. ¿Quién le drogó?

—Si lo supiera, me podría haber defendido en el juicio. —Ya había desbrochado dos tercios del vestido.

—Hope dijo que la puerta estaba cerrada por dentro, que, en el dormitorio, solo estaba usted y su esposa.

—En eso es casi en lo único que los abogados llevaban razón. —Alex desabrochó el último botón—. Ya está. Ahora quítate ese vestido y démonos prisa. Puede venir alguien.

—¿Un domingo? Seguro que no. Ni siquiera mi padre trabaja en domingo.

—Supongo que eso significa que ningún hombre lo hace —dijo Alex en tono burlón. Miraba la espalda del vestido como si acabara de coronar la cumbre de una montaña y se sintiera profundamente orgulloso de ello.

—Vuélvase —pidió ella—. Sigo siendo una mujer y usted es un hombre y... —Dejó la frase a medias, y le miró como si acabara de darse cuenta de que iba vestido con ropa nueva.

—¿Te gusta? —preguntó él, abriendo los brazos.

—Parece de una plantación —dijo ella suavemente—. Le queda bien —añadió, y se volvió de nuevo hacia el espejo, sin dejar de observar su reflejo—. Por supuesto, el hecho de que sea el hombre más sucio del país y tenga piojos en la cabeza minimiza el efecto global.

Alex se pasó la mano por el pelo. Siempre solía llevarlo perfectamente peinado y recogido en la nuca con un lazo negro, pero ahora lo tenía alborotado y demasiado largo y, como bien había observado ella, muy sucio.

—Tal vez pueda lavarme cuando lleguemos a nuestro destino.

—No. Se dará un buen baño hoy o yo no me vestiré de chico.

Alex le sonrió.

—Demasiado tarde. Jamás podrás abotonarte de nuevo esa espalda sin mi ayuda.

Cay agarró un vestido de una balda cercana y se lo mostró. Era una prenda sencilla, de tartán marrón, con una trenza negra alrededor del cuello. Y le miraba amenazadoramente.

Alex no pensaba decírselo, pero si iba a seguir llevando vestido, prefería mil veces el blanco que tenía puesto. De algún modo, se había acostumbrado a su brillo bajo el sol. Lo sorprendente era que ella, gracias a los misteriosos poderes femeninos, había adivinado que él no querría que ella llevara ese vestido marrón tan sencillo.

—Tiene que bañarse.

—Te prometo que me lavaré —dijo Alex con una sonrisa—. No soy ningún bárbaro, aunque tú creas lo contrario.

Cay volvió a mirarse en el espejo. Sostenía sobre el cuerpo su precioso vestido y echó una larga y profunda mirada a Alex, que se estaba girando de espaldas. Entonces, dejó caer el vestido y se apartó de él. Se observó enfundada en su largo corsé, con los calzones hasta las rodillas y las medias rotas por encima de las zapatillas de dama sucias y maltrechas. Esa sería la última vez que se viera como mujer.

Lo peor de todo es que sabía que iba a necesitar la ayuda de Alex para quitarse el corsé. Su doncella se lo había atado hacía días y no se lo había quitado desde entonces.

—Tiene que desatarme —anunció.

—Para eso, tendré que girarme. ¿O quieres que me ponga una venda en los ojos?

—Le pondrán una venda en los ojos cuando le fusilen por desatar el corsé de una mujer que no lo desee, pero yo le estoy pidiendo que lo haga, o sea que no pasa nada.

Alex se giró riendo y Cay se sintió complacida al ver que el hombre retenía el aliento. Era el único hombre que la había visto en ropa interior, aparte de su padre y sus hermanos, pensó, pero eso no contaba. Una vez, Tally le había metido polvos picapica en el corsé justo el día que ella iba a conocer a Thomas Jefferson, un viejo amigo de su madre que se había convertido en gobernador de Virginia. Al recordar cómo se la devolvió ella a Tally, no pudo evitar sonreír.

—¿Por dónde empiezo? —preguntó Alex, fijando la vista en la espalda de la prenda atada.

—Imagine que es el arnés de un caballo y desátelo.

—Podría usar el cuchillo y...

—¡No! —exclamó ella—. Nada de cortar.

Alex estuvo a punto de hacerle la broma del «todavía», refiriéndose a que no cortaría nada hasta que usara el cuchillo con su melena, pero se lo pensó dos veces. Le habían atado los cordones de forma que el nudo se había ido apretando con los días y le costó un buen rato aflojarlos. A medida que los iba desatando, notó que ella empezaba a respirar profundamente.

—Mi doncella los ató más fuerte de lo habitual para el baile —explicó Cay, soltando otra bocanada de aire.

—¿No duele? —Acababa de encontrar un nuevo obstáculo y le entraron unas ganas tremendas de sacar el cuchillo y hacer trizas el condenado corsé.

—Claro que sí, pero a los hombres les encantan las cinturitas estrechas.

Se inclinó y acercó la cara a los cordones. Al parecer, la doncella había hecho en el medio el mismo nudo que arriba.

—Pero si los vestidos que lleváis las mujeres hoy en día os ocultan la cintura.

—¿En serio? —preguntó ella, con la dulce voz de la pura inocencia.

Aflojó los cordones, retrocedió y sonrió. Ya lo tenía. La moda de la cintura alta ocultaba más bien poco.

—No, no ocultan casi nada. Cuando una mujer se pone delante de una vela, puedes ver... —Carraspeó—. Ya está desatado.

Cay ya se estaba revolviendo para librarse del corsé. Como lo había dejado atado por abajo, Cay tuvo que sacárselo por los pies. La intención de Alex era girarse, pero ella había empezado a contonearse de tal manera que él no había podido evitar quedarse mirándola, y riendo.

—¡Puedo respirar! —exclamó. Se pasó las manos por la espalda y se rascó por encima del largo viso de algodón y, como no fue suficiente para aliviar el picor, se acercó a la pared y se frotó contra ella con cara de puro placer.

—No sé por qué le temías al oso, seguro que habría pensado que eras una más de su manada.

—Cállese —le pidió amablemente—. Si se hubiera pasado los mismos días que yo con el corsé, sin quitárselo ni siquiera de noche, se habría... —Y volviéndose hacia él—: Sea útil y venga aquí a rascarme la espalda. El picor me está volviendo loca.

Alex vaciló, pero hizo lo que ella le pedía y le rascó suavemente la espalda por encima de la tela.

—Sé que es un debilucho, pero estoy segura de que puede hacerlo mejor.

Empezó a rascar más fuerte y, cuando sus uñas demostraron no ser suficiente, sacó el cuchillo y se puso a frotarle la espalda con el mango, temeroso de arrancarle la piel.

Finalmente, ella se apartó.

—Mejor. Mucho mejor.—Seguía retorciéndose, encogiendo los hombros y haciendo rodar los brazos.

De nuevo, Alex se maravilló ante su belleza. ¿Por qué Nate no se lo había mencionado nunca en sus cartas?

—¿Crees que podrías empezar a vestirte ya, niña?

—Claro. ¿Qué me pongo?

—Cualquier cosa que sirva para taparte —murmuró él, mientras volvía a rebuscar en la tienda algo más que pudiera resultarles útil. Sobre el mostrador, descansaba la botella que ella había dejado durante el baile. Llevaba una etiqueta de «aceite de jazmín». Al parecer, aunque se vistiera de chico, pensaba seguir oliendo bien. Por supuesto, tendría que decirle que no podía ponerse el aceite, pero, por ahora, no quería arruinar el buen humor que la dominaba. Devolvió la botella al estante.

En la parte de atrás, Cay tenía ciertas dificultades con la ropa. No se había quitado el viso pero, aun así, al enfundarse una camisa de hombre, se le marcaban los pechos. Y no paraban de movérsele al caminar. No pensaba compartir su problema con el escocés para que le diera su opinión, de modo que se puso a buscar por la tienda alguna prenda con la que ocultar su anatomía. En un rincón de atrás, había rollos de tela y tijeras. Cortó un buen trozo de muselina blanca y se vendó el busto. No apretó demasiado el vendaje, lo justo para que no se le moviera y pareciera un torso abultado. Acto seguido, volvió a ponerse la camisa. Si conseguía mantenerla holgada, seguramente funcionaría.

No tardó demasiado con el resto de prendas. Cambió sus medias hechas jirones por unas gruesas medias blancas de hombre y deslizó con facilidad unos pantalones sobre sus delgadas piernas. Le costó bastante atárselos a la cintura, con todos esos botones y cordones, pero se las arregló. Se remetió la camisa en los pantalones, pasó los brazos por las sisas de un chaleco y se puso un abrigo ligero de lana que encontró por ahí. De camino a la parte delantera de la tienda, agarró un gran sombrero de paja de la estantería y se dirigió al mostrador.

—¿Y bien? —dijo a la espalda de Alex.

Volviéndose, el hombre la miró detenidamente, sin decir nada.

—¿No le gusta? ¿Qué he hecho mal? No estoy acostumbrada a los pantalones, pero creo que me los he atado bien.

En silencio, Alex se puso detrás de ella, apoyó las manos en sus hombros y la condujo delante del espejo. El reflejo mostraba a una chica vestida con ropa de chico. Los gruesos rizos colgaban más abajo de sus hombros y seguía llevando los pendientes de perlas. Era increíble que hubieran aguantado tanto, pero, en realidad, se los había ido ajustando a menudo.

Sin mediar palabra, Alex le tendió la mano y ella comprendió lo que quería. Se quitó los pendientes y se los puso en la palma.

—Los guardaré con el resto de tu ropa y nos lo llevaremos todo.

—Evidentemente que nos llevaremos el vestido. Tal vez puedan arreglarlo. No pienso llevar esta ropa horrible toda la vida. Cuando usted haya partido con su expedición, tal vez pueda volver a ser una chica.

—¿Y hacer todo el camino de regreso a Virginia como una mujer solitaria? —Alex se arrepintió de aquellas palabras en el mismo momento de pronunciarlas, pero ella no dijo nada. Volvía a retorcerse.

»¿Y ahora qué haces?

—Me muevo. Es raro ir sin corsé. Desde los doce años no ha habido un solo día que no lo haya llevado.

—¿Desde los doce? —dijo Alex—. ¿Llevas prisionera en esa cosa desde que apenas eras una cría?

—Pues claro. ¿Cómo, si no, va a conseguir una mujer una cintura estrecha? No pensará que las madres esperan a que sus hijas sean adultas para intentar reducirles la cintura, ¿no?

—Sinceramente, nunca me había planteado cómo consigue una mujer su cintura estrecha. Supongo que imaginaba que ya nacían con ella.

Cay sacudió la cabeza.

—Y ahora me dirá que creía que a las mujeres les brilla el cabello y tienen color en las mejillas de forma natural...

Puesto que así era, Alex se limitó a contemplarla en silencio.

—Me parece que se ha perdido muchas cosas de la vida por no tener madre ni hermanas.

—Cualquiera diría que era un niño salvaje hasta que te conocí —dijo Alex en voz baja, y añadió—: ¿Estás lista para partir, niña?

—Tendrá que dejar de llamarme así, ahora que se supone que soy un chico.

—Dejaré de llamarte así cuando hagamos algo con ese pelo y de verdad dejes de parecer una niña.

Cay se puso seria.

—Creo que si me lo lavo y me lo cepillo aún mojado, podría pasar tal como está.

Alex detestaba la tristeza de sus ojos.

—Es que parece la melena de un león —dijo él, alegrándose al ver que ella sonreía.

—¿De veras?

—Desde luego. ¿Sabes? Me parece que nunca había visto una persona con tanto pelo. Y el color es realmente magnífico —dijo, dirigiéndose hacia la puerta con Cay siguiéndole los pasos.

—¿No le parece demasiado rojo? —preguntó ella, con ojos de pura inocencia. Quería distraerlo para que no viera lo que estaba metiendo en la bolsa.

Con los ojos clavados en ella, Alex recogió las provisiones, abrió la puerta y la sostuvo para que Cay saliera.

—No cambiaría ni un solo mechón. —Miró al interior de la tienda, vio el dinero que había dejado sobre el mostrador y cerró la puerta tras ella—. Una vez tuve un poni con una crin del mismo color que tus cabellos, y era mi favorito.

Cay miró la puerta que se acababa de cerrar tras ella.

—¿Me está diciendo todo esto para que haga lo que usted quiere?

—Pues, sí, pero también te lo digo porque son verdad, niña —dijo él, suavemente—. Tienes un cabello precioso.

Cay bajó las escaleras sonriendo.

En la tienda, había experimentado la holgura de la ropa de hombre, pero cuando realmente se dio cuenta de lo diferente que era fue al montar en su yegua. En lugar de tener que depender de otras personas o ayudas para montar, sin la falda que le mantenía las piernas juntas, pudo poner el pie en el estribo y subirse sola a la silla. Se miró las piernas cubiertas por los pantalones oscuros y pensó que, si su elegante madre la viera en aquel momento, se desmayaría. Edilean Harcourt jamás se vestiría con ropa de hombre, bajo ninguna circunstancia. Pero Cay no pudo evitar sentirse algo más libre. Entonces, percibió que el escocés la miraba con curiosidad.

—Quiero ver el mapa para saber adónde vamos —sentenció con la máxima firmeza que pudo conferir a su voz.

Cay no comprendía por qué sus palabras habían provocado en él tan ruidosas carcajadas, pero le recordó que debían guardar silencio o alguien podría oírles.

—Me parece que he salido perdiendo —dijo, y, tomando las riendas de su caballo, comenzó a cabalgar hacia el sur, con Cay pisándole los talones.

8

Cay procuró no hacer ningún otro comentario sobre el pelo o el estado físico del escocés hasta la hora de detenerse para pasar la noche. Cuando ella bajó los párpados y le pidió gentilmente que acamparan cerca de un riachuelo o un río, él achinó los ojos, preguntándose qué llevaría de cabeza, pero no dijo nada, y se detuvieron donde ella pidió. Durante toda la cena consistente en fruta desecada, galletas saladas y pepinillos, ella ni siquiera habló.

Sin embargo, al terminar de comer, se levantó y miró a Alex, aún sentado.

—Es la hora del baño.

—Hace demasiado frío —protestó él sin levantar la vista.

—Debemos de estar a veintiséis grados y como escocés tiene que estar acostumbrado a las bajas temperaturas, ¿cómo puede decir que hace frío?

—La corriente es demasiado fuerte.

Cay no necesitó mirar el torrente para saber que discurría de forma apacible.

—Tengo jabón para el pelo.

—No lo necesito. —Seguía sin mirarla a la cara—. Y en cuanto a ti, niña, me temo que ha llegado el momento de cortarte el cabello. He traído unas tijeras para no tener que usar mi cuchillo, pero más vale que nos pongamos manos a la obra.

Cay sabía que era una maniobra de distracción, pero no le funcionaría.

—Huele tan mal que tengo que taparme la nariz con la mano y respirar por la boca. Y su pelo, he visto colas de vaca más limpias que sus cabellos. Apesta, y no lo soporto más.

Alex mantenía la mirada perdida, fija en el agua y el sol bajo del horizonte, pero, a ella, no la miraba. Lo cierto era que no quería quitarse el hedor a prisión de la piel. Sabía que era una estupidez, pero no le habían permitido bañarse desde el día de su boda con Lilith y, si se lavaba, sabía que con el agua desaparecería su último lazo con ella.

Y, además, estaba el hecho de encontrarse solo con una joven que le empezaba a parecer bastante apetecible. De un modo u otro, pensaba que era mucho mejor mantenerla alejada.

—Me gusta mi olor.

—Pues a mí no. Si tenemos que ir juntos a Florida, puede que necesite de mi ayuda en algún momento y, si quiere que se la preste, tendrá que ir limpio.

Al ver que él no se movía, Cay le dio la espalda, se acercó a su yegua y se puso a ensillarla. Alex tardó mucho más en detenerla de lo que ella había esperado, pero acabó haciéndolo.

—¿Es que tu padre no te tumbó sobre sus rodillas para enseñarte a obedecer a los mayores?

—Mi padre nunca le pegaría a un niño, pero mi madre... —Se le quedó mirando—. ¡No empiece otra vez con mi familia! Ahí tiene el agua y encontrará el jabón en la bolsa. Y cuando haya terminado, le embadurnaré el pelo con aceite de jazmín.

Alex retrocedió con el terror en la cara.

—De eso, ni hablar.

—El aceite matará todo bicho viviente. Y le suavizará el pelo.

—Pero el olor, niña... No podría soportar el tufo.

Viendo que Cay no iba a ceder, miró el agua y exclamó:

—No, no lo haré.

—Perfecto —dijo Cay, con toda la dulzura de la que fue capaz—. Pero yo sí voy a darme un baño. —Le dio la espalda, se metió en el bosque y se quitó los zapatos, sin dejar de maldecir al escocés con cada aliento—. Supongo que querrá aguarrás —murmuró—. Así olerá más a hombre. Bien. Pues que se quede con su suciedad si quiere. Me da igual. Pero no pienso compartir mi capa nunca más, y que se olvide de dormir a mi lado. No volverá...

Cay cesó su perorata al escuchar un enorme chapoteo. O se trataba de un pez gigante o de un oso que se acercaba, o... Se aproximó al riachuelo y vio la cabeza del escocés sobresaliendo del agua.

—Puede que haga calor ahí arriba, pero el agua está fría —dijo Alex, e incluso bajo la tenue luz, Cay advirtió la tez rojiza del hombre.

—El agua está aún más fría en Escocia —insistió ella, entre risas.

—Claro, pero no me meto desnudo. Me meto con el tartán.

Cay volvió a meterse entre los árboles con una sonrisa en la boca. Estaba sola en el bosque con un hombre desnudo que tal vez fuera un asesino, pero seguía sonriendo. Pensó para sus adentros que no dejaba de ser extraño.

—¿No te ibas a meter, niña? —Sonó como un abuelo llamando a una jovencita, que era en realidad lo que estaba sucediendo, pero sabía que Alex estaba bromeando.

El guiño rompió la incomodidad del momento.

—Use el jabón. Espero que sea lo bastante potente para quitar tanta suciedad.

—¿No puedes venir a enseñarme cómo se usa? —gritó él, en tono burlón.

Cay no salió de su escondite, pero se echó a reír. Al escuchar mucho más chapoteo y ni una palabra más de Alex, se asomó con cautela y miró en dirección al agua desde detrás de un árbol. Alex estaba de pie, con la cabeza cubierta de espuma, temblando. Mientras lo observaba, el escocés se sumergió en el agua y vio su trasero desnudo emergiendo a la superficie. Con una risita nerviosa, Cay se volvió y empezó a quitarse el resto de la ropa.

¿Qué haría Alex si se metía con él en el agua?, se preguntó ella. Entre su grupo de amigas, Jessica Welsch era la que más flirteaba. Una vez, la madre de Cay comentó que era un milagro que Jess no se hubiera escapado con algún hombre a los trece años, teniendo en cuenta el pasado de Tabitha, su madre. Cay le había pedido que le contara la historia que había motivado aquel comentario, pero su madre no quiso entrar en detalles.

—¿Qué haría Jessica en mi lugar? —se preguntó Cay en voz alta. Pensó que acabar de desnudarse y meterse en el río. La luz pálida del atardecer, el aire cálido, sola con un hombre... Todo parecía apropiado.

Pero se apoyó contra el tronco y suspiró. Lo que no era apropiado era el hombre. Era un hombre al que apenas conocía, demasiado mayor para ella y, desde luego, no era la clase de hombre que su familia aprobaría. Aunque se demostrara que era inocente del cargo de asesinato, siempre conservaría el estigma de la acusación y el juicio.

No, pensó, y suspiró de nuevo. Tal vez las circunstancias fueran apropiadas, pero no el hombre.

Esperó hasta que le oyó salir del agua y, entonces, se metió ella. Se mantuvo a distancia de donde él había estado y, a pesar de las ganas de nadar y juguetear con el agua —mucho más fría de lo que parecía—, no se movió. Se enjabonó el pelo, se lo lavó, se lo aclaró y, después, usó dos toallas que el tío T. C. había incluido en el aprovisionamiento para secárselo.

Cuando volvió al campamento, él había encendido un fuego y la esperaba sentado con su nueva ropa limpia. Tenía mejor aspecto y olía mucho mejor. De hecho, tal vez fuera por la luz, pero parecía más joven y hasta un poco más guapo.

—¿Mejor? —preguntó Alex.

—Mucho mejor. Lo malo es que ahora no podré guiarme por su olor para encontrarlo.

Estaba inclinado hacia el fuego y parecía más alto que cuando le conoció. Además, tenía el cabello mojado y limpio, y ya no estaba alborotado.

Cay sacó la botella de aceite de jazmín. Había visto la botella, seguramente preparada por la esposa del tendero, y supo que serviría contra piojos, liendres y todo tipo de bichos. Pero también era verdad que cualquier otro aceite habría servido. El objetivo era inundar a las criaturas para que no pudieran respirar. Había escogido el aceite de jazmín de entre los demás de la tienda porque le gustaba muchísimo su olor. Había tenido que volver sobre sus pasos después de que Alex hubiera tratado de ocultarlo. Había estado tan ocupado halagándola que ni siquiera había advertido cómo ella lo dejaba caer en la bolsa.

Alex no dijo nada, solo asintió, dándole a entender que podía ponerle el aceite. Al ver que ella se sentaba tras él, peine en mano, se le abrieron los ojos como platos.

—¿Qué piensas hacerme, niña? —preguntó suavemente.

—Nada de lo que espera. Inclínese para que pueda verle el pelo.

Sonriendo, Alex se le acercó, pero no notó nada, y se volvió hacia ella.

—Es demasiado alto y no llego —dijo, extendiéndose una toalla sobre la falda—. Estírese y apoye la cabeza en mi regazo.

—Niña, no creo...

—¿Que pueda controlar su «pasión» por mí? —le vaciló ella, sin atisbo de sonrisa—. ¿Le da miedo tocarme y enamorarse de mí al instante?

Alex sabía que se estaba burlando de él y no le gustaba, pero, por otra parte, había que reconocer que la muchacha tenía suficiente gracia para hacerle reír.

—Me reservaré para alguien mayor. Dejaré que Michael se quede contigo.

—Micah —le corrigió ella, mientras él dejaba caer la cabeza sobre su falda y ella se ponía a peinarle.

Una vez libre de enredos, le echó el aceite sobre el cabello y empezó a extendérselo. El bendito aroma del jazmín impregnó el aire que les rodeaba.

—Una vez se lo hice a mi hermano Ethan porque se le había ensuciado de miel y cera de abeja. Mi padre quería raparle la cabeza, pero yo no soportaba la idea, así que les dije que yo se lo limpiaría.

—¿Cuántos años tenías?

—Once, supongo.

—O sea que él debía de tener...

—Catorce.

—¿Siempre les has hecho de madre?

—En absoluto. —Le estaba masajeando el cuero cabelludo con el aceite. Con lo mucho que se había quejado de que tendría piojos, no fue capaz de notar nada. Solo el cuero cabelludo y el pelo demasiado largo—. Puede que sí fuera algo maternal con Ethan, pero es que es el más dulce de todos, y el más amable y bonito.

—¿Bonito? ¿Como una chica?

—No. Bueno, por lo menos no parece que las chicas le encuentren lindo en ese sentido. Tanto las viejas como las jóvenes babean por él.

—Debe de ser una sensación agradable.

—Él lo lleva bien. Es mi madre la que lo pasa mal. Dice que las chicas de mi generación no tenemos vergüenza ni control. Dice que las chicas de hoy en día se lanzan sobre los hombres.

—¿Como tú y tu jovenzuelo?

—Yo nunca...

—¿No fue el que te enseñó a usar la..? —Se llevó la mano a la boca.

—No —replicó Cay, vacilando, reacia a admitir que había mentido—. Eso me lo contó Jessica. Ella tiene más experiencia con los chicos que mis demás amigas y yo.

—O sea que tú no hiciste nada incorrecto con ese jovenzuelo, Micah...

A Cay no le gustaba el tono paternal que Alex estaba adoptando.

—Mucho me temo que no es ningún jovenzuelo —dijo—. Tiene treinta años, nunca ha estado casado y oficia las ceremonias de los domingos.

Arqueando la espalda, Alex la miró.

—¿Un clérigo? ¿Estás considerando la posibilidad de casarte con un pastor?

—¿Y qué tiene eso de malo?

—Te prestaste a ayudar a fugarse a un preso. ¿No te parece que eso va un poco contra lo que debería hacer la esposa de un hombre consagrado?

—Ya le he dicho que no lo hice por usted, sino por el tío T. C.

—¿El hombre que estaba apasionadamente enamorado de una mujer llamada Bathsheba?

—Sí —respondió Cay, sin entender adónde quería llegar.

—Dime, hija, ¿hizo T. C. alguna vez algo con su pasión?

Ante el silencio, Alex levantó la mirada.

—Vamos, niña, lo veo en tu rostro. ¿Qué hizo?

—La muchacha.

—¿Esperar la ocasión de poder encontrarse a solas con la muchacha?

—¡No! —exclamó ella, presionándole la cabeza con las manos para que volviera a su posición original—. Bathsheba tuvo una hija, Hope, que se parece mucho al tío T. C. —Le miró a la cara—. Si sigue mirándome así, le meteré el aceite en esa boca burlona.

Alex cerró los ojos, pero no dejó de sonreír.

—Lo único que digo, niña, es que si te casas con el pastor y alguien descubre lo que hiciste, tu marido tendrá problemas. Pero ¿quién sabe?, puede que sea un hombre comprensivo y te perdone tus pecados.

—Yo no... —empezó ella, sin saber cómo seguir. ¿Cómo reaccionaría Micah cuando le contaran lo que había hecho? ¿Cómo iba a explicarle que había pasado varios días con ese hombre y que hasta había tenido su cabeza en el regazo, pero que no había incurrido en pecado? Al ver la sonrisa de Alex, que la miraba como si le estuviera leyendo la mente, sintió la tentación de cumplir su amenaza de vaciarle el aceite en la boca—. ¿Se está olvidando de que es un asesino convicto y que estamos los dos solos aquí? Sé que no quiere que le hable de... hombres.

—Y tienes toda la razón. Solo quería asegurarme de que no habías hecho nada que no debieses.

—Cuanto más le conozco, más me recuerda a mis hermanos.

—¿A cuál de ellos?

—En parte a Nate, en parte a Tally.

—Pero no a Ethan el lindo...

—En absoluto.

—¿Y qué me dices de Adam el perfecto?

—Adam es único. Nadie puede ser como él.

Permanecieron un rato en silencio. Alex cerró los ojos mientras el aroma flotaba a su alrededor y las manitas de Cay le daban masaje en la cabeza.

—Tengo que reconocer, niña, que me has llevado al éxtasis.

Mientras le cepillaba el pelo, extendido sobre sus piernas, Cay comenzó a pensar en su familia, en dónde se encontraba y en que no sabía hacia dónde iba ni qué iba a ocurrir luego. Toda su vida había transcurrido bajo un plan y siempre había sabido qué quería hacer con ella. A los treinta, podría estar pintando cuadros propios. Ya tendría dos niños y una niña. Lo único que debía hacer era decidir qué hombre se convertiría en su marido. Pero ahora se planteaba si alguno de sus pretendientes la querría después de su experiencia como forajida.

De repente, se le anegaron los ojos en lágrimas y una de ellas aterrizó en la frente de Alex.

Tenía los ojos cerrados, con la mente y el cuerpo entregados al primer momento de confort que había sentido en mucho tiempo, pero sabía lo que ella estaba experimentando. No le gustaba ser la causa del llanto de una muchacha, especialmente de una tan dulce e inocente como aquella.

—¿Sabías que vine a este país para hacer correr caballos en las carreras? —preguntó Alex con una voz tan suave que apenas pudo oírle.

—No. Yo... —Respiró entrecortadamente y sorbió para contener las lágrimas—. De hecho, sé muy poco de usted.

—Aparte de lo que has leído en los periódicos —apuntó él, tensando el cuerpo.

Cay lo notó.

—En realidad, no he leído nada. Todo lo que sé me lo contó Hope. —Viendo que sus palabras no tenían efecto en él, hizo lo que habría hecho con cualquiera de sus hermanos: cepillarle el pelo de un modo que sabía que podía calmarlo—. ¿Le gustan otros animales, aparte de los caballos de carreras?

—Me gustan todos —contestó él—. Pájaros, caballos, mapaches..., me gustan todos.

—¿Y las arañas?

Alex sonrió.

—Menos, pero también. Hice una cosa muy mala en Escocia. Y la hice dos veces.

Ella siguió peinándole. El pelo de Alex estaba completamente extendido sobre la falda de Cay, cubierto del aromático aceite.

—Mis hermanos también han hecho algunas cosas que a mi padre no le gustaron nada. Una vez, no estoy muy segura de qué hizo Nate, pero mi padre se pasó una semana entera enfadado con él.

Alex no pudo evitar sonreír. Él sabía perfectamente qué había hecho Nate, por qué lo había hecho y qué había pensado su padre que había hecho. Pero no tenía intención de contárselo.

—Apareé en secreto mi yegua con el magnífico semental de lord Brockinghurst. Dos veces.

Cay se echó a reír.

—¿De veras?

—Sin duda. Tenía una yegua maravillosa, enérgica como ninguna. Un poco como tú, en realidad. Me la llevé al sur, a Inglaterra, y esperé a que por la noche sacaran a pastar al semental más rápido del señor. Él cobraba muchísimo por aparear una yegua con aquel magnífico animal, pero yo no podía permitírmelo.

—Así que robó algo que no le pertenecía.

—A mí, me gusta más pensar que le di al caballo el placer de pasar una noche con mi yegua.

—Claro, es usted un filántropo.

—Más o menos. —Alex sonreía.

—¿Y cuál fue el resultado de su generosidad?

—La primera cría fue una hembra y, como bien sabes, las yeguas no corren tanto como los machos.

—Tal vez es que no quieren —opinó Cay—. Tal vez lo que quieren es quedarse en un sitio y estar con su familia.

Alex abrió un ojo para mirarla.

—Te llevaré a casa, niña, no sufras por eso.

—¿Con aspecto de chico? Tendría que haberme llevado tabaco de mascar de la tienda.

Alex seguía mirándola.

—Puede que sí, niña, porque ahora mismo no pareces un chico. Tu cabello...

Alargó el brazo para tocárselo, pero ella le apartó la mano.

—Estábamos hablando de caballos.

—Ah, sí. —Volviendo a bajar la cabeza, cerró los ojos. Sabía muy bien que, independientemente del estado de su pelo, hacía mucho que nadie se lo peinaba, y se alegraba de que ella no le hubiera echado de su falda—. La segunda cría resultó ser una belleza. Perfecta en todos los sentidos.

—Eso significa que fue macho.

—Por supuesto. ¿Cómo si no iba a ser una cría perfecta? —Cay le empujó la cabeza para quitárselo de encima, pero él se rio y le agarró la mano—. Estoy bromeando, niña. ¿No te das cuenta?

Ella se rindió y siguió peinándole.

—¿Y qué hizo?

—Tenía un plan, ¿sabes?

—¿Qué plan?

Tenía ganas de contárselo, pero no podía, porque su plan implicaba a la familia de Cay. Alex sabía que unos diez años atrás, el padre de Nate, el padre de Cay, había comprado una granja de caballos no muy lejos de Edilean. Una finca con una casa y un granero, un riachuelo, un estanque, todo lo que un hombre puede necesitar para construir una familia y criar caballos. Nate le había hablado del lugar en sus cartas y le había contado que su padre tenía demasiado trabajo para poder dedicarse plenamente a la granja, de resultas de lo cual, estaba perdiendo dinero con ella. Cuando Alex le contestó diciendo que le había descrito la granja de sus sueños, Nate le había rogado a su padre que no la vendiera, arguyendo que tal vez algún día querría llevarla él mismo.

La posibilidad de ser algún día el propietario de una granja cerca de la de su amigo Nate había sido un estímulo en su vida. Su padre le había hablado de las oportunidades en América y Alex siempre había soñado en ir allí algún día. Su plan había sido ganar bastante dinero con sus caballos de carreras para comprar una granja; así, su padre podría reunirse con él en América y vivirían juntos en la granja.

Pero todo se había torcido ligeramente cuando había conocido a Lilith, porque se había casado con ella antes de hacerse con el dinero suficiente para comprar la granja, pero es que Alex sabía muy bien que no se puede dejar escapar el amor cuando aparece. Y, por supuesto, no podía decirse que Lilith hubiera sido precisamente el prototipo de la esposa de un granjero, pero él siempre creyó que aquel detalle tendría solución.

—¿Cuál era su plan? —insistió Cay, al ver que él no respondía.

—Ganar mucho dinero. ¿No es por eso por lo que viene todo el mundo a este país?

—¿Y lo ganó?

—Sí. —Abrió los ojos y los fijó en la oscuridad. El fuego alumbraba, pero el sol se había ocultado hacía rato y la noche caía rápidamente—. Embarqué a mis tres caballos, madre y dos potros. El plan era hacer criar a las yeguas y llevar el macho a las carreras. *Tarka* era rápido...

—¿*Tarka*? Así se llamaba el potro más rápido de mi padre cuando vivía en Escocia. De pequeña, solía montarlo.

Alex estuvo a punto de decir que Nate ya le había contado la historia y que, por eso, había bautizado a su caballo con ese nombre, pero desistió.

—Es un nombre bastante común.

—Ah, ¿sí? Pues a mí me parece bastante raro. Entonces ¿trajo a los caballos y los hizo correr en las carreras? ¿O solo a *Tarka*?

—Mi joven yegua podía ganar fácilmente a la mayoría de caballos participantes. Reservaba a *Tarka* para cuando quería llevarme un buen botín.

—Comprendo. Les hacía creer que cabía la posibilidad de ganarle y, luego, sacaba otro caballo. ¿Lo tenía escondido?

—Tienes una mente verdaderamente retorcida —dijo él, aunque con una sonrisa.

—Pero ¿tengo razón?

—Sí, eso es exactamente lo que hacía. Tenía a *Tarka* escondido en un campo remoto donde ninguno de esos ricachones iba a poder encontrarlo. Gané algunas carreras y perdí otras, pero, entonces, saqué a *Tarka*. —Su sonrisa se hizo más amplia—. Ojalá lo hubieras visto. Alto y negro, tan bello como un amanecer. Era un animal majestuoso, y él lo sabía. Caminaba con la cabeza alta y la cola levantada, y casi nunca se dignaba a mirar a los demás caballos. ¡Y corría! En la pista, él despegaba a tal velocidad que los demás caballos parecía que hubieran salido a pastar. Les ganaba de mucho. No había nada en América que pudiera hacerle sombra.

Cay tenía el ceño fruncido.

—Habla como si estuviera... —Vaciló—. Como si ya no estuviera vivo. ¿Qué le ocurrió?

—No lo sé —confesó Alex, perdiendo la alegría en la voz—. Cuando me acusaron de asesinato, me quitaron todo lo que tenía. Pregunté a T. C. por mis caballos, pero no sabía nada y tampoco pudo averiguarlo.

—Al tío T. C., tendría que haberle hablado del hallazgo de una planta hasta entonces desconocida y entonces sí, habría movido cielo y tierra para encontrarla.

Alex sonrió, otra vez de buen humor.

—Siempre me haces reír, niña. —Se volvió y la miró—. Cuando consiga limpiar mi nombre, recuperaré a *Tarka*, a su madre y a su hermana.

—¿Y cómo piensa limpiar su nombre?

—He... —Comenzó para explicar que ya había empezado a hacer bastantes cosas para limpiarlo, pero, como implicaba a su hermano Nate, no podía contárselo. Durante las visitas de T. C. a la cárcel, Alex había escrito a Nate exponiéndole los hechos. Consciente de que los guardias no le permitirían tener papel y pluma, había tenido que escribir la carta por partes aprovechando varias visitas y T. C. se había ido llevando las páginas al salir. Una vez escrita la larga y detallada carta, T. C. había contratado a un jinete para que la entregara a Nate. Alex había esperado tener el tiempo suficiente para que Nate fuera a verle y pudieran hablar de lo ocurrido, pero el juez había decidido que el delito de Alex había sido tan atroz que le colgarían dos días después del veredicto. No había habido tiempo suficiente para que Nate recibiera la carta, viajara a Charleston y ayudara a Alex.

—¿Qué?

Alex se levantó y echó más leña al fuego.

—Nada, niña. Nada.

Cay sabía que le estaba mintiendo. Estaba segura que quería contarle que había ideado algo, pero no se lo iba a contar. Ella le estaba confiando la vida, pero él ni siquiera era capaz de contarle qué pensaba hacer para defenderse. Recogió las piernas y se abrazó las rodillas. Al dejar la toalla a un lado, el aroma del jazmín se extendió a su alrededor.

—¿Puede llamarme de otra manera, aparte de «niña»?

Él curvó los labios en una media sonrisa.

—Cuando tú me llames a mí de alguna manera.

—Eso es absurdo. Yo le llamo...

—A ver, ¿cómo me llamas?

—Señor McDowell.

—Eso me gusta. —Se estiró y la camisa húmeda se le pegó a los músculos de la espalda—. Demuestra que tienes respeto por tus mayores. Tal vez podrías añadir «caballero» de vez en cuando, que es lo más adecuado en nuestra actual situación.

—¿En nuestra actual situación? —dijo ella—. Si no hubiera sido por mi rescate, ahora estaría muerto. La primera vez que le vi, iba a pie y le perseguían unos hombres que le disparaban. ¿Qué les pasó a los que le ayudaron a fugarse de la cárcel?

—A uno lo mataron de un tiro y el otro se entregó —respondió Alex, pausadamente.

—¿Cómo escapó usted?

—Me refugié en la oscuridad y eché a correr. No pensé que lograra escapar. —La miró y sonrió—. Pero una preciosa jovencita vestida para un baile me esperaba para salvarme. Me pareciste un ángel.

—Eso no es lo que dijo al verme. Refunfuñó que estaba perdido.

—No me entendiste bien. Dije que creí que había muerto y estaba en el cielo.

—Dijo... —empezó, pero, entonces, se dio cuenta de que él estaba bromeando—. Sí, me parece recordar que me llamó ángel y dijo algo de que estaba contentísimo de encontrarme allí, esperándole.

—Exactamente como yo lo recuerdo.

Los ojos de Alex centelleaban ante las llamas y Cay no pudo evitar devolverle la sonrisa.

—Niña, creo que... —La miró—. Cay, creo que deberíamos dormir un poco. Saldremos pronto por la mañana.

Ella gruñó.

—Antes del alba otra vez. Cuando estoy en casa, mi doncella me despierta con un tazón de chocolate caliente y me quedo remoloneando en la cama, tomándomelo a sorbitos, hasta que me pregunta qué quiero ponerme ese día.

—Me suena muy aburrido —dijo él, removiendo el fuego.

—No, es... —Miró alrededor, perdiendo la mirada en la noche. Ya estaban lo bastante al sur para que la vegetación hubiera empezado a cambiar. Se fijó en que había flores que solo había visto en dibujos de su tío T. C.—. En aquellos momentos, no me lo parecía —añadió mientras bajaba la mirada al suelo—. Alex.

—¿Qué has dicho?

—Que cuando estaba en casa, no me parecía aburrido.

—No, eso ya lo he oído. Lo que has dicho al final.

Ella sonrió.

—Alex. ¿No es lo que querías oír?

—No, me gusta más señor McDowell.

Cay tomó un puñado de tierra y se la tiró. Él empezó a quejarse como si la tierra le hubiera provocado una herida profunda.

—No eres ningún caballero.

—Nunca quise serlo. Solo quería tener lo que tenía el semental de un caballero.

Ella se levantó riendo.

—Creo que es hora de dormir. Haré que mi doncella me

caliente la cama y me traiga el chocolate caliente, y estaré lista para el descanso. —Esperaba que él se riera, pero recibió una dura mirada—. ¿Qué ocurre?

—No pareces un muchacho.

—Eso espero. —Se miró la ropa—. Aunque tengo que reconocer que estos pantalones dan mucha libertad de movimiento. Y no llevar... cierta ropa interior hace que me resulte más fácil cabalgar.

—No, es tu forma de caminar, la forma en que te mueves. Niña... —Alex levantó la mano—. Quiero decir, Cay, con ese aspecto nunca pasarás por un chico.

Cay se llevó la mano a la cabeza. No quería llorar.

—Lo sé. Mi cabello es...

—Aunque te rapara, seguirías pareciendo una chica. Es tu actitud, tu manera de mover las manos...

—¿Qué problema hay con mis manos?

—Ninguno, siempre que hablemos de una dama que se dispone a asistir a un baile. Es que pareces una muchacha vestida de chico.

—Ah —dijo ella, comprendiendo al fin a qué se refería Alex—. Quieres que me mueva como Tally.

—Pues no lo sé, pero prueba.

Cay se alejó del fuego, echó los hombros hacia atrás, sacó pecho y pasó por delante de Alex dándose importancia. Cuando se detuvo, se limpió la nariz con un pañuelo y miró a Alex con insolencia, como si le estuviera retando a pelear.

Alex soltó una risilla y acabó riendo a carcajada limpia.

—No puede ser verdad. Ese chico no puede andar así en serio.

—A todas horas.

—Probemos otra vez, pero esta vez que no parezca que buscas pelea. Los hombros atrás están bien, pero menos balanceo al caminar.

—Entonces, tal vez más como Adam. —Cay volvió a andar, aunque esta vez salvó la distancia con unos pocos pasos largos, con ademán de estar demasiado ocupada para prestar atención al resto del mundo.

Alex carraspeó para evitar la carcajada.

—¿Tampoco? ¿Qué tal como Ethan?

Alex levantó la mano dándole a entender que lo probara.

Cay volvió sobre sus pasos, solo que esta vez muy pausadamente, fijándose en todo y, al cruzar la mirada con Alex, se la aguantó un buen rato, como si no le hubiera visto jamás pero tuviera ganas de conocerle.

—¡Por el amor de Dios! —exclamó Alex—. Es imposible que haga eso.

Cay se encogió de hombros.

—Las chicas le siguen por la calle.

—Bueno, no creo que sea necesario que reproduzcas eso. No queremos que nos siga nadie. ¿Qué hay de tu otro hermano? ¿Cómo se llamaba?

—Nathaniel. Nate.

Cay buscó a su alrededor y agarró un zurrón de piel de al lado de su silla.

—Imagina que es un libro. —Se lo acercó a la cara y caminó lentamente, ajena a todo lo que no era su libro. Al llegar al final del tramo, siguió con la cabeza gacha y rodeó el árbol. Al final, volvió a la hoguera y miró a Alex.

—¿Y bien?

Alex no podía contener la risa.

—No me gusta ninguno de ellos. ¿No podrías...?

—¿Qué?

—No sé, niña... Cay, ¿no podrías caminar como yo?

—Ah, quieres decir... ¿Así? —Sacó pecho, frunció el ceño y miró hacia abajo, como si se dirigiera a una persona imaginaria—. ¿Quieres darte prisa, niña? No tengo todo el día. Resultas más un problema que una ayuda. —Y echó a caminar a toda prisa hacia la oscuridad, dejando atrás su yo imaginario.

—Yo no... —empezó Alex, pero sacudió la cabeza—. Puede que sí que lo haga, pero si te quedas con el caminar y no dices nada, podría estar bien.

—¿Tengo que tomarlo como un cumplido?

—No era mi intención —replicó él, pero sonreía disimuladamente bajo el pelo que le cubría la cara—. Me parece que deberíamos dormir. Mañana trabajaremos un poco más tus andares.

—Supongo que no irás a decirme que tengo que sentarme con las piernas abiertas, ¿no?

—Pues sí —dijo solemnemente.

—Puede que me haga bien. Si caigo en ese grandísimo pecado, mi madre me encontrará aunque esté en los confines del mundo. —Recogió del suelo la enorme capa de Hope y se enrolló en ella. Pensaba utilizarla para cubrirse y para protegerse del contacto con el suelo, pero al mirar hacia abajo y ver los pantalones, cayó en la realidad de la situación. Si alguien se daba cuenta de que era una mujer y que viajaba junto a Alex, no tardaría en adivinar quiénes eran. Ambos podían acabar en prisión.

—Quiero que me cortes la melena ahora mismo —dijo Cay débilmente, sin atreverse a tocarse el pelo para no llorar de nuevo.

Advirtió que él estaba pensando en una disculpa, tal vez en una excusa para tener que dejarlo para la mañana siguiente, pero no la exteriorizó. Se limitó a asentir en dirección a un leño cercano y ella se sentó encima, con la espalda erguida y rígida.

Alex sacó del saco del suelo las tijeras que se había llevado de la tienda y se colocó tras ella. Todavía tenía el pelo húmedo del baño, pero como se estaba secando, empezaba a esponjarse en gruesos rizos. Cortar ese cabello era un malogro de belleza.

Cay levantó la mirada hacia Alex, vio las dudas del hombre y sintió ganas de decirle que no se lo pusiera aún más difícil. Sin embargo, decidió pincharle.

—¿Te he hablado de Benjamin?

—¿Quién es Benjamin? —preguntó Alex, agarrándole un mechón de pelo. Deseaba acercárselo a la cara y notar su tacto sobre la piel. Entre el tiempo en la cárcel y las semanas de juicio, habían transcurrido meses sin sentir la ternura de una mujer—. ¿Tienes un quinto hermano?

—Benjamin es el más joven de mis pretendientes. Tiene solo veintidós años y es muy guapo. No tanto como Ethan, claro, pero muy agradable a la vista. Su familia es bastante rica y a él le gusta el juego, los deportes y apostar a los caballos.

—¿Apostar a los caballos? ¡No debes de estar pensando en casarte con un apostador!

Sin soltar el grueso mechón de pelo, dio el primer corte. Siguió con la mirada el glorioso mechón pelirrojo que caía al suelo.

Cay notó el corte, pero estaba decidida a no llorar.

—Pero me hace reír y siempre se le ocurre algún juego divertido al que jugar. Puede que deba casarme con él. Seguro que interpretaría el hecho de haber cruzado el país con un asesino convicto como una gran aventura.

—¿A qué clase de hombre puede no importarle las vicisitudes que hayas tenido que soportar? —Alex le cortó un poco más de pelo—. ¿Y si yo fuera culpable como todo el mundo cree? ¿Tienes idea de lo que podría haberte hecho a estas alturas?

—Pero no me has hecho nada y, cuando vuelva, se lo contaré todo a Ben. Hasta se reirá de lo del aceite de jazmín con el que te embadurné el pelo.

—¿En serio? —preguntó Alex, frunciendo el ceño mientras le cortaba otro mechón—. ¿No se pondrá celoso?

—Ben dice que los celos son una emoción estúpida y que, cuando estemos casados, no tengo que tener celos de él, haga lo que haga.

—Pues suena como si pensara largarse con otras mientras tú te quedas en casa criando una manada de niños.

—¿No es lo que se supone que debe hacer una esposa?

—No —sentenció Alex—. Yo creo que formar una familia es cosa de dos.

—Entonces ¿me estás diciendo que un hombre sí debería ser celoso?

—Creo... —Se detuvo al comprender que le estaba tomando el pelo—. Eres muy irritante, chiquilla. Eso es lo que eres. Y, mira, ya he terminado.

Al levantarse, le resbaló la capa de los hombros y permaneció un instante mirando a Alex fijamente, temiendo mover la cabeza. ¿Cómo se sentiría con tan poco cabello? Lentamente, vacilando, movió la cabeza a un lado, después al otro. En realidad, no estaba tan mal. Se lo había cortado justo por encima del hombro, para que se lo pudiera recoger con un lazo en la nuca, tal como hacían sus hermanos.

Entonces movió la cabeza a un lado, esta vez más rápido. Con casi treinta centímetros menos de pelo, era sorprendente lo ligera que se sentía. Empezó a sacudir la cabeza hasta que le cayó el cabello sobre el rostro. Entonces, paró y miró a Alex, que la estaba observando con los ojos como platos, aún tijeras en mano.

—Me parece que hasta me gusta. —Apoyó un pie sobre el leño y se puso a sostener una pipa imaginaria—. Entonces, dígame, caballero, ¿qué opina hoy del precio del trigo? ¿Cree que volverá a subir o también se han cargado eso los ingleses?

A Alex le pareció la cosa menos masculina del mundo. El pelo de Cay se rizaba sobre sus hombros y sus largas pestañas le hacían sombra en las mejillas.

—Más vale que me dejes lo de hablar a mí.

Ella se irguió y empezó a sacudir el pelo un poco más. Realmente, le parecía fantástico.

—¡Para ya de hacer eso! —le gritó Alex.

—¿Por qué?

—Porque me molesta, y ya está. Tienes que dormir.

—¿Y tú?

—Lo que yo haga es asunto mío —replicó él, consciente de su brusquedad. Sabía que aún estaba enamorado de Lilith, pero había pasado mucho tiempo desde la última vez que había estado a solas con una mujer y Cay era... Buscó la palabra adecuada... Atractiva. Era francamente atractiva.

Plantada ante él, Cay le miraba fijamente. Alex sabía lo que esperaba de él. Quería saber adónde iba, qué pensaba hacer y cuándo volvería. Pensó en repetirle que lo que él hiciera no era asunto suyo, pero no lo hizo.

—Voy a lavarme este horrible aceite del pelo —dijo, finalmente, aunque lo que realmente iba a hacer era darse un buen baño en el riachuelo helado.

—No puedes lavártelo —dijo ella—. Tienes que dejarte el aceite por lo menos hasta mañana, para que acabe con lo que tengas en el pelo. Te lo puedes lavar mañana, antes de partir. —Tomó la capa y se envolvió en ella—. Pero haz lo que quieras. Yo me voy a dormir.

Se tumbó en el suelo, cerca del fuego, y permaneció en silencio un rato, después se volvió de costado para dejar un trozo de capa libre. Le estaba invitando. No era mucho, pero la lana estaría de por medio y ella se sentía más segura teniéndolo cerca.

Durante lo que pareció una eternidad, Alex no se movió. Era como si lo estuviera sopesando. Finalmente, Cay escuchó una leve risilla sofocada, sonido al que se estaba ya habituando, y notó cómo él se tumbaba en la hierba y se tapaba con una parte de la capa.

—Buenas noches, Cay —dijo él.

—Buenas noches, Alex —respondió ella y, al notar el calor de su cuerpo a través del tejido, se abandonó al sueño.

9

—Sigue apestando —dijo Alex, mientras se sentaba en el tronco y echaba la cabeza hacia atrás para que el pelo aromatizado le quedara colgando—. No puedo deshacerme de este hedor. Me lo he enjabonado tres veces, pero sigue oliendo a... a flores. ¡Huelo como una maldita flor!

Cay estaba tras él, tijeras en mano, tratando de cortarle unos centímetros de su larga cabellera. Personalmente, envidiaba el olor de aquellos cabellos, pero sabía muy bien que sería mejor obviar el comentario.

Estaba convencida de que el verdadero problema era que, al despertar por la mañana, se habían encontrado abrazados como cachorrillos. Aunque la gruesa lana de la capa había estado siempre entre ambos, habían estado muy juntos. Alex se había despertado de lado, de cara al fuego, con Cay pegada a él y con el brazo rodeándole el torso. Con la cara enterrada en el pelo aromatizado de Alex, Cay había disfrutado de dulces sueños.

Sabía que Alex no querría admitirlo, pero él también debía de haber tenido unos sueños agradables, porque le había tomado la mano y se la había llevado a la mejilla.

Sin embargo, al despertar de verdad, Alex se había levantado de un salto con un gruñido de rabia. Pero Cay no se había asustado. Se había estirado, le había sonreído y le había dicho que olía de maravilla. Entonces había sido cuando él había corrido al riachuelo, se había desnudado y había hecho cuanto había podido para eliminar el aceite de jazmín.

No había funcionado. El pelo de Alex aún olía maravillosamente. Cay le había hecho sentarse en el tronco para cortarle un poco el pelo y, cada vez que le hacía algún comentario o, peor, cada vez que acercaba la nariz a su pelo, la ira de Alex iba en aumento.

—Me afeitaré la cabeza. Eso es lo que haré —murmuró—. Iré con la cabeza afeitada.

—Tendrías que afeitarte la barba también. Creo que te huele igual de bien que el cabello.

Alex se volvió y la miró.

—Lo siento. Es un olor muy masculino. Me muero de ganas de contárselo a mis amigas. Tal vez la esposa del tendero pueda darme la receta. Nunca había olido un aceite de jazmín tan intenso. ¿Cómo debe de ser su té de jazmín?

Sin apartar la vista de ella, Alex se levantó y se quitó la toalla de los hombros. Desgraciadamente, la toalla estaba empapada en aceite de jazmín y, con solo moverla, el aire se llenó de aroma. Cay tuvo que morderse los labios para no reírse a carcajadas, pero, en realidad, estaba cansada de apaciguarle. Su comportamiento era ridículo.

—Al menos, no eres un ladrón de bancos —le dijo Cay.

—Y ¿por qué iba a ser eso peor que estar acusado de asesinato? —Estaba ensillando el caballo y cargando los macutos.

—Porque podrían identificarte nada más entrar por la puerta. —Se giró y le echó una mirada para que se callara, pero ella le guiñó el ojo—. Contratarían mujeres para seguirte el rastro.

Con mirada amenazadora, dio un paso hacia ella y Cay retrocedió. Si hubiera llevado el vestido, las ramas del suelo la habrían hecho caer, pero con los pantalones y su recién descubierta libertad, logró salvarlas ágilmente.

—¿Qué diría el folleto de busca y captura? «Huelan al delincuente.» Hasta podrían poner pequeñas muestras de aceite en tiras de papel. La gente se dedicaría a compararlo con el olor del pelo de todos los hombres que encontraran.

—Tú... —empezó Alex, pero Cay advirtió que el enfado había desaparecido de sus ojos.

—Los hombres que llevaran agua de rosas quedarían descartados. No, solo los que usaran jazmín podían ser culpables. Piensa en lo que podrías significar en el mundo de la delincuencia. No se identificaría a los hombres por su foto, sino por su olor.

—Está bien, ya basta —pidió Alex, disimulando una sonrisa—. Monta y en marcha. Si es que puedes parar de burlarte de mí, claro.

—Lo intentaré con todas mis fuerzas, pero no prometo nada. ¿Puedo cabalgar donde me llegue tu aroma?

Él no pudo evitar la carcajada.

—Vamos, niña, levanta o no llegaremos a tiempo para encontrarnos con el señor Grady.

Cay subió a la silla y, tomando las riendas, pasó delante de él aspirando profundamente, con los ojos cerrados, como si hubiera entrado en éxtasis.

Ignorando su gesto, Alex salió del pequeño claro y se dirigió hacia el camino.

—Y, ahora, recuerda. Si vemos a alguien, mantén la cabeza gacha y no digas nada. No creo que tardaran mucho en adivinar que eres una muchacha.

—Pero no huelo como una chica —replicó ella, sonriendo maliciosamente—. De eso, te encargas tú.

Alex sacudió la cabeza y ambos iniciaron la marcha.

10

«¿Dónde está?», volvió a preguntarse Alex. Cay debía de estar a su lado en la taberna, pero no estaba. La muchacha había querido poner a prueba su disfraz y habían discutido por eso.

—¡Ni hablar! —había exclamado él en tono de orden.

—Tarde o temprano tendré que aparecer en público, ¿por qué no puede ser ahora?

—Porque aún estamos demasiado cerca de Charleston —había respondido él, sentado rígidamente sobre su montura, con los ojos perdidos en el horizonte, sin mirar a su interlocutora.

—Sé que estamos al sur de Savannah. Y no porque me hayas dejado mirar el mapa ni porque me hayas comentado nada acerca de donde estamos, adónde vamos o cuánto tiempo vamos a tardar en llegar a nuestro objetivo. De hecho, todavía no me has revelado tus planes sobre mí. Te he salvado la vida y he puesto la mía en peligro, pero tú ni siquiera te dignas informarme sobre adónde vamos y cuándo vamos a llegar por más que te pregunte...

—De acuerdo —había dicho Alex, alzando la voz—. Si con eso vas a detener tu verborrea, te dejaré entrar en esa taberna con la ropa de chico. Pero tienes que comportarte. ¡Y para de juguetear con tus cabellos!

Viéndola sobre el caballo, a su lado, había pensado que casi valdría la pena entregarse directamente al sheriff. Cay no parecía un muchacho. Y la absurda postura que ella decía que imitaba a la de uno de sus hermanos daba risa. Nadie iba a tragarse que era un hombre.

La sonrisa de Cay iluminaba.

—Deja de mirarme como si fuera tu sentencia de muerte. Tú eres el único que cree que soy una niña. Por cierto, ¿está mi vestido guardado a buen recaudo? —No quería decírselo, pero le preocupaban los diamantes encastados del corpiño.

—Sí, niña, sí. —Alex no podía evitar mirarla como si estuviera a punto de perder la vida, porque así era como se sentía al verla. Estaba seguro de que les atraparían en el mismo momento en que ella se dejara ver.

Sin dejar de mirar a Alex, Cay sonrió y retrocedió con el caballo para ir detrás de él. Unos minutos después, Alex la vio levantarse sobre el pie derecho mientras sacaba el izquierdo del estribo.

—¿Qué pretendes? —preguntó él con calma fingida.

—Es un truco de Tally que nunca he podido hacer porque siempre llevo vestido. Se lo enseñó mi primo Derek. Es...

—El futuro terrateniente —se apresuró a decir Alex, sin poder reprimir la sensación de... Bueno, era una sensación parecida a la envidia. Había sido Alex quien había enseñado a Derek Moncrief, el primo de Cay, a poner ambos pies en un solo estribo para esconderse en el flanco del caballo. Alex había utilizado a menudo ese truco para escaparse a escondidas cuando su padre le prohibía cabalgar entre los brezos por la noche.

—No es así —la corrigió Alex con más rabia de la que hubiera querido mostrar—. Pon todo el peso en el pie derecho y después desliza la pierna izquierda por detrás. Así es, niña. Ahora agáchate. Nadie te verá desde el otro lado del caballo.

Cay le sonrió con tanto agradecimiento que él tuvo que retirar la mirada.

—Supongo que es un truco escocés.

—En realidad, yo lo aprendí de mi padre, que lo había aprendido de los indios americanos. Pensé que habría sido tu padre quien había enseñado a tus hermanos.

—Él... —Cay no pudo evitar una punzada de dolor al pensar que su padre podía haber enseñado a sus hermanos aquel movimiento tan útil sin contar con ella. ¿Qué otras cosas habría enseñado solo a sus hermanos?—. ¿Qué más sabes hacer? —preguntó a Alex.

—¿En serio crees que te voy a enseñar trucos que te podrían ayudar a huir de mí?

—Dijiste que no era ninguna prisionera y que podía marcharme cuando quisiera. Además, ahora que no llevo las costillas comprimidas, empiezo a...

—¿A qué? ¿A disfrutar?

—No, claro que no, pero... —La muchacha entornó los ojos—. Deja de mirarme como si fuera un gran engorro y enséñame algo más. La próxima vez que vea a Tally quiero poder hacer algo que le sorprenda muchísimo.

—Ah, pues si quieres sorprenderle muchísimo, tendrías que probar esto. —Era consciente de que no debía perder el tiempo enseñándole trucos con caballos, pero no podía soportar que todo el mérito se lo llevaran otros. La hizo cambiarse de caballo y le pidió que esperara a un lado con el macho. Alex dejó caer el pañuelo sucio que había ofrecido a Cay la primera noche y se alejó con la yegua por el camino. Después, espoleó a la yegua y echaron a correr a una velocidad increíble hacia el lugar desde donde ella le observaba. Al llegar a la altura del pañuelo, Alex se agachó y lo recogió. Fue casi lo mismo que había hecho el día que ella lo había tirado al suelo, pero esta vez había llegado más abajo y Cay no podía creer cómo había bajado tanto sin caerse de la silla.

Se detuvo, volvió grupas y regresó junto a ella.

—Quiero aprender a hacer eso.

Alex desmontó y le dio las riendas de la yegua.

—Te enseñaré, pero no ahora. No tenemos tiempo. —Al ver su cara, se inclinó hacia ella—. Y si lo intentas sola y te rompes la crisma, te las verás conmigo.

—¿Cuándo vas a enseñarme?

—Cuando... —Deseaba decirle que cuando llegaran a Florida, pero sabía que tendría que partir con el grupo de exploración dejándola atrás. Además, cabía la posibilidad de que en un par de días, cuando llegaran al punto de encuentro, ya no volviera a verla más. Pero no quería decirle la verdad, así que se limitó a decir—: Cuando tengamos tiempo.

Alex se pasó el resto del día observando cómo ella practicaba el primer truco. Cay cabalgaba delante y así él podía ver los fallos y corregírselos... Y salvarla si veía que iba a romperse algún hueso. Pero que ella cabalgara delante resultó ser un error, porque estuvo todo el rato mirando cómo se removía sobre su caballo con unos pantalones demasiado apretados y una camisa demasiado fina.

Para cuando llegaron a la taberna, Alex estaba de muy mal humor. Que ella quisiera poner a prueba su disfraz tenía todo el sentido del mundo, pero él no pensaba admitirlo. O tal vez era que deseaba volver a pasar la noche con ella en el camino. Le había tomado el gusto a estar cerca de otro ser humano. Durante las horribles semanas en la cárcel, a pesar de su dolor, había tenido momentos en los que había añorado estar cerca de otras personas, hablar con alguien además de los pocos minutos que le concedían con T. C., escuchar a alguien que no fuera su abogado.

—Puedo conseguir que todos crean que soy un hombre —dijo Cay para intentar convencerle de que podía presentarse ante la gente como un muchacho.

—Está bien —acabó cediendo Alex, incapaz de disgustarla—, pero tienes que hacer exactamente lo que te diga.

—Como siempre, ¿no?

Alex gruñó.

—No eres más obediente que una gallina.

—¿Que una qué? —exclamó ella—. ¿Que una gallina? De todos los animales que podías haber escogido, ¿me comparas con una gallina?

—Puede que haya sido por el pelo. Cresta roja. Gallina de cresta roja. —Había recuperado el buen humor.

Ahora se encontraba en la taberna, esperando que Cay apareciera. Había pedido dos cenas y dos jarras de malta. Se preguntó si Cay habría probado alguna vez algo con alcohol, pero no podía mantener el mito de la mujer que se hacía pasar por hombre si le pedía una taza de té.

Volvió a mirar hacia la puerta. Había ido al retrete, pero hacía ya más de media hora. ¿Dónde estaba y qué debía de estar haciendo? ¿La habrían reconocido?

En la mesa de al lado, había tres hombres y uno le dijo:

—Únase a nosotros. No puede estar solo en una noche como esta.

—Estoy esperando a mi... A mi hermano.

—Pues únanse los dos —propuso otro.

—No, pero gracias —declinó Alex, haciendo lo posible por imitar el acento norteamericano. No lo había usado desde el día en que conoció a Cay. Como los tres hombres seguían mirándole insistentemente, añadió—: Mi hermano es muy tímido. No confraterniza bien con desconocidos.

—¿Es un chico guapo? —preguntó el tercer hombre—. ¿Delgado como un junco?

Alex se contuvo para no abrir la boca con asombro y no revelar al hombre la sorpresa ante sus palabras. Sin duda, esperaba que la frase siguiente fuera que sabían que era una chica. Aun así, consiguió asentir.

—Pues no es tan tímido —añadió el primero que había hablado, sonriendo—. Le vi con la hija del tabernero y no estaban siendo precisamente tímidos. Conversaban y reían.

Alex no pudo evitar mirar a los hombres con cara de terror. ¿Qué demonios estaba haciendo Cay? ¡Les delataría! Ya había empezado a levantarse cuando se abrió la puerta y entró ella. Había dejado el abrigo en el caballo y su figura quedaba resaltada por la enorme camisa blanca y los pantalones ajustados a su estrecha cadera. ¿Por qué demonios se había dejado convencer de que la muchacha podía llegar a parecer un hombre?

—Mire, ahí viene. ¿Qué, muchacho, logró algo de la chica?

Cay sonrió y dijo:

—Pues claro, pero no pienso contárselo a unos viejos, así que olvídense.

Entre fuertes risotadas, los tres hombres volvieron a sus jarras de cerveza.

—¿Qué crees que estás haciendo? —la regañó Alex entre dientes, cuando ella se hubo sentado a su lado.

—Luego te lo cuento —respondió ella para el cuello de su camisa mientras levantaba la jarra a los hombres de la mesa de al lado, que aún se reían. Echó un buen trago.

—¡Baja la jarra!

—Tengo sed.

—Lo que me faltaría ahora es que te emborracharas y te pusieras a bailar para que todo el mundo sepa quién eres en realidad.

—¿Y qué pasa si bailo? —preguntó Cay—. Nadie diría que soy una chica. Tú eres el único que me ve así. —Echó mano a un huevo encurtido del cuenco que había en el centro de la mesa y le dio un bocado—. ¿Quieres saber qué estaba haciendo? Está rico. Tal vez me den la receta.

—Los hombres no piden recetas.

—Podría decir que mi madre... ¡No! Que quiero que mi prometida los cocine cuando nos casemos.

Alex le arrebató el medio huevo que Cay aún tenía en la mano y se lo zampó.

—Di lo menos posible a nadie y no pidas recetas. ¿Me has entendido?

—Entiendo que te preocupas por cosas que no deberías. Ah, ahí viene la comida.

119

—Por lo menos en eso sí eres igual que un hombre: en el apetito.

Alex estaba tan ofuscado con lo que lo llevaba de cabeza que apenas se fijó en la muchacha que les sirvió los dos platos desbordantes de jamón, judías verdes, patatas con mantequilla, pan de maíz y sirope de manzana. Al ver que el plato de Cay estaba casi el doble de lleno que el suyo, miró a la camarera en cuestión.

Era una muchacha bonita, con el cabello rubio y los ojos azules, y unos senos que llenaban el espacio entre su cuello y su cintura, en buena parte a la vista, gracias al escote bajo de su blusa. Al levantar la mirada hacia los hombres de la mesa de al lado, vio que estaban mirando a la muchacha fijamente con la boca abierta.

—No lleva el corpiño recto —dijo Cay, poniendo las manos en los prodigiosos senos de la muchacha para acomodarle la pechera de la blusa. Si Alex hubiera tenido algo en la boca, se habría atragantado. En aquel punto, lo único que hizo fue observar la escena con asombro.

—Ahora sí —dijo Cay—, mucho mejor.

—Gracias, señor —dijo la muchacha, haciendo una reverencia a Cay, que fijó inmediatamente su atención en la comida.

Todos los demás ojos de la taberna, todos ellos masculinos, siguieron a la chica que abandonaba el comedor para dirigirse a la cocina.

Cuando se hubo ido, todos se echaron a reír y todo aquel buen humor se centró en Cay. Dos hombres se acercaron a ella a darle palmadas en el hombro.

—¡Muy buena, muchacho!

—¡Bien hecho!

Con la segunda palmada, la cabeza de Cay casi se hunde en el plato, pero logró mirar de reojo a Alex, que la observaba con gran indignación.

Cuando las risas y las atenciones amainaron por fin, Cay dijo en voz baja:

—¿Lo ves? Todos piensan que soy un chico.

—Has atraído la atención de todo el mundo —dijo Alex en un suspiro, y sonrió a un hombre que pasaba por allí y felicitó a Cay—. ¡Ha sido una exhibición de muy mal gusto! ¡Y que la chica te dejara hacerle eso es totalmente increíble!

—Pareces incluso más puritano que Adam —dijo Cay, con la boca llena—. ¿Me pasas la mostaza, por favor? De postre, tienen pastel de manzana.

—¿Y qué piensas hacer con ella?

Tras unos segundos de confusión, Cay sonrió.

—¿Cosquillas por debajo de las enaguas?

A Alex se le cortó la respiración.

—¿Puedes hacer el favor de calmarte? —dijo Cay, sonriendo a otro hombre que le acababa de dar otra palmada en el hombro—. Sabía lo que hacía. Tengo que contarte lo que pasó en el establo. Hablé con...

—Por favor, dime que no he oído bien. No estás diciendo que hablaste con alguien, ¿verdad que no?

—No me estás escuchando, ¿verdad? Me parece que tendré que esperar a que nos metamos juntos en la cama, entonces te lo contaré.

Esa afirmación le pareció tan indignante que no fue capaz de encontrar palabras para replicar. Cuando terminó de cenar, un murmullo se extendió por la taberna, y Alex supo, sin necesidad de levantar la cabeza, que la hija del tabernero había regresado.

—Si la tocas te...

—Me ¿qué? —preguntó ella, mirándole fijamente.

—Pasarás la noche al raso y no dormiré ni siquiera cerca de ti.

Cay iba a protestar, pero la idea de pasar la noche al raso le hizo cerrar la boca. Murmuró un «gracias» a la camarera que le sirvió el postre, pero no la tocó. Cuando la muchacha se fue, los hombres del comedor expresaron su decepción, pero a falta de nuevo espectáculo, pronto se calmaron.

—Mejor así —dijo Alex.

Cay empezó a remover los gajos de manzana en el interior del cuenco de barro.

—Intentaba ayudar, pero tú nunca me escuchas.

Alex bajó la cabeza, acercándola a la de Cay.

—Solamente me preocupa que alguien pueda reconocerte.

—Lo sé, pero he hecho una cosa buena. Le he mandado una carta a Nate.

—¿Qué? —Alex tuvo que callarse para saludar con la cabeza a un hombre que pasaba—. ¿Que has hecho qué?

—He encontrado unas personas que le entregarán una carta a mi hermano. Le pido a Nate que vaya a Charleston y trate de esclarecer los hechos.

Puesto que él mismo había mandado la misma petición a la misma persona, no se atrevió a replicar.

Cay malinterpretó su silencio y empezó a dar explicaciones.

—Si me escucharas, te lo contaría todo.

—Está bien —dijo Alex—. Cuéntame lo de la habitación.

—Eliza, que así se llama la camarera, nos ha dado una de las habitaciones individuales. Tendremos que compartir cama, pero...

—Eso no es buena idea.

—Muy bien, pues le diré que preferimos dormir en una de las habitaciones grandes de ocho camas. Si no quieres dormir conmigo, tendré que dormir con otro hombre. Este lugar está demasiado lleno para que cada uno pueda dormir en una cama.

Alex la miró.

—¿Has acabado con eso?

Cay se metió tres enormes trozos de manzana empapada en sirope en la boca y se levantó.

—Ahora sí —dijo, y tuvo que limpiarse la boca con el reverso de la mano para que los jugos no le chorrearan hasta la barbilla.

—Vamos arriba —dijo Alex—. A menos que quieras flirtear más con las enaguas.

—No, eso se lo dejaré a Josiah.

—No me digas que es otro de tus pretendientes.

—¡Baja la voz! —le espetó Cay en un murmullo—. Josiah es el enamorado de Eliza y se van a fugar mañana. Vivirán en la granja de mi padre, en la que te conté.

Alex abrió los ojos como platos. A punto estuvo de preguntarle si se refería a su granja, la que Nate había luchado tanto por evitar que se vendiera, por la que Alex llevaba toda la vida ahorrando para comprarla, la granja en la que había planeado vivir con su mujer y sus hijos. Sin embargo, se limitó a subir las escaleras detrás de Cay hasta la pequeña habitación que les habían preparado. Alex se alegró al ver que habían puesto una larga almohada de separación en la cama. Solía usarse para separar a desconocidos que compartían cama en las posadas de los caminos.

—Muy bien —dijo—. Soy todo oídos. —Se sentó en la única silla de la habitación y esperó.

—Volvía del retrete cuando escuché unos ruidos y...

—¿Qué clase de ruidos?

—Bueno... —vaciló. ¿Cómo iba a explicarle que había oído sonido de besos, de tela frotada y de respiraciones fuertes sin que pareciera que estaba espiando a la pareja? Que, en realidad, era lo que había hecho. Pero ¿quién no iba a sentir curiosidad ante tales circunstancias?

—Venga —dijo Alex—. No hace falta que te inventes lo que crees que quiero oír. ¿Qué oíste y qué hiciste?

—Oí ruidos en una de las caballerizas y, con mucha cautela, quise investigar. —Miró a Alex para saber si se estaba tragando la historia y se congratuló al ver que él la observaba con esa mirada condescendiente y paternalista que ya empezaba a conocer muy bien. Alex estaba mucho mejor ahora que se había cortado el pelo y lo llevaba recogido hacia atrás, pero las barbas seguían tapándole la cara. Aun así, parecía tener menos arrugas en los ojos y menos edad de la que ella le había echado. Tal vez fuera la luz mortecina de la habitación.

Mientras se sentaba en una punta de la cama, se preguntó por qué se molestaba en endulzar la verdad. Al fin y al cabo, no había nada que la uniera a ese hombre, de modo que ¿por qué tenía ella que protegerle de la realidad de la vida?

—Oí ruidos de estar haciendo el amor.

—¿De estar haciendo el amor?

—Sí. Besos y cosas de ese tipo. Fui hacia allí y vi a Eliza y a Josiah en la cuadra, besándose y... y... —Sacudió la mano. Podía imaginar él mismo el resto—. Ya me estaba alejando de puntillas, pero Eliza rompió a llorar.

—Así que volviste —se aventuró Alex—. ¿No te das cuenta de que eso es exactamente lo que habría hecho una mujer? ¿Cómo vas a sacar adelante tu disfraz si sigues comportándote como una chica?

—¿Tengo que recordarte que cuando me puse a llorar la primera noche tú me diste un pañuelo? ¿Eso te convierte en una mujer?

Alex giró la cabeza a un lado para ocultar una sonrisa, pero ella la captó.

—¿Qué problema tenía Eliza? —preguntó Alex, en un tono que revelaba que había desaparecido su enfado. Cay sabía que el malhumor de su compañero se debía a la preocupación que había sentido por ella.

—Su padre quiere casarla con un viejo rico.

—Y me la juego a que ella quiere casarse con un joven pobre.

—Sí. Está enamorada de Josiah, pero no tiene un centavo.

Cay miró a Alex y reparó en la confianza que habían desarrollado en tan pocos días. Después pensó en su estancia en Charleston con Hope y el tío T. C., y le pareció que hacía media vida.

—Y, entonces, ¿qué hiciste? ¿Les regalaste una granja? —dijo, incapaz de ocultar la amargura de su voz. Después de todo lo que él y Nate habían hecho y, ahora, al parecer, Cay la estaba regalando alegremente a otra persona. Hasta entonces no había puesto en duda el sentido de la justicia de la muchacha, pero ahora sí lo hacía.

—Les dije que si llevaban mis cartas a mi familia, haría que mi padre les diera trabajo. A Josiah le gusta cultivar y, como mi padre tiene una granja que necesita un encargado, le sugerí en mi carta que le diera ese puesto. ¿Qué ocurre? Actúas como si hubiera hecho algo malo. Creí que te alegrarías de que hubiera podido enviar las cartas, una para Nate contándole la verdad y otra para mi padre diciéndole que lo estaba pasando estupendamente en Charleston. Las entregarán en mano.

Alex temía que el periódico de Charleston hubiera podido incluir el nombre de Cay en sus artículos sobre la fuga de la cárcel y que, a aquellas alturas, su padre y sus hermanos ya estuvieran en la ciudad. Pero no tenía ninguna intención de decírselo.

—¿Descubrió la camarera que eres una mujer? ¿Por eso te dejó...? —Gesticuló sobre su propio pecho.

—No, cree que soy un muchacho que hará posible que huya con el hombre al que ama. Y en referencia a... —Cay hizo el mismo gesto que él—. Iba descamisada de su... Ya sabes, de estar en el establo con Josiah, y le puse la blusa en su sitio. Supongo que olvidé que se supone que soy un hombre. Por un minuto. Solo lo olvidé por un minuto, y no volverá a ocurrir. Esos tipos armaron un buen revuelo, ¿no?

—Sí. Demasiado revuelo. Y por culpa de eso, ahora nos recordarán muy bien. —Alex se levantó, se acercó a la estrecha ventana y miró al exterior. Necesitaba calmarse. La muchacha había hecho un buen trabajo y él no tenía ningún derecho a estar enfadado con ella. Si T. C. había logrado mantener su nombre alejado de los periódicos y, por la razón que fuera, la carta que él había enviado jamás llegaba hasta Nate, la idea de Cay había sido muy buena. Y además no había sido ella quien le había robado sus sueños. Eso había ocurrido el día que Lilith había... sido barrida de la tierra.

Cay permanecía ajena a los quebraderos de cabeza de Alex. Ella pensaba en lo raro que era estar en aquella habitación tan pequeña con él, ya que casi siempre habían estado juntos, pero al raso. Sin embargo, con las paredes confinando el espacio, todo era mucho más íntimo que fuera. Cay se acercó a él.

—¿Piensas en tu esposa? —le preguntó suavemente.

—Sí. Yo quería criar caballos para irnos a... —Y dejando la frase a medias, se giró hacia ella. Se había soltado la coleta y sus largas pestañas le miraban repletas de inocencia.

Cay notó la tensión entre ellos y no le gustó. Le gustaba la camaradería que habían desarrollado y deseaba conservarla.

—Hueles bien —dijo Cay.

Con una sonrisa, Alex se apartó de la ventana y el momento tenso se rompió.

—Quiero este lado de la cama. El más cercano a la puerta.

—¿Porque así podrás protegerme si alguien entra? —dijo, con la intención de bromear, pero al instante deseó haberse tragado las palabras. Sonó como si se estuviera refiriendo a la noche en que su esposa murió—. No quería...

Él estaba de espaldas, así que Cay no pudo verle la cara, pero vio cómo encogía los hombros y, al momento, volvía a relajarlos.

—Haré lo que pueda para protegerte.

Alex se volvió para mirarla y ella vio en sus ojos la profunda pena que habitaba en su corazón. «Tengo que hacerle reír», pensó ella. El sentido del humor era lo que le mantenía vivo. Cay empezó a desabrocharse la camisa.

—¿Qué demonios estás haciendo? —le espetó él.

—He pedido que me preparen un baño y pienso meterme en una bañera llena de agua caliente.

Alex pareció contrariado, pero enseguida se relajó. El dolor había quedado oculto de nuevo.

—Te frotaré la espalda.

—Eso lo hará Eliza.

—Pues, entonces, le frotaré el pecho a ella.

Cay se rio. Alex la había ganado. No podía superar su broma.

—Gírate. Tengo que quitarme el vendaje para meterme en la cama.

—Dormías con corsé, ¿por qué no puedes dormir ahora con eso? —le preguntó él, mientras le daba la espalda.

—El corsé realza lo de arriba, pero esto... Ah, vaya. Sí, es genial. El paraíso. Ya puedes volverte.

Alex la miró mientras se volvía y deseó no haberlo hecho. Llevaba la camisa puesta y cerrada, pero aun así dejaba poco lugar a la imaginación.

—No puedo entender cómo esos hombres pensaron que eras un muchacho.

—Gracias —dijo Cay, sentándose en al cama para quitarse los zapatos y los calcetines.

—Ya está bien. No vas a quitarte nada más.

Cay no podía dejar de sonreír. Le habían hecho muchos cumplidos en la vida, pero los de Alex parecían mucho más reales. No le decía cosas bonitas solo porque supiera que su familia era rica o que ella iba a heredar un buen pellizco, sino porque la encontraba... Bueno, deseable. Y es que a pesar de la comodidad de la ropa de hombre, ella seguía prefiriendo ser una mujer.

Aún sonriente y en gran parte vestida, se metió en la parte de la cama más cercana a la ventana, se echó las sábanas por encima y observó el ir y venir de Alex por la habitación. La muchacha pensó que un día se casaría y estaría a solas con su amado en una habitación, ya como marido y mujer.

Alex se quitó las botas y el chaleco pero, cuando iba a desabrocharse la camisa, miró a Cay y se detuvo. Como ella, se metió en la cama prácticamente vestido, sopló la vela y se echó las sábanas por encima.

Cay permaneció tendida en la oscuridad, oyendo la respiración de Alex. Habían pasado ya varias noches juntos, pero, de algún modo, el hecho de estar solos en aquella pequeña habitación, era mucho más íntimo. Entre ambos se extendía el largo y pesado cojín, pero sabía lo cerca que le tenía.

Estaba cansada de todo el día a lomos de la yegua y quería dormirse, pero oía la respiración de Alex, cada vez más fuerte y rápida, y sabía que algo le preocupaba. Tardó un momento en caer en la cuenta, pero, al final, comprendió que seguramente aquella era la primera vez que dormía en la cama de una habitación tras la noche en que asesinaron a su esposa.

«Asesinaron», pensó Cay y se dio cuenta de que había recordado la desgracia en unos términos que daban por sentado que Alex no lo había hecho.

—¿Cómo era ella? —preguntó Cay, suavemente.

—Callada —respondió él, cosa que le hizo pensar que le estaba sugiriendo a ella, a Cay, que se callara. Pero por el sonido de su respiración, la muchacha supo que había acertado de pleno con los pensamientos de él.

—¿No era como yo, entonces? —insistió Cay.

—No, no como tú. Era callada, amable y refinada.

—No creo que ella pasara muchos días montando y desmontando sin parar, ¿no?

—No, pero tengo que decir que no me ha disgustado verte montar y desmontar.

Cay oyó y sintió cómo la inquietud de Alex empezaba a ceder. Su estrategia funcionaba. Girándose de lado, apoyó la cabeza en su mano y le miró por encima del cojín. Él estaba tumbado boca arriba y Cay apreció su perfil bajo la luz de la luna que penetraba por la ventana.

—Háblame de ella.

—¿Qué quieres saber?

—Cualquier cosa. ¿Dónde se crio? ¿Cómo era su familia? ¿A qué escuela fue? ¿Cuántos hermanos y hermanas tenía?

—No lo sé —admitió Alex, con asombro en la voz—. No sé la respuesta a todas esas preguntas.

—¿No sabes dónde creció?

—No. —Se giró, y la miró—. Nunca se lo pregunté y nunca me lo dijo. De todos modos, estuvimos juntos muy poco tiempo.

Cay se dejó caer sobre la almohada.

—Es muy raro. Yo te hablé de mi familia a los diez minutos de conocerte.

—Cierto, niña, así fue. Me has contado tantas cosas de tu vida y de tu familia que es casi como si les conociera. Pero Lilith no era como tú. Ella hablaba poco. Solo de lo que era importante.

—Pues la familia es importante. La familia lo es todo. Sé que, para ti, tu padre es muy importante. ¿Le hablaste de él a tu esposa?

—Sí. Le conté bastantes cosas sobre mi vida en Escocia y sobre mi padre. Le gustaba escuchar historias. No me entendía si no hablaba con acento americano, pero no podía retraérselo, ¿no te parece?

Cay se alegró de reconocer de nuevo el sentido del humor en su voz y de que su respiración se hubiera calmado. Había conseguido lo que se había propuesto: calmarle. Con todo, no pudo evitar que le pasara por la cabeza pensar que alguien con un poco de sentido común no se habría encerrado en una habitación con un hombre al que habían condenado por cortar la garganta a la mujer que había yacido con él.

Y de la misma manera que ella había notado el cambio de humor de Alex, él también apreció la alteración en el modo de respirar de ella.

—Si prefieres que me vaya a otro cuarto, me iré.

—No —respondió ella—. Me siento más segura contigo.

Alex permaneció un instante callado y, después, alargó el brazo por encima del cojín y tomó la pequeña mano de Cay.

—Gracias. Eres la segunda persona que cree en mí.

A Cay le gustó el contacto de aquella mano grande y cálida... Demasiado, le gustó. Retiró su mano y se giró, dándole la espalda.

—Si te vas a Florida sin enseñarme el truco del pañuelo, te retiraré toda mi confianza —le dijo, y sonrió al oír la risilla sofocada de Alex, que, acto seguido, empezó a respirar más relajado y se durmió. La respiración pausada del hombre la relajaba, pero, en lugar de dormirse, miró la luna que le mostraba la ventana y pensó en los acontecimientos que se darían en los próximos días.

Gracias a sus muchas preguntas, Cay había podido hacerse una idea de cuáles eran los planes de Alex para ella. Su intención era dejarla con unos amigos del tío T. C. mientras él partía a explorar. Tras una o dos semanas, ella, aún vestida de hombre, debería volver a casa de sus padres en Virginia y confiar en que jamás saliera a la luz que había ayudado a escapar a un delincuente. No se había vuelto a hablar más de intentar demostrar la inocencia de Alex. El escocés parecía haber abandonado la idea en algún punto del camino. Los últimos días solamente había hablado de devolver a Cay sana y salva junto a su familia.

¿Acaso había abandonado su deseo de hacer justicia?, se preguntó Cay. Y si lo había hecho, ¿había sido por ella? Por como hablaba, parecía tener la intención de adentrarse en la frondosa vegetación de Florida y quizá no regresar jamás.

Pero ella había percibido algo diferente en la voz de Alex al hablar del pasado. Cuando hablaba de sus caballos, lo hacía con energía, incluso con emoción. Había dejado atrás a su padre y su tierra natal con la esperanza de una vida mejor.

«Igual que yo tengo un plan para mi vida», pensó Cay. Como ella, también él sabía lo que quería en la vida. Hasta había empezado a trabajar para conseguirlo estando aún en Escocia. Cay sonrió al recordar la historia del apareamiento «ilegal» de su yegua con el magnífico semental. Lo había hecho para poder viajar a Estados Unidos y llegar a tener algún día su propia granja, su propia esposa y sus propios hijos.

«Quiere exactamente lo mismo que yo», pensó ella, y la invadió la pena al comprender que posiblemente ella acabara teniendo el futuro que deseaba, mientras que Alex jamás lo podría conseguir. Estaría toda su vida en busca y captura por haber sido condenado por asesinato y haberse fugado el día antes de que lo colgaran.

Pero ¿y si Nate recibía su carta, iba a Charleston y descubría al verdadero asesino de la esposa de Alex? Saber quién la había asesinado no la devolvería a la vida. Si bien pudiera ser que se retiraran los cargos de asesinato contra él, jamás recuperaría a la mujer que amaba. Necesitaría años para recobrarse de una tragedia como aquella, si es que algún día lo lograba.

—Deja de pensar —la regañó Alex—. No me dejas dormir.

—Está bien —dijo ella—. Es que no creo que ir a Florida solucione nada.

—Ni yo —admitió él—, pero, por ahora, es lo único que puedo hacer. Tenemos que dormir. Quiero salir muy pronto.

—Tal vez si me dejaras enterrar la cara en tu pelo y oler el jazmín, me entraría el sueño.

—Ni se te ocurra tocarme.

—Sí, señor McDowell —dijo ella, cerrando los ojos.

11

A la mañana siguiente, bastante antes del alba, Alex pidió a la muchacha que se levantara de la cama, pero ella parecía resistirse.

—Tenemos que irnos. Ponte eso en el pecho y pongámonos en marcha.

—Quiero mi chocolate —murmuró Cay, intentando levantarse—. Y quiero darme un baño.

—Te bañaste hace dos días. Vamos, vístete.

Pero, cuando Alex se alejó hacia el extremo opuesto de la habitación, ella se dejó caer de nuevo en la cama y se durmió al instante.

—¡Arriba! —exclamó él, mientras la agarraba por la cintura de los pantalones y tiraba de ella—. Si vuelves a arrojarte sobre la cama de esa manera, te voy a dar un buen azote en ese traserito tan redondo que tienes.

—Eres cruel. —Parecía incapaz de abrir los ojos. Se había levantado, pero no paraba de balancearse.

—¡Cay! —gritó incisivamente—. Vístete.

—Estoy vestida —murmuró ella.

Alex agarró la banda que ella había utilizado para vendarse el busto y se la colgó el hombro, pero ella no se movió. Al ver que no reaccionaba, le dijo:

—Dame un empujoncito más. ¡Ya estoy tentado de dejarte aquí! He ido abajo y el tabernero había descubierto ya que su hija se había fugado con el mozo del establo. Sabe que alguien les ha ayudado. Si te dejo aquí, estoy seguro de que no te podrás morder la lengua y alardearás de que has sido tú quien lo ha dispuesto todo. Y seguramente te meterá en la cárcel.

Cay abrió un ojo.

—Pero tú no me dejarías aquí de verdad, ¿no?

Alex, completamente vestido, se detuvo ante la puerta.

—Cinco minutos. Si no estás junto a los caballos en cinco minutos, no volverás a verme jamás. —Y con eso, salió de la habitación y cerró la puerta tras él.

Cay siguió de pie, inmóvil, un minuto más. Tenía que estar mintiendo, por supuesto, aunque, por otro lado, tal vez no. Cuatro minutos y medio después de que Alex abandonara la habitación, Cay se plantó ante el establo, junto a su yegua, sin dejar de bostezar. No veía a Alex por ninguna parte. Cuando le vio salir de la taberna con dos tazas humeantes en las manos, le dijo:

—Has tardado una eternidad. Hace horas que te espero. —Vislumbró un atisbo de sonrisa bajo los bigotes de Alex, pero el escocés se limitó a darle una de las tazas—. ¿Y el desayuno?

—Aquí lo tienes. El tabernero está demasiado enfadado para cocinar. El hombre que quería casarse con su hija está ahí dentro.

—¿Y cómo es? —preguntó ella, al ver que él no añadía más detalles.

La mirada de Alex era divertida.

—Muy viejo y muy feo.

Cay vació la taza de un trago e hizo ademán de entrar en la taberna, pero Alex la agarró del brazo.

—¿Adónde te crees que vas?

—A hablarle al hombre del aceite de jazmín. Consigue que hasta un viejo feo parezca guapo.

—Súbete al caballo —dijo Alex, riendo—. Si cabalgamos a buen ritmo estos dos días, podemos llegar al sitio mañana por la noche.

—¿Mañana? —preguntó ella, despertándose de golpe con aquella palabra. Solo un día más.

Alex la miró desde su silla.

—¿Me echarás de menos, niña?

Cay intentó decirle que se alegraría de ver a su familia, pero no le salieron las palabras. Al ver que Alex fruncía el ceño, se dio cuenta de que el escocés volvía a estar preocupado.

—¿Te he hablado de Ephraim? —le preguntó Cay, mientras montaba.

—¿El tercer pretendiente?

Cay siguió a Alex y ambos atravesaron el patio para llegar al camino.

—Sí. Tiene cuarenta y dos años, es viudo y tiene tres hijos casi criados.

—Niña, por favor, dime que es una broma.

—No. Es muy rico, tiene una casa bonita y...

—Pero ¿tu corazón baila de alegría cuando le ves?

—Me parece, Alex McDowell, que eres el hombre más romántico que he conocido jamás.

—Aparte de Adam, por supuesto.

—Adam escribe poemas en las largas noches de invierno.

Alex gruñó.

—Espero no tener que conocer nunca a tu hermano perfecto.

Cay le miró y pensó que tal vez nunca llegara a conocer a nadie de su familia.

Alex percibió que a Cay le cambiaba la expresión de la cara, que el brillo desaparecía de sus ojos.

—¿Lista para cabalgar? ¿Podrás mantener el ritmo?

—Puedo pasarte por delante siempre que me lo proponga.

—Así está mejor. Ya basta de tristeza. Pronto te desharás

de mí —dijo él, y volviéndose, empezó a cabalgar a buen ritmo, con Cay pisándole los talones.

A medida que se iban adentrando en el sur, encontraban cada vez menos pueblos e incluso menos caminos. Dejaron atrás grandes plantaciones que más que casas parecían verdaderas villas. Hectáreas y más hectáreas de índigo, algodón y arroz bordeaban los caminos irregulares e infestados de hierbajos por los que avanzaban.

Allí donde no había plantaciones, había minúsculas casitas desvencijadas, todas ellas al parecer pobladas por docenas de niños que corrían por sus inmediaciones. El contraste entre los muy ricos y los muy pobres se hacía extremadamente patente.

Cay lo observaba todo con tanta atención como le permitía prestar el extenuante paso que Alex le marcaba. De vez en cuando, el escocés se giraba para preguntarle si todo iba bien y ella siempre asentía.

El sol se hacía cada vez más brillante, el cielo más azul, la gente y los edificios más escasos. Cay se cubrió la cabeza con su sombrero de paja para protegerse los ojos de la luz y poder seguir cabalgando. A mediodía se detuvieron junto a un riachuelo a comer y beber.

—¿Aún desearías estar en casa? —preguntó Alex.

Cay miró las altas y delgadas palmeras y los enormes helechos que les rodeaban.

—No, creo que no.

—¿Ni por tus dos hombres?

—Mis tres hombres.

—Lo del tipo de los tres hijos mayores no lo dices en serio, ¿verdad? ¿Cuántos años tiene el mayor de todos?

—El mayor es un chico de dieciocho años.

Alex volvió a tapar la cantimplora.

—Se meterá en tu cama.

—No haría nunca una cosa así. Es un muchacho muy agradable. Estudia Derecho.

—Ah, si es abogado debe ser un hombre admirable.

—Eres terrible.

—Nunca dije que no lo fuera. —Montó en su caballo y la miró desde arriba—. Si eliminamos al viejo, te queda un predicador y un aficionado al juego. Niña, tienes que pensarte muy bien con quién vas a casarte —dijo, y riéndose entre dientes, dirigió el caballo al estrecho camino.

Mientras montaba en su yegua, Cay le sacó la lengua a sus espaldas, pero él se giró a tiempo para verla y se echó a reír de tal modo que a ella le entraron ganas de pegarle.

Cabalgaron varias horas más. Los caminos se iban estrechando hasta convertirse en poco más que senderos. Se pararon dos veces ante dos casas para que Alex pudiera pedir indicaciones. En ambas, los dueños, ávidos de compañía e información sobre el mundo exterior, les invitaron a entrar. Cay habría querido aceptar para dejar un rato el caballo y estirar un poco las piernas, pero Alex declinó todas las invitaciones. En una de las casas, una guapa joven de dieciséis años miró a Cay de soslayo y le ofreció un enorme pedazo de pan de maíz. Y nada a Alex.

Cuando volvieron a montar, Cay se deleitó comiéndose el pan.

—Creo que es el mejor pan de maíz que he comido nunca. Mmm. Delicioso. —No le ofreció ni un bocado a Alex—. Sabes por qué me ha dado el pan, ¿verdad?

Alex no respondió.

—Porque estaba coqueteando conmigo, por eso. Y coqueteaba conmigo porque creía que era un chico.

Alex la miró de arriba abajo. Los pantalones se le agarraban a los muslos, el pelo le colgaba sobre los hombros y un velo de sombra le cubría el rostro bajo el sombrero. Él seguía pensando que no podía parecer más femenina.

—Lo único que prueba eso es que la gente es idiota.

—Ven lo que se supone que tienen que ver. ¿Cuándo pararemos a hacer noche? ¿Hay tabernas por aquí?

—En este camino, no. ¿Piensas darme un poco?

Cay sostenía un buen trozo de pan en la mano.

—Te lo vendo.

—El dinero lo tienes tú.

—No quiero dinero. Quiero que me cuentes los planes que tienes para mí.

Alex entornó los ojos.

—Como si no te los hubieras figurado ya.

—¿Quieres decir que te has dado cuenta de que todas mis preguntas sutiles tenían una intención?

—No sé a qué te refieres con lo de sutil.

—Muy bien, pues cuéntame algo de cuando eras pequeño.

—¿Qué tal si te cuento algo de cuando estuve en la cárcel y compartí la celda con ratas? ¿O tal vez te apetezca más escuchar cómo me apedrearon los lugareños mientras me llevaban ante el tribunal?

Cay borró la sonrisa de su rostro e inmediatamente le dio el pan.

Alex se lo comió en dos bocados.

—Algún día, ese corazón tan dulce que tienes te va a meter en un buen lío. ¡Gané! —exclamó, y espoleó al caballo.

—Eres... —gritó ella, mientras él se alejaba a toda velocidad. ¡Maldita sea! ¿Por qué no había escuchado a Tally cuando había intentado enseñarle groserías?—. ¡Eres muy mala persona, Alexander McDowell! —gritó, mientras la risa de Alex le llegaba con el viento, aunque, para entonces, ella también estaba sonriendo.

12

—¿Y si no les caigo bien a los de la posada? —preguntó
Cay.

Alex estaba acabando de apagar las brasas con el pie.

—¿Por qué no ibas a caerles bien? —preguntó con voz
suave.

—No sé.

—Ya te he dicho que no te vas a quedar con ellos toda la
vida, solo unas semanas. Estarás bien.

—¿Cuántas semanas?

—No lo sé. —Pisó una rama que seguía candente y, cuando levantó la mirada hacia Cay, vio que ella le estaba mirando como si él tuviera todas las respuestas a sus preguntas—.
Niña, de verdad que no sé qué nos vamos a encontrar. No
puedo ir a preguntarles si han oído hablar de un asesino que
se fugó en Charleston, ¿no te parece?

Cay se sentó sobre un tronco y pensó que podría quedarse ahí. Según el mapa del tío T. C., el que acababa de ver, estaban a unas tres horas de la pequeña población a orillas del
río St. Johns, el lugar donde Alex debía reunirse con el señor
Grady. El pueblo contaba con poco más de una docena de
casas, una lonja y algún otro comercio. En una de las casas
aceptaban inquilinos por dinero y ahí era donde ella iba a que-

darse. Hasta el momento, había pensado que se quedaría en casa de unos «amigos» del tío T. C., pero se trataba de una simple posada.

Alex se sentó junto a ella.

—Vamos, niña, anímate. Solo será un tiempo y, después, volverás con tu familia.

—¿Y cómo voy a volver yo sola? ¿Y si me ataca algún ladrón?

—Seguro que corres más que ellos. O también puedes esconderte tras el flanco de tu caballo, tal como te enseñé.

Al percibir la burla en la voz de Alex, Cay se levantó para mirarle en perspectiva.

—Claro, ¡y mientras tanto tú divirtiéndote en los bosques de Florida!

Habían pasado la noche acampados en medio de un matorral de plantas espinosas y, como ya era costumbre, muy cerquita el uno del otro. Hacía demasiado calor para necesitar la tibieza de la capa o de una hoguera, así que tampoco había razón para tener que dormir tan juntos, aunque estaban demasiado cansados para poner excusas ante el hecho. Alex había extendido una manta sobre el suelo húmedo y había empezado a colocar la otra a unos palmos de distancia pero, tras echar un vistazo a Cay, la había extendido justo al lado. Al fin y al cabo, era su última noche juntos.

Estaban demasiado cansados para charlar, pero ese día, antes de ponerse en marcha, Alex le había enseñado a Cay el mapa de T. C. y ella había comprendido lo cerca que estaban de su destino. Habían cabalgado toda la mañana y Cay no había esbozado siquiera una sonrisa.

—Vamos, niña, seguro que se te ocurre alguna gracia —la instó Alex, cabalgando a su lado.

—No, ni una.

—¿Y si me echo más aceite en el pelo?

Cay se esforzó por responderle algo gracioso, pero no pudo.

A primera hora de la tarde, Alex dejó atrás el duro camino y se adentró entre los frondosos arbustos que amenazaban con tirarlos del caballo hasta llegar a un claro, donde encendió un fuego. Sabía que era una pérdida de tiempo, pero, como Cay, también él era muy consciente del tiempo que les quedaba antes de separarse para siempre. La echaría de menos. No le dijo nada, pero le preocupaba seriamente lo que pudieran encontrarse.

En el claro, sentado sobre un tronco, la miró.

—No haría esto si tuviera otro remedio. Lo sabes, ¿verdad? Si tuviera ocasión... —Sonrió—. Volvería contigo para conocer a tus hermanos.

Ella se sentó junto a él en el tronco.

—Si no tuvieras que esconderte en los bosques, sería porque estarías casado y jamás me habrías conocido.

—Cierto —admitió él—. Pero, tal vez, si puedo averiguar la verdad de lo que me ha ocurrido, algún día podré ir a verte.

—No lo creo. —Suspiró—. Me temo que me he arruinado la vida.

—Lo siento, niña. Nunca pretendí convertirte en una fugitiva, ni que te persiguieran hombres armados, ni...

—Pero así ha sido —lo interrumpió ella, volviendo a levantarse—. Y creo que todo esto hasta me ha gustado. Antes de que ocurriera, yo era muy feliz. Tengo una familia maravillosa, buenos amigos y vivo en una pequeña ciudad magnífica. Lo tenía todo. Pero ahora... —Estiró los brazos—. Ahora no tengo nada más que la ropa que visto y...

—Y la que tienes en el zurrón de mi silla —apuntó él—, además de tres agujas con diamantes. —Se alegraba tanto de verla animada de nuevo que le entraron ganas de bailar con ella, como habían hecho en la tienda.

—¿Sabías que mi madre dirigió una empresa?

Alex tuvo que morderse la lengua para no decir que lo sabía, pero no quería interrumpirla.

—¿Qué clase de empresa?

—En Boston, antes de casarse. Contrató a un buen grupo de mujeres para vender fruta. Tuvo mucho éxito y, cuando traspasó el negocio, obtuvo mucho dinero y lo repartió entre sus empleados. Mi madre hizo cosas realmente maravillosas. Pero, yo... ¿Qué he hecho yo?

—¿Volver locos a tres hombres con tu indecisión? —aventuró él.

Cay sabía que lo había dicho para bromear, pero se lo tomó al pie de la letra.

—¡Exacto! La verdad es que me cuesta recordar qué aspecto tienen.

—Feo, guapo y ni guapo ni feo.

Cay asintió.

—Más o menos.

—¿Qué quieres decir, niña? ¿Acaso prefieres quedarte en Florida y esperar a que yo regrese? No sé cuánto voy a tardar. —Quería darle a Nate el mayor tiempo posible para investigar.

—Esperaré —dijo Cay—. Esperaré.

La palabra sonó horrible a oídos incluso de la propia Cay, pero pensó también que tal vez pudiera dibujar lo que allí viera. Su profesor, el señor Johns, siempre le había dicho que era una pena que no pudiera viajar al oeste para pintar los magníficos paisajes de los que había oído hablar. Tal vez, mientras esperaba el regreso de Alex, podría ir a alguna de las grandes plantaciones por las que habían pasado a pintar retratos de sus habitantes.

—Puede que no sea tanto tiempo —dijo Alex, incapaz de esconder cierto tono de esperanza en la voz. Tal vez, a su regreso, Nate ya habría desentrañado la verdad. En los últimos días, no había podido dejar de darle vueltas a la razón por la que alguien habría querido ver a Lilith muerta. ¿Por qué la habían matado a ella y no a él? Y también se había preguntado unas cuantas veces si pudiera ser que lo que habían sugerido en el juicio, que Lilith había echado droga en el vino que él bebió, resultara cierto. Pero, como siempre, volvía a la misma pregunta: ¿por qué?

—Estás pensando en tu esposa, ¿verdad? Vuelves a tener esa mirada triste y perdida.

—Me conoces bien. —Reposó la mano en el tronco que había a su lado, y Cay se sentó—. No permaneceré mucho tiempo con la expedición. ¿Qué te parece si estoy alrededor de un mes y después le digo a Grady que tengo que partir? Le ayudaré a buscar a alguien que se encargue de los caballos y, entonces, volveré y te acompañaré a Virginia.

Cay hizo una mueca.

—Eso echaría por tierra el objetivo de la fuga. No, debemos separarnos. Tu plan de dejarme aquí es bueno, pero no me gusta.

Alex se sintió satisfecho con su lógica y... su disposición al sacrificio.

—Confío en demostrar mi inocencia.

—Si no lo consigues, tendrás que seguir escondiéndote toda la vida.

—Lo sé, niña —dijo él con dulzura—, pero te aseguro que haré todo lo posible por limpiar tu nombre.

—Estoy segura de que mi padre y mis hermanos no dejarán que me ocurra nada. El que me preocupa eres tú. Eres un buen hombre y...

—¿Ahora resulta que soy un buen hombre? —la interrumpió él mientras montaba.

—A veces, sí —respondió ella, tirante, mientras metía el pie en el estribo. Le acababa de hacer un cumplido, pero él, como de costumbre, se había burlado de ella.

—¿Me invitarás a cenar a tu gran casa? Así, tú y yo rememoraremos los días en que dormimos juntos en nuestra loca hazaña hacia el sur, y haré que tu marido se vuelva loco de celos.

Su provocación era contagiosa...

—Y, entonces, él y yo discutiremos, pero después nos reconciliaremos amorosamente y serás tú quien se ponga celoso. —Tiró de las riendas y se alejó con gesto altivo.

—¡Ja! —exclamó Alex, poniéndose a su altura—. Para entonces, yo estaré con dos mujeres entre mis brazos... No, ¿qué digo? Con tres... Y seré el dueño de la granja de caballos más grande de toda Virginia.

—Perderás la camisa en las apuestas; además, ¿qué mujer va a querer a un viejo maloliente como tú? —Estaba encantada de verlo sonreír, y especialmente contenta de oírlo hablar de otras mujeres aparte de la esposa que había perdido.

—El aroma de jazmín será el último grito en ropa de hombre —dijo él, como si fuera de los que se interesan por la moda—. Hasta los mercaderes lo llevarán en sus prendas de ante.

—Atraerán a las mariposas y comenzará toda una nueva tendencia en la moda femenina. Nuestros sombreros se cubrirán de alas de mariposa.

—Y tu marido los detestará porque le harán estornudar.

—Me casaré con un hombre tan masculino que ni siquiera estornudará —dijo ella, instando a la yegua a adelantarse.

El buen humor de la muchacha duró una hora más, pero cuando empezó a pensar en lo que podía ocurrir en cuanto llegaran a destino, a cada paso que daban más se le ensombrecía el ánimo. Tenía que quedarse sola en una posada cuando Alex se marchara y, transcurridas unas semanas, tendría que regresar a su casa, como no cesaba de repetirse, con extrema cautela. No se le ocurría nada más aburrido, solitario y... aterrador. No podía dejar de pensar en el centenar de cosas que podían salir mal. Aunque le había dicho a Alex que estaba segura de que su familia podría limpiar su nombre, le seguía preocupando el devenir de los sucesos. ¿Y si la policía de Charleston había caído en la posibilidad de que el preso hubiera ido hacia el sur? Mucha gente conocía las expediciones del tío T. C., de modo que, sin duda, sabrían algo de su próximo viaje. Cay estaba al tanto de que T. C. y el señor Grady llevaban planeando el viaje desde la primavera, por lo que no haría falta demasiada pesquisa para imaginar que, probablemente, el fugitivo y su cómplice se habrían encaminado hacia Florida para reunirse con el equipo de exploración. En tal caso, ¿qué haría ella si las autoridades se presentaban en Florida cuando Alex ya se hubiera marchado? Estaría allí sola. Sin nadie.

Como de costumbre, Alex pareció leerle el pensamiento.

—Antes de volver a tu casa, tienes que preguntar a la gente para averiguar si todavía te buscan, aunque estoy seguro de que T. C. ya se habrá ocupado de eso.

—¿Cómo?

—Hay muchas maneras. Puede haberles dicho que te habías citado con alguien y que te viste envuelta en el caos de una fuga. Cuando tu familia llegue a Charleston, testificarán que tú no estabas en la ciudad cuando yo estuve con Lilith. En realidad, nunca llegaste a conocerme.

—¿Y van a pensar que fue simple coincidencia que el tío T. C. fuera a visitarte a la cárcel y que yo, su ahijada, estuviera contigo cuando te fugaste?

—Tal vez pueda decirles que te habías escapado en secreto para encontrarte con uno de tus muchos pretendientes. No lo sé. Estoy convencido de que T. C. habrá podido inventarse mil historias. —Alex tuvo que respirar hondo para calmarse, porque su voz empezaba a denotar su preocupación—. Lo único que sé es que lo habrán arreglado y que podrás volver a casa sana y salva. Si no estuviera seguro de ello, no te dejaría marchar.

—Pero tú mismo no estás a salvo.

—Tampoco tengo casa —replicó con suavidad, mientras lograba esbozar una sonrisa—. Sé positiva, niña. Volverás a ver a tu familia, y a los hombres a los que amas.

—Ah. Sí. Ellos —dijo Cay, sin demasiado interés—. He estado pensando y creo que tendré que seguir buscando un poco más. Tal vez deba indagar fuera de Edilean.

—Buena idea —concedió Alex—. Tal vez incluso puedas probar suerte fuera de Williamsburg.

—¿Qué voy a hacer yo cuando no estés para burlarte de mí?

—Pronto lo descubrirás —le respondió alegremente.

—Estás deseando adentrarte en esa selva, ¿verdad? —dijo Cay, tras echarle una dura mirada. Todo a su alrededor era bonito, con las palmeras, los arbustos en flor y esos pájaros enormes que no había visto jamás.

—Ya lo creo que sí —dijo Alex—. La primera vez que T. C. me habló de esta idea, yo estaba en una celda y ni siquiera podía imaginarme navegando en un bote a través de lo que él describía como un paraíso. Pero ahora que he visto esto, me parece que me gustaría ver más.

—¿Quién va a ocupar el lugar de retratista del tío T. C.?

—No lo sé.

La idea comenzó a tomar forma en la mente de Cay.

—¿Alguien le ha dicho al señor Grady que el tío T. C. no se va a presentar?

—No lo sé. Imagino que T. C. le habrá escrito una carta para decirle que tendrá que buscarse otro. Puede que Grady ya tenga uno.

—Hemos venido muy rápido. Si el señor Grady también estaba de camino, no le puede haber llegado ninguna carta.

—Eso no es de mi incumbencia. Seguro que puede encontrar a alguien que le dibuje las plantas y los animales. No puede ser tan difícil.

Cay estuvo a punto de enzarzarse en una larga explicación de lo que significaba la formación de un artista, pero abandonó la intención y, en su lugar, guardó silencio mientras empezaba a contemplar otra posibilidad. Era una idea que rayaba en lo imposible, pero, aun así, le gustaba lo que le pasaba por la cabeza.

Una hora después, llegaron a la aldea y Cay miró a su alrededor. Las pocas casas que había parecían recubiertas de una especie de barro blanqueado y los techos estaban cubiertos de hojas secas de palmera. Le parecieron encantadoras. A la derecha, había un edificio bajo y largo que supuso que debía de ser la posada. Dos muchachas adolescentes se refugiaban en la sombra, una de ellas desgranando maíz, la otra triturando el grano en un enorme mortero para preparar la comida. Ambas detuvieron sus labores para observar a Alex y a Cay con interés.

Alex señaló el edificio con la cabeza.

—Vamos a instalarnos primero.

—¡No! —exclamó él. Se volvió hacia ella y añadió—: Bueno, vamos primero al lugar donde debías encontrarte con el señor Grady. Puede que te esté esperando y preguntándose si vas a aparecer.

—Hemos llegado con un día de antelación, así que dudo que haya contratado a nadie más.

—Pero no lo sabemos, ¿no?

Alex trató de reprimir una sonrisa.

—¿De qué tienes miedo, niña? ¿De pensar en que te quedas sola o en cuánto me vas a echar de menos?

—¿Cómo voy a amanecer cada mañana sin que me levantes tirándome de los pantalones? Y ¿cómo voy a poder vivir sin el aroma de jazmín envolviéndome cada noche? —dijo con intención de bromear, pero sus palabras cayeron como una losa porque realmente iba a echar de menos esas cosas.

Alex le sonrió con compasión.

—Está bien, niña, vayamos al encuentro del señor Grady. —Y para satisfacción de Cay, desvió el caballo hacia la izquierda. Cay le siguió complacida, no quería enterrarse en una posada. El aire era cálido, balsámico y aromático, y quería pasar fuera el mayor tiempo posible.

Les resultó fácil localizar el punto de encuentro, porque era un muelle que se adentraba en un río plácido y tranquilo. Entre pilas de cajas de madera, dos hombres les observaban. Uno de ellos parecía rondar la cuarentena, bajo, robusto y con el pelo salpicado de canas. El otro era joven, alto y delgado, con el pelo pajizo, una nariz prominente y muchas pecas. Nunca sería un hombre guapo, pero resultaba atractivo a su manera. Y tenía un aire fanfarrón que le recordaba a Tally.

—¿Es usted el amigo de T. C.? —preguntó el hombre maduro, dirigiéndose a Alex—. ¿El que hace magia con los animales?

—No sé si podré satisfacer tan altas expectativas —dijo Alex con un fuerte acento escocés. Lo miraron pasmados.

Cay desmontó y se puso junto a Alex.

—Lo que quiere decir mi hermano es que no está seguro de estar a la altura de las elogiosas referencias que le ha dado T. C. —Alargó la mano—. Soy Cay. —Frenó en seco. La gente solía pensar que su nombre era un diminutivo de Kesia, un nombre de mujer.

Alex le puso el brazo sobre los hombros con naturalidad fraternal y añadió:

—Es una abreviación de Charles Albert... —Vaciló un instante—. Yates.

Cay le mató con la mirada. No le gustaba nada que fueran a conocerla con el apellido del hombre que había puesto al sheriff sobre sus pasos.

—Y este es mi hermano.... —vaciló ella mientras pensaba el nombre de pila, pero «Alex» era lo bastante corriente—. Alex Yates.

Obviamente, a Alex tampoco le gustó el apellido, porque tensó los dedos sobre sus hombros, pero ella pronto se alejó de él.

—¿Todo esto es del señor Grady?

—Sí —dijo el hombre mientras encajaba la mano de Cay—. Yo soy Elijah Payson, y todo el mundo me llama Eli. Y este travieso rapaz es Tim Dawson. ¿Dónde está T. C.?

—Se cayó y se rompió una pierna —respondió Alex—. No puede venir —dijo lentamente y tratando de vocalizar para que Eli pudiera entenderle.

—Al señor Grady no le va a gustar nada eso —anunció Eli—. Quiere que vayamos a algunos lugares que el hombre blanco no ha pisado jamás, y quiere documentarlo.

—Si vemos plantas que comen gente, no hay duda de que querrá tenerlas dibujadas —dijo Alex.

Eli se rio.

—Yo también he oído unos cuantos cuentos de T. C. Si vemos alguna de esas, tendremos que echarle al joven Tim, así que necesitaremos a alguien que retrate el momento en que se lo come vivo.

A Tim no pareció gustarle ser el objeto la broma y su cara se enrojeció de rabia.

—¡Él es más pequeño que yo! —exclamó asintiendo hacia Cay.

—Cierto —admitió Alex—, pero mi hermano no vendrá con nosotros. Se quedará aquí mientras yo viajo. —Y volviéndose hacia Eli—: Bueno, muéstreme el contenido de esas cajas.

—Con mucho gusto —dijo Eli, y ambos se alejaron a inspeccionar los contendedores.

Cay recorrió el embarcadero hasta el río y admiró su belleza. De pequeña, pasó mucho tiempo navegando y remando en el río James con sus hermanos. No había imaginado que la expedición viajara por el agua, pero tenía mucho sentido. En los últimos días, los caminos se habían ido haciendo más y más impenetrables, y alrededor de la aldea no parecía haber nada más que selva.

—¿De modo que no vienes con nosotros?

Al volverse, vio a Tim. Era más alto que ella pero más joven, y estaba tan delgado que parecía que el cuerpo no estaba en consonancia con su estatura.

—No —respondió ella, con una sonrisa.

—Te da miedo, ¿eh?

—No, no es por eso.

—Hay caimanes. ¿Has oído hablar de ellos?

—Sí. —Cay seguía sonriendo, pero la actitud del muchacho se lo ponía muy difícil. Era casi beligerante.

—¿Has visto alguno?

—No. Si me disculpas...

Pero el muchacho le cortó el paso.

—¿Vas a ir a llorarle a tu hermanito mayor porque te he tachado de gato miedoso?

Cay se enderezó y miró al muchacho de frente.

—No tengo ninguna intención de mencionar nada ni a mi hermano ni a nadie en absoluto —dijo, revelándole con la mirada que no era lo bastante importante como para que hablara de él.

—¿Crees que no vas a acordarte de mí? —la provocó el muchacho y, en un abrir y cerrar de ojos, le dio un buen golpe en el hombro.

Cay cayó de espaldas, intentó recobrar el equilibrio, pero no pudo y, un segundo después, estaba en el río. Cayó al agua, contra las plantas y la basura que la gente había lanzado ahí. Vio varias calaveras de animales mientras luchaba por volver a la superficie. Alex la esperaba arrodillado en el muelle, con la mano extendida para subirla y, por su ademán, supo que había estado a punto de saltar al agua a por ella. Tenía el ceño completamente fruncido.

—¿Qué diablos estás haciendo? —exclamó él con rabia y temor en la voz

—¡Se ha caído! —gritó Tim—. Ha tropezado con una caja y ha ido a parar al agua. He intentado agarrarle pero no he podido.

—¿Es eso cierto, muchacho? —preguntó Eli, mirando con aire compasivo a Cay, que estaba empapada.

Los tres la observaban esperando una respuesta, y Cay tuvo la tentación de decir la verdad, pero sabía que habría sido demasiado femenino.

Había visto a sus hermanos hacerse cosas terribles entre ellos, pero habrían muerto antes que admitirlo. Por lo visto, ocultar la verdad era una especie de código de honor masculino mal entendido.

Sintió deseos de morderse la lengua, y finalmente admitió:

—Sí, me he caído.

—Bueno —dijo Eli, con ternura—. Al menos no te has hecho daño.

Alex le rodeó los hombros con actitud protectora.

—Vamos, tienes que ponerte algo seco. —Y mirando a Eli—: Nos vemos mañana temprano.

—El señor Grady debería llegar a mediodía —dijo Eli—. Le cedo a usted el honor de decirle que no tenemos dibujante.

—Bien —dijo Alex, empezando a alejarse con Cay, pero Cay se volvió.

—He olvidado el sombrero —dijo. Al caer al río, su sombrero había aterrizado en el muelle. Mientras lo recogía, vio a Tim ahí plantado, sonriéndose por su triunfo. A Cay le chorreaba el agua por el cabello y le goteaba la nariz. Sabía que no debía mostrarse infantil y, sin duda, no debía rebajarse al nivel de ese crío odioso, pero no pudo contenerse. Tal vez aquella ropa de chico podía convertirla en Tally. Mientras se levantaba con el sombrero, alargó la pierna y con el pie enganchó el tobillo del muchacho. Tim se tambaleó y cayó hacia delante, golpeándose la cara con una caja de madera.

Cay se colocó el sombrero de paja con decisión y pasó por su lado con la cabeza bien alta.

—¡Me ha hecho sangrar la nariz! —gritó Tim tras ella.

Eli le echó una mirada asesina.

—Pero tú te lo has buscado, ¿verdad, hijo? Tal como bien has dicho, Cay se ha caído solo al río. También tu percance ha sido solo un accidente. ¿No es cierto?

Cay aguantó la respiración sin volverse.

—Sí, he tropezado —admitió Tim a regañadientes.

Cay miró a Alex con una sonrisa.

—¿Listo para irnos?

—Sí, a menos que desees hacer algo más. Tal vez quieras atropellar al chico con un carro.

—No. Con la nariz ya basta. —Seguía sonriendo con dulzura—. ¿Crees que podríamos comprar ropa nueva para mí? Si no, tendré que andar desnuda hasta que esta se seque.

—Cay, después de lo que le has hecho a ese rapaz, te obedeceré sin dudarlo un instante.

—Sí, seguro... —dijo con un suspiro que arrancó las carcajadas de Alex.

13

Cay sostenía la ropa mojada ante ella mientras se ajustaba su precioso chaleco nuevo. El dueño de la tienda le había dicho que se lo había comprado a un joven caballero que necesitaba dinero para provisiones antes de partir hacia la espesura.

—Jamás volvió —dijo el hombre, con los ojos bien abiertos para intentar asustar a Cay—. Seguramente se lo comió algo por ahí.

—Mi hermano no va a venir con nosotros —apuntó Alex, en tono divertido. Lo último que quería era que asustaran a Cay más de lo que ya estaba—. ¿Cuánto cuesta el chaleco?

Alex frunció el ceño al ver que Cay no dejaba de observar el bordado que ribeteaba la prenda. Eran abejas revoloteando sobre un filo de flores silvestres. Personalmente, pensaba que se la veía tan femenina que tendría que haber aceptado las prendas viejas, casi raídas, que él había escogido para ella. Pero a ella no le habría parecido bien nada que no fuera ese chaleco decorado.

—Para de hacer eso o la gente se dará cuenta de que eres una chica —susurró Alex.

—Ese hombre ha pensado que era un chico. Y ese muchacho horrible, Tim, también. Y Eli tampoco dudó de que era un chico. El único que piensa que parezco una chica eres tú.

—Están ciegos.

Cay se alejó de Alex, se volvió y empezó a caminar de espaldas.

—¿Me estás diciendo que si me vieras ahora, sin conocerme, sin haberme visto antes, pensarías que soy una chica?

—Sí —confesó Alex—. Caminas como una chica, hablas como una chica y das la lata como una chica. No he visto nunca a nadie más femenino que tú.

—Creo que eso es un cumplido.

—No, no lo es. —Alex fruncía el ceño—. Si te dejo aquí, te descubrirán y, cuando alguien se percate de que escondes tu verdadera identidad, todo el mundo se preguntará por qué.

—Pues déjame ir contigo. —Llevaba madurando la idea todo el día, pero su intención era dejárselo caer a Alex poco a poco, no de golpe—. Puedo... —Iba a decirle que podía dibujar, pero él la interrumpió.

—¡Ni hablar! En ninguna circunstancia. No, no y no. —Y se encaminó decidido hacia la posada.

—Pero... —protestó ella, alcanzándolo—. Tal vez ir contigo sea mejor que quedarme sola e indefensa.

—No —respondió él, rotundo—. Meterse en un territorio inexplorado donde a cada esquina asalta un nuevo peligro no es mejor que quedarse aquí, en un sitio seguro. Y no quiero oír ni una palabra más sobre esto. —Y mientras abría la puerta de la posada, la miró con cara de no tener ninguna intención de escuchar nada más de su boca.

Cay echó los hombros hacia atrás y entró delante de él. Quería darle una respuesta aguda, pero se vio inmediatamente abrumada por las dos muchachas que habían visto nada más entrar en el pueblo.

—Sabíamos que era usted —dijo una de ellas, mirando a Cay con ojos desorbitados—. Le he dicho a Alice que se quedaría con nosotras.

Eran gemelas, aparentemente idénticas, aunque no especialmente atractivas. Llevaban vestidos gastados y descoloridos. A su lado, Cay, con su precioso chaleco bordado, estaba resplandeciente.

—Es el muchacho más guapo que he visto —dijo la segunda muchacha, cogiéndolo del brazo.

La que había hablado en primer lugar se le prendió del otro brazo.

—Venga al comedor y le daremos de comer. Está muy delgado.

—¿Es verdad que se quedará aquí con nosotras varios meses?

Cay miró a Alex por encima del hombro, implorándole ayuda con la mirada, pero él se limitó a sonreír de aquel modo que ella ya conocía tan bien. Estaba disfrutando del desasosiego de Cay, y contento de que la mantuvieran ocupada un rato.

—Me reclaman unos asuntos —dijo, con voz risueña—. Te veré luego, hermanito. Que tengas una buena tarde.

Cay le echó una mirada que decía que se las haría pagar por dejarla sola, pero Alex sonrió aún más y se marchó cerrando la puerta tras él.

Nada más quedarse solas, las dos jóvenes empezaron a bombardearla a preguntas.

—¿Cuántos años tiene?

—¿Dónde vive su familia?

—¿Está casado? ¿Comprometido?

—¿Cuál es su comida favorita? Soy una excelente cocinera.

—Le he visto montar. A mí también me gustan los caballos. Creo que tenemos mucho en común.

—¿De verdad se quedará varios meses? Podemos salir a cabalgar juntos cada día. Usted y yo. Solos. Puedo preparar un picnic para comer y, si nos perdemos, podemos pasar fuera toda la noche.

Cuando la muchacha que le acababa de hacer tal oferta empezó a acariciarle la mano, Cay se la apartó y se sentó a la mesa del comedor.

—¡Fuera! —gritó una voz detrás de Cay—. Las dos, fuera de aquí ahora mismo. Dejad en paz al joven.

Al girarse, Cay vio a una mujer en el umbral, con un plato de comida y una taza en las manos. Era alta y guapa, quizá algo mayor para considerarla bonita. Cay calculó que debía de tener poco más de treinta años; sin embargo, algo en sus ojos hacía que aparentase más edad, como si hubiera visto y hecho demasiado en su corta vida.

Mientras la mujer le ponía el plato enfrente, Cay dedicó a las jóvenes una mirada amenazadora y ambas abandonaron la sala de mala gana.

—Le ruego que las disculpe —dijo la mujer—. No recibimos a muchos jóvenes aquí y me temo que se han excedido. Haré todo lo posible por mantenerlas alejadas de usted mientras esté aquí.

En el plato de Cay había un ave asada que no se parecía ni a un pollo ni a ninguna otra criatura voladora que ella hubiera visto, y se preguntó qué clase de bichos se cazaban en aquel lugar.

Indecisa, tomó el cuchillo y el tenedor que la mujer le había dado y empezó a comer. Sabía muy bien.

—Soy Agradecida —dijo la mujer, mientras se sentaba justo enfrente de Cay.

Cay estuvo a punto de preguntarle por qué estaba agradecida, pero no lo hizo. Llevaba tanto tiempo con Alex que en casi todo veía motivo de broma.

—¿Cómo sabían que me iba a quedar aquí?

Agradecida esbozó una sonrisa.

—El joven Tim vino a enseñarnos su nariz. Menos mal que no irá con ellos, si no seguro que tendría problemas.

—No le caí nada bien —apuntó Cay mientras comía una hortaliza desconocida a la par que deliciosa. Se preguntó si aquello podría cultivarse en Virginia. Tal vez en el huerto de su madre.

—Creo que se puso celoso —dijo Agradecida—. Iba a ser

el más joven de la expedición, pero apareció usted con su juventud, su belleza, su cultura, y...

—¿Mi cultura? —A Cay no le hacía ninguna gracia que aquella mujer indagara tanto sobre ella.

Agradecida sonrió.

—Según el joven Tim, parece usted profesor de lengua. No es que él haya conocido nunca a ninguno, pero tenía mucho que decir sobre su «estilo pedante».

Cay agradeció que la mujer conociera tan bien al muchacho y empezaba a pensar que le caía bien, y eso era bueno, si iba a tener que pasar tanto tiempo con ella.

—¿Hace mucho que vive aquí?

Agradecida se acercó al aparador para hacerse con un cuenco de barro. Por lo poco que la pequeña Cay había visto, la casa estaba austeramente amueblada con lo que parecían piezas elaboradas en el pueblo, pero estaba limpia y ordenada.

—Toda una vida —respondió Agradecida mientras le acercaba el cuenco que había llenado de fruta cortada—. En realidad no, pero parece una eternidad.

Cay sabía que no debía preguntarle más por su vida porque eso era justo lo que habría hecho una mujer. Su padre siempre decía que, aunque conociera a un hombre desde hacía veinte años, su esposa sabía más de su vida en veinte minutos que él en todos esos años.

Pero no podía resistirse. Estaba en un lugar extraño, entre extraños, y quería escuchar la historia de la mujer.

—¿Y cómo es eso? —preguntó.

Agradecida no dijo nada durante unos segundos, pero la expresión de Cay la animó a hablar. Aunque no lo dijo, casi todos los huéspedes de la posada eran hombres mayores y de lo único que querían hablar era de negocios. No iban a tomarse el tiempo de sentarse a charlar con la mujer que llevaba la posada.

—Mi madre murió cuando yo nací, de modo que durante

mucho tiempo solo fuimos mi padre y yo. A él le gustaba viajar, así que nunca llegué a conocer bien a nadie, pero apareció un joven... —Hizo un gesto disuasorio con la mano—. En fin, mi padre oyó que había mejores trabajos y mejores... Bueno, mejor de todo en el sur, y seguimos mudándonos una y otra vez. Mi padre volvió a casarse cuando yo había cumplido diecisiete años, y su nueva esposa ya tenía a las gemelas, Jane y Alice. No era de esas a las que se les da bien la maternidad y la vida doméstica.

—¿Quiere decir que se aprovechó de tener una hijastra mayor para que cuidara de las niñas y de la casa?

Agradecida sonrió y, al hacerlo, Cay pensó que parecía mucho más joven y bella.

—Más o menos. Al fin y al cabo, ella solo era seis meses mayor que yo. Quería vivir la vida.

—Pero usted...

Agradecida se encogió de hombros.

—Murió cuando las niñas tenían diez años y mi padre falleció al año siguiente, así que fue una suerte que yo aún estuviera en casa para hacerme cargo de ellas.

—Y usted se convirtió en madre sin ser esposa.

—En una persona que hace lo que tiene que hacer.

—Claro —dijo Cay, mientras tomaba el cuenco de fruta y lo inspeccionaba. Le vino a la cabeza todo lo que había ocurrido con Alex. Ella también había hecho lo que tenía que hacer.

—¿De modo que se quedará aquí a esperar que su hermano regrese con la expedición del señor Grady?

—En realidad, mi hermano quiere que me quede aquí unas semanas y que regrese a casa después.

—¿Solo?

—Sí —admitió Cay—. ¿Ve algún inconveniente?

—Es extremadamente joven para viajar solo.

—Tengo veinte años.

Agradecida abrió la boca con expresión de incredulidad.

—Por favor, no se lo diga a mis hermanastras. Les he dicho que tenía dieciséis. Si saben que tiene veinte, conseguirán que se case con una de ellas antes de dos semanas.

Cay sonrió.

—No lo creo.

—Lo conseguirán —insistió Agradecida—. No sabe lo mucho que desean salir de aquí. Alice dice que va a ser actriz, pero Jane quiere casarse y tener hijos.

—Pero no deben de tener más de... ¿Cuántos?

—Catorce, casi quince, pero han pasado muchas cosas en su corta vida y eso hace que se crean mayores. Pensé que tal vez a usted le gustara una de ellas y... y...

—¿Y me la llevara?

—Sí —admitió Agradecida, con una sonrisa.

—¿Y usted también quiere salir de aquí?

—Más que nada en el mundo.

—¿Y no ha encontrado a ningún hombre entre todos los que se han hospedado aquí? —preguntó Cay.

—Se me han ofrecido, sí, pero, no, no he encontrado a ninguno con el que quisiera estar. Ya sabe a qué me refiero.

Cay iba a decirle que sabía exactamente a qué se refería, pero se lo pensó dos veces. Si tenía que pasar varias semanas con ella como hombre, más valía que empezara a ponerse en el papel.

Cuando Agradecida le dijo: «Tengo una carta para usted», la sorpresa fue tan grande que a punto estuvo de atragantarse.

—¿De quién?

Agradecida sonrió y miró hacia la puerta para asegurarse de que nadie las espiaba.

—Del señor Connor.

La forma de pronunciar su nombre hizo que Cay la mirara intensamente. Le pareció como si Agradecida tuviera cierta preferencia por el hombre. O, como diría Alex, «cierto arrebato de pasión». Pero Alex siempre parecía ver pasión en todo.

—¿En serio? —dijo Cay, al fin—. ¿Y está segura de que es para mí?

Agradecida se sacó un papel doblado del bolsillo y lo sostuvo un momento en sus manos, como si le costara desprenderse de él.

—Dice «para Cay» y la dirige a mi buen recaudo. Me la entregó ayer un hombre a caballo. Supongo que habrá cabalgado noche y día para llegar aquí antes de que su hermano parta.

—Seguramente —murmuró Cay, tomando la carta. Quería romper el sello de cera de inmediato y ver lo que le había escrito el tío T. C., pero con una sola mirada a Agradecida, supo que no debía. Era obvio que la mujer querría conocer el contenido de la carta, y Cay no iba a poder contarle nada.

—¿Ha terminado de comer? —dijo una de las gemelas desde el umbral de la puerta.

Agradecida suspiró.

—Sí —dijo, retirando el plato y el cuenco ya vacíos—, aunque es posible que quiera descansar.

—Pero quiero enseñarle muchas cosas —dijo la muchacha.

—Y yo también —añadió la otra gemela—. Por favor, venga fuera con nosotras. Tenemos muchas cosas que nos gustaría que viera.

Cay se debatía entre las ganas de huir de las muchachas y las de mantener su disfraz de chico al que probablemente halagaría tener a dos jóvenes pendientes de él.

—¿Quieren mostrarme algunas de las rarezas de estas tierras? —preguntó Cay, levantándose.

—Le enseñaremos todo lo que quiera ver —dijo una de las dos, soltando una risilla.

Cay las obsequió con una sonrisa y pensó que cuando volviera a ver a su madre tendría que pedirle disculpas. Centenares de veces había pensado que su madre era demasiado estricta, demasiado anticuada, pero ahora veía lo que ocurría con las chicas que no tenían una madre corrigiéndolas a cada segundo del día. «En esto es en lo que se convierten», pensó.

—No tiene por qué ir —le advirtió Agradecida, dedicando a sus hermanas una mirada estricta.

—No, está bien —dijo Cay, dejando que las jóvenes le agarraran de la mano para sacarla del comedor—. Me interesa esta tierra.

14

—¡Han intentado besarme! —exclamó Cay, horrorizada. Había oscurecido y estaban en el establo. Alex estaba cepillando sus monturas.

—¿En serio?

—No te atrevas a reírte de mí. Si lo haces, te... —Y con media sonrisa, añadió—: No te dejaré ver la carta de T. C.

Al escucharla, dejó de sonreír y se volvió para mirarla.

—¿Qué dice?

—En realidad, aún no la he abierto.

—¿No la has leído?

—Para tu información, he estado muy ocupada desde que me has dejado tirada con esas hembras de tiburón. ¿Sabes lo que querían esas chicas? Me han manoseado. Y cada vez que daba un paso, intentaban besarme. Una de ellas me ha puesto la zancadilla para que me cayera sobre la otra. Son...

—Son como el resto de mujeres del planeta —dijo Alex, aviando—. ¿Dónde está la carta?

—No son como el resto de mujeres. Yo nunca...

—¿Cómo va a saber un hombre si una mujer quiere que la bese si no se lo dice ella? —preguntó, impaciente—. Vamos, dame la carta.

—Tal vez, pero existe una cosa que se llama sutilidad. Las

sanguijuelas que usan los médicos no se pegan tanto como esas dos. No podía dar un paso sin que me...

La mirada de Alex detuvo su verborrea sobre las gemelas y se sacó la carta del bolsillo, pensando que tal vez debía de haberla leído ella antes. Al fin y al cabo, era su exclusiva destinataria. Pero en aquellos días se había acostumbrado tanto a compartirlo todo con Alex que ni siquiera se le había pasado por la cabeza reservarse la carta para ella sola.

Le ofreció la carta sellada, pero en vez de tomarla, volvió a darle con el cepillo a la yegua.

—Léemela.

Cay rompió el sello de la carta. Al ver la caligrafía familiar de su tío casi se echa a llorar, pero aguantó la respiración y recuperó la compostura.

—Está fechada cinco días después de que te... de que te conociera —dijo de la forma más educada que encontró para describir la fuga. Empezó a leer:

Mi queridísima Cay:

No veo el modo de empezar siquiera a disculparme por todo lo que ha ocurrido. Ha sido todo culpa mía y jamás me perdonaré por ello. Pero por más que me gustaría contarte la situación con todo detalle aprovechando que dispongo de papel y pluma, Adam está aquí y ya sabes lo que eso significa. Tengo que ir al grano.

En primer lugar, tus padres no saben nada. La noche que solo puedo recordar como la del Gran Error, Hope tomó una pequeña diligencia rápida y, llevándose a Cuddy, la fiel criada de tu madre, se dirigió a Edilean a buscar a Nate y a tantos de tus hermanos como pudiera. Tuvieron suerte de que Adam se encontrara en casa, ya que él lo dispuso todo. Sabía que contárselo a tu padre desataría una guerra. Agnus perdería el mundo de vista por miedo a que algo te sucediera, y si se enterara de que fui yo el responsable, me quitaría la vida, y con razón.

Nate me dijo que Adam sabía mentir brillantemente cuando la situación lo requería, y en este caso se empleó a fondo. Se inventó una estrafalaria historia para justificar ante tus padres que él y Nate debían partir de inmediato, y ambos se presentaron aquí en tiempo récord. Creo que Adam ensilló a un águila y vinieron volando.

Adam dedicó todo un día a hablar con la gente de aquí y a hacer preguntas. Tiene planeado partir en cuanto yo acabe de escribirte estas líneas, aunque no me ha dicho adónde. Nate se quedará en Charleston intentando resolver el rompecabezas del asesinato de la esposa de Alex en la habitación.

Cay, tu nombre ha quedado limpio. Resultó bastante fácil, pero si estás leyendo esta carta, será porque te encuentras en Florida. Me pregunto si Alex...

Cay dejó de leer y echó un vistazo en diagonal al resto de la carta. Levantó la mirada hacia Alex.

—Tenías razón en lo de que T. C. encontraría el modo de limpiar mi nombre.

—Lee el resto —dijo Alex.

—No es importante. ¿Has comido algo? Agradecida, la dueña de este lugar, ha cocinado una especie de ave que no había visto jamás. La sirve rellena de arroz y algunas especias. Estaba realmente rica y...

—Lee la carta y no te saltes ni una sola palabra.

El tono de Alex no admitía desobediencia, de modo que Cay volvió a la carta.

Me pregunto si Alex estará todavía contigo. Cuando lo visitaba en la cárcel estaba muy triste y su pesar por la pérdida de su esposa me rompía el corazón. ¿Ha sido una buena compañía durante el largo viaje al sur? Mi corazón llora por lo que hayas tenido que pasar con él.

Adam me ha dicho que te diga que debes quedarte en

Florida y esperar que uno de tus hermanos vaya a recogerte. No te muevas de ahí y espera a que alguien, probablemente Tally, vaya por ti. Adam me lo ha repetido una y otra vez. Parece que no confía en tu fiel obediencia. Yo te he defendido y le he dicho que enseguida estuviste dispuesta a ayudar al pobre Alex en estos momentos de necesidad. Cay, querida, tu hermano mayor me ha dedicado insultos que en todos mis años de viajes entre marineros y montañeses no había llegado a escuchar nunca.

Te lo ruego, por favor, quédate donde estás. Agradecida cuidará de ti y puedes usar mis utensilios de dibujo mientras estés ahí. Agradecida te enseñará dónde están. Es una joven muy amable y me ayudó a recopilarlo todo. ~~Dile~~

Cay, cielo, me pregunto si habrás conseguido que Alex hable. Mientras estuvo encarcelado, apenas hablaba. He jurado guardar el secreto, pero deja que te diga que sabe más de lo que pensé que sabía. No se lo digas a Alex, pero la larga carta que escribió en la cárcel nunca llegó a su destinatario. Nate dice que si Alex está todavía ahí le digas que ha jurado por lo más sagrado que encontrará al asesino de su esposa.

Y ahora debo dejarte. Adam me está mirando con una cara que da miedo. ¡Se parece tanto a tu padre!

Te mando todo mi cariño y siento mucho el dolor que te he causado a ti y a tu familia. Cuando volvamos a vernos, recuérdame que te debo unos bombones.

Con muchísimo cariño,

T. C. CONNOR

Cay volvió a doblar la carta y miró a Alex, pero seguía concentrado en la yegua. Cay le conocía lo bastante para saber que estaba reflexionando sobre todo lo que había escrito el tío T. C.

—¿Qué ha querido decir con lo de que sabes más de lo que él pensaba?

Alex siguió cepillando el lomo de la yegua en silencio.

—Me alegro de que hayan conseguido limpiar tu nombre —dijo al fin—. Y estoy de acuerdo con tus hermanos en que te tienes que quedar aquí hasta que uno de ellos venga a buscarte. No me gustaba nada la idea de dejarte viajar sola. —La miró—. Aunque vayas vestida de chico —añadió en un tono que dejaba claro que se lo tomaba a broma.

—Tally —dijo Cay, haciendo sonar el nombre como una losa imponente—. Se reirá de mí.

Alex emitió un sonido como si creyera que era buena cosa que la ridiculizaran.

—Pero piensa que siempre puedes arremeter con las anécdotas de tu aventura. Cabalgaste en la noche con un asesino fugado. Puedes contarle el miedo y el peligro constantes a los que te viste sometida.

Cay arqueó una ceja.

—¿Te refieres al peligro que corrí cuando bailamos en la tienda? ¿O al de cuando tuve tu cabeza sobre mi regazo para untarte el aceite de jazmín en el pelo?

Alex giró la cara para que ella no pudiera verle.

—No lo sé, niña —dijo suavemente—. La primera noche me temías.

—Cierto. Y estuve a punto de cortarte el cuello.

Alex se rio por lo bajo.

—¿Sabes que todavía me duele el lado donde me cortaste?

—¡No te corté!

—Por supuesto que sí. Cuando salimos por el lateral del granero y me cortaste medio pantalón. —La volvió a mirar—. Tengo que confesar, niña, que pensé que me ibas a apuñalar allí mismo, y no tenía nada claro si podría alejarme de ti.

—Para mí no fue fácil elegir entre tú y el dueño de ese decrépito granero.

—¿Te alegras de haberme escogido a mí? —preguntó Alex, riendo, pero, al mirarla, su rostro reflejó la furia. Cay estaba insinuando otra vez que no quería que la dejara atrás.

—Sí.

Se miraron a los ojos en silencio. La realidad de que era la última noche que iban a pasar juntos flotaba en el aire.

Alex rompió el momento.

—Entonces ¿diste muchos besos?

—¿A quién?

—¿A las muchachas?

—Estás enfermo. Eres peor que un asesino, estás desquiciado. Tendrían que encerrarte en un manicomio.

—¿Y qué pasa con el joven Tim? Se quedó prendado de ti. ¿Te escapaste para besarle?

—Le voy a decir a mi hermano Adam que no has sido muy considerado conmigo, y te pegará una paliza.

Alex soltó una carcajada.

—Ay, niña, cuánto voy a echarte de menos. Me has hecho reír cuando yo ya pensaba que jamás volvería a hacerlo.

—No estarías vivo si no fuera por mí —dijo ella con total seriedad, mirándolo fijamente.

Alex se volvió otra vez hacia los caballos.

—No, no vas a venir conmigo, y no empieces de nuevo. Háblame de la comida de este lugar. Después de esta noche puede que solo coma caimanes para cenar. No sé a qué debe saber su carne.

—Espero que sepa como acariciar a un burro podrido —espetó ella, con los ojos clavados en su espalda—. Y no te atrevas a pedirme que duerma en la misma cama que tú esta noche, porque no pienso hacerlo. Tú, Alexander... Yates, eres un cazurro desagradecido, mezquino y avinagrado. Y ojalá supiera algunas de las palabras que conoce mi hermano para dedicártelas. —Y con eso, salió del establo dando un portazo.

Alex se volvió, miró la puerta y suspiró. La echaría mucho, mucho de menos.

Fue más tarde, adentrada ya la noche, cuando Cay tuvo que reprimirse para no llorar en la cama donde yacía —sola—. Al dejar a Alex, las gemelas la habían estado esperando para lanzarle otra batería de preguntas y nuevos intentos de tocarla. La muchachas fueron tan lejos en sus avances que sintió la tentación de contarles la verdad, que era una mujer. Pero no podía.

La sola idea de tener que enfrentarse a ellas aunque solo fuera un día bastaba para que le entraran ganas de saltar sobre su montura y cabalgar hacia el norte. No quería ni imaginarse lo que sería toda una semana, o más, cerca de ellas.

Y lo peor de todo era que al final de ese horrible período, a quien vería sería a Tally. ¡Tally! El hermano que más disfrutaba haciéndola sentir una incompetente en todo lo que probaba.

Casi podía oírlo. «Así que ibas vestida para el baile cuando cabalgaste en medio de la noche para rescatar a un criminal... ¿No te preocupaba que se te pudiera manchar el vestido? ¿O que tu pelo se escapara de lo que sea que haces para mantenerlo ahí arriba?»

Su hermano no pararía y ella tendría que quedarse ahí callada, aguantando.

Pero tal vez pudiera pegarle un tiro, pensó. Una bala en el hombro. O tal vez en el muslo. Se recuperaría, pero mientras tanto mantendría la boca cerrada.

Con estos magníficos pensamientos estaba, con la mente llena de imágenes gratificantes, cuando picaron a la puerta. Puesto que había oído a Agradecida amenazar a las muchachas si volvían a molestar a Cay, estuvo segura de que sería Alex que quería disculparse. Extendió lo que quedaba de su pelo sobre la almohada.

—Adelante.

Al ver que Agradecida asomaba la cabeza por la puerta, Cay empezó a recogerse la cabellera frenéticamente.

—No quiero molestar, pero me preguntaba si la carta del señor Connor contenía alguna mala noticia.

—No —respondió Cay—. Solo noticias de casa.

—No pude evitar fijarme en que, cuando volvió del establo, estaba usted de mal humor y pensé que...

Cay tomó nota mental para tener más cuidado en el futuro. Estaba acostumbrada a ir pegada a Alex en lugares donde no iban a ver más a la misma gente.

—No, solo era por mi hermano, que es como es.

—Ah —dijo Agradecida. Se miró las manos agarradas delante de la falda como si quisiera decir algo más pero no supiera cómo—. Está bien, entonces. Hablo de la carta. Espero que el señor Connor esté bien.

Cuando Cay fue capaz de apartar su enfado con Alex, se dio cuenta de que Agradecida quería tener noticias del tío T. C.

—Sin duda la tiene en gran estima.

—¿De veras? —preguntó ella, levantando la cabeza con una sonrisa—. Yo también le tengo en gran estima, ¿sabe? ¿Le ha hablado de cuando hicimos flotar su baúl de pintura?

—Lo mencionó —mintió Cay piadosamente. T. C. jamás había nombrado a ninguna mujer que no fuera de alguna de las tribus indias que visitaba—. ¿Quiere contarme los detalles?

—¿Le importa? —preguntó Agradecida señalando la silla de al lado de la cama.

—No, por favor —dijo Cay, incorporándose en la cama. Se había quitado el chaleco nuevo, pero seguía llevando la camisa holgada. Tenía los pantalones doblados a los pies de la cama y se le antojó que, si realmente fuera un hombre, aquella reunión sería de lo más inapropiada.

—El señor Connor vino en primavera con el señor Grady e hicieron planes para esta época.

—¿Y se alojaron aquí con usted?

—Sí —admitió Agradecida, volviendo a concentrarse en sus manos—. El señor Grady estaba muy ocupado todo el tiempo, pero el señor Connor... —Miró a Cay—. Supongo que sabe que es un gran artista. Hasta el señor Grady lo decía.

Cay tuvo que reprimirse para no responder a eso. En su opinión, el tío T. C. era un botánico brillante, pero no sabía dibujar ni pintar nada que valiera la pena.

Agradecida se levantó y se acercó a la ventana, miró la luna y se volvió hacia Cay, sentada en la cama.

—Normalmente, no presto mucha atención a los hombres que vienen por aquí, pero el señor Connor era diferente. Era amable y culto, y mantuvimos algunas charlas maravillosas.

—Es un hombre muy agradable, en efecto.

—¿Verdad que sí? —exclamó Agradecida con entusiasmo, mientras volvía a sentarse en la silla—. Trajo cajas de material artístico. Tenía enormes blocs de papel fabricado en Italia, colores franceses y acuarelas inglesas. Todo era tan bonito...

Cay se limitó a pestañear ante la mujer, porque era obvio que estaba perdidamente enamorada de T. C. Connor. Se preguntó si el amor sería correspondido. Según su madre, el tío T. C. era incapaz de querer a nadie aparte de la difunta Bathsheba.

—El tío T. C. decía en la carta que usted sabe dónde está su equipo de pintura y que puedo usarlo mientras espero a que uno de mis hermanos venga por mí.

—¿Eso ha dicho? Qué amable al acordarse. Sí, lo tengo en mi habitación.

A Cay le entraron ganas de preguntarle si dormía junto a él, pero se contuvo.

—Pero decía usted algo de un baúl.

—Sí, él tenía un baúl metálico para guardar sus enseres y sus obras acabadas. Estaba tan bien construido que era resistente al agua. El señor Connor y yo lo llevamos al río y lo echamos al agua para asegurarnos de que podía flotar sin filtraciones. Por supuesto, lo sujetamos con una cuerda para que no terminara en Cowford, pero todo salió justo como lo planeamos. Cuando lo sacó unas horas más tarde, los papeles que había metido dentro estaban tan secos como antes de echar el baúl al río.

—¿Horas? —preguntó Cay, y vio que, al sonrojarse, Agradecida parecía aún más joven. «Es increíble lo que el amor puede hacerle a una persona», pensó Cay.

—Dejamos pasar casi todo el día para comprobar si el baúl era o no impermeable.

—Debió de ser una buena distracción para usted —tanteó Cay.

—Muy buena —dijo Agradecida, volviendo a ponerse en pie—. El baúl está cerrado con llave, pero el señor Connor me la dejó. Si su carta dice que usted puede usar sus cosas, se las entregaré con mucho gusto, pero necesito que me lo demuestre, por supuesto.

—Que se lo demuestre, sí —dijo Cay, esforzándose por no fruncir el ceño. Al parecer, Agradecida había dado con la excusa perfecta para ver la carta de T. C., pero, por supuesto, Cay jamás se la enseñaría, porque contenía demasiada información privada. Así que eso significaba que no podría usar el material del tío T. C. mientras se quedaba ahí abandonada por Alex *el Desagradecido*.

—Ahora le dejo dormir —anunció Agradecida—. Déjeme ver la verificación de puño y letra del señor Connor y estaré encantada de entregarle el baúl —añadió con una sonrisa, mientras se dirigía a la puerta.

En un arrebato, Cay preguntó:

—¿Cómo es el señor Grady?

Agradecida abrió los ojos como platos.

—No creo que pueda describírselo. Tim dice que llegará mañana, así que podrá verlo usted mismo.

—¿Le parece un hombre amable?

—Él es... James Grady es único en su especie. Más vale que me vaya ya o las muchachas pensarán lo que no es.

Y, rápidamente, abandonó la habitación.

Cay tardó un minuto entero en comenzar a aporrear la almohada. Peor, peor y peor. Todo se estaba complicando por momentos. Le aguardaban semanas de espera torturada por tres hembras locas de amor. Dos de ellas parecían querer casarse con Cay, mientras la tercera quería que le enseñara una carta, que ella no podía mostrar, para entregarle un triste lápiz. ¿Qué se suponía que tenía que hacer durante todas esas semanas?

Y por si eso era poco, al final de todo, sería Tally quien la fuera a recoger.

De nuevo, Cay pensó en saltar por la ventana y subirse a su yegua. Mejor aún, saltaría al río y subiría hasta su casa nadando. Se preguntó si el St. Johns se unía con el James en alguna parte. Tal vez si se hacía con un bote podría llegar remando al norte. No pudo evitar sonreír al pensar en la preocupación de Alex al ver que ella se había ido. ¡Le estaría bien empleado!, pensó. Merecía llevarse un buen susto por haberle impuesto a ella tal condena. ¡Después de haberle salvado la vida!

Mientras se adormilaba, se preguntó dónde estaría durmiendo él, y deseó que fuera en algún lugar incómodo y maloliente.

15

Cay revolvía los huevos de su plato. Estaba tan decaída que ni siquiera le importaba de qué pájaro provendrían. Ya había visto tantas criaturas extrañas volando y corriendo por allí que había perdido la cuenta. El día anterior había intentado preguntar a las muchachas qué era aquella enorme ave que sobrevolaba sus cabezas, pero a ellas no les interesaban los pájaros, solo a Cay. Y lo único que querían era tocarla, sentarse muy cerca y conseguir que las mirara.

—No puede estar en lo cierto —murmuró Cay, recordando que Alex le había dicho que todas las chicas actuaban de ese modo.

Ella podía garantizarle que jamás se había comportado de una forma ni remotamente similar con ninguno de sus pretendientes. Cay siempre se había comportado del modo más respetuoso y propio de una dama. Las pocas veces que se había quedado a solas con alguno de los tres hombres con los que estaba considerando contraer matrimonio, no había hecho nada que no hubiese podido hacer delante de su madre. Tal vez no delante de su padre, pero sí de su madre.

—¿Ha dicho algo? —preguntó Agradecida desde el umbral, llevando otro cuenco de comida a la mesa.

Cay era la única huésped de la posada y, si se comía la mitad de lo que le servían, empezaría a engordar. Se preguntó si estar gorda haría que esas muchachas la dejaran en paz.

—Su hermano no ha pasado por aquí esta mañana —observó Agradecida—. ¿Cree que querrá desayunar?

—No sé dónde ha pasado la noche ni sé si va a comer o no.

—Entiendo —dijo Agradecida, con tacto.

—He pasado la noche bajo las estrellas —dijo Alex desde el umbral de la puerta.

Cay se giró al oír su voz y tuvo que reprimir las ganas de correr hacia él. Era agradable ver a alguien que no le resultaba extraño. Aunque Cay detuvo la sonrisa que se le había empezado a formar en el rostro, Alex la vio.

—Señor Yates —le saludó Agradecida—, por favor, siéntese y desayune. Le prepararé un plato de huevos.

La mujer salió del comedor y Alex se sentó frente a Cay.

—¿Me has echado de menos? —le dijo, y tomó una tostada del plato que había en el centro de la mesa.

—En absoluto. Espero que te congelaras anoche.

—Ojalá los veranos en Escocia fueran tan calientes como aquí los inviernos. ¿Cuánto tiempo piensas estar enfadada conmigo, niña?

—Deja de llamarme así o Agradecida te oirá.

—¿Por qué crees que debían de estar agradecidos sus padres cuando ella nació?

Casi la misma broma que se le había ocurrido a Cay cuando la mujer se le presentó, pero no pensaba darle a Alex la satisfacción de saberlo. Se limitó a mirarlo y volvió a remover los huevos en el plato.

—Grady llega hoy.

—Espero que no —replicó Cay, enfadada—. Ojalá tú también tengas que quedarte aquí.

—¿Tanto deseas que me quede contigo?

—No quiero que te quedes conmigo en absoluto. Lo que no quiero es quedarme en este lugar a esperar a que mi hermano venga a buscarme y se burle de mí.

—Niña —le dijo Alex pacientemente—, aquí tienen servicio de postas, de modo que puedes escribir a tus otros hermanos y pedirles que vengan a buscarte. ¿Cómo se llamaba el guapo?

—Ethan. No. Si Adam dijo que vendría Tally, será Tally el que venga. Nadie contradice a Adam.

Una nota de preocupación cruzó el rostro de Alex, pero controló el gesto.

—¿Vendrás a despedirme mañana?

—Pensaba que te marchabas hoy. Esperaba que te marcharas hoy.

—Grady va a traer una barcaza con más provisiones y saldremos mañana muy temprano. ¿Llorarás cuando me digas adiós?

—Haré una fiesta.

—¿E invitarás a las muchachas? ¿Te darás besitos con ellas?

Cay agarró el tenedor y arremetió contra él por encima de la mesa, riendo. Agradecida entró justo en ese momento.

—Espero que estén a su gusto —dijo, pasando la vista de Cay a Alex con curiosidad.

—Excelente —dijo Alex y miró a Agradecida sonriéndole con calidez.

La mujer le devolvió la sonrisa antes de regresar de nuevo a la cocina.

—Estabas flirteando con ella —le acusó Cay en un tono que apenas llegaba al susurro.

—Es atractiva —dijo Alex.

—Y tú eres un hombre casado.

—No, niña —dijo Alex, pausadamente—. No lo soy.

—Quería decir... —empezó ella, pero se detuvo. No se le daba bien estar enfadada. Incluso de pequeña, cuando Tally le hacía cosas horribles, no podía estar enfadada mucho tiempo. Apoyó los codos en la mesa y reposó la cabeza sobre las manos.

—No quiero quedarme aquí sola.

—Agradecida parece bastante buena persona, puede que os acabéis haciendo amigas —dijo Alex, con voz compasiva.

—Está enamorada del tío T. C.

—Ah, ¿sí? ¿Quién iba a decirlo? ¿Y está él enamorado de ella?

—¿Cómo quieres que lo sepa? Soy su ahijada. No me habla de su vida amorosa.

—Tal vez debería. Habría sido mucho mejor que hablarte de los asesinos de su vida.

Cay no pudo evitar sonreír.

—En eso tengo que darte la razón.

Alex alargó el brazo por encima de la mesa para tomarle la mano y ella le miró.

—Siento mucho todo esto, niña. De verdad. No pretendía que pasara, y tampoco T. C. Si no hubiera sido tan estúpido como para subirse a una escalera, ahora estaría aquí en tu lugar.

—Y se iría contigo —añadió Cay, con ojos implorantes.

Alex apartó la mano y se llevó una cucharada de huevos a la boca.

—No vuelvas con eso. No puedes venir, y punto.

—¡Está aquí! —gritó una de las gemelas, que entró a toda prisa en el comedor. Sus ojos se posaron directamente en Cay—. Oooh —exclamó, sentándose a su lado. Pero Cay se levantó.

—¿Quién está aquí? —preguntó Alex.

La muchacha ni siquiera le miró. Seguía con la mirada puesta en Cay.

—El señor Grady.

—Ah —dijo Cay, mirando a Alex.

Alex probó tres bocados más de huevos, agarró el sombrero y anunció que se iba.

Cay se pegó a sus talones.

Al llegar a la puerta, Alex se detuvo.

—Creo que deberías quedarte aquí. No sé por dónde habrá pasado el señor Grady y puede que le hayan llegado las noticias de Charleston. Podría sospechar.

—Mi nombre está limpio, ¿recuerdas? El que está en peligro eres tú, no yo.

Alex hizo una mueca.

—Pero ha sido un buen intento —añadió Cay—. En serio, casi me lo trago.

Alex se rio.

—Entonces ha valido la pena. —Le rodeó los hombros con el brazo—. Vamos a ver qué nos espera, hermanito.

—Qué te espera a ti —dijo ella en tono sombrío—. A mí, ya has visto lo que me espera en el comedor.

—No son malas muchachas, hermano. Tal vez cuando regrese tendré una invitación de boda.

—No tiene gracia.

Riendo, Alex le apretó los hombros con el brazo, pero ella se retorció para apartarse.

—Espero que algún caimán se te coma una pierna.

—Niña, eso no lo dices en serio.

—Sí, lo digo en serio. Yo... —Se calló porque habían llegado al muelle donde, entre cajas y contenedores, vieron a un hombre alto con una camisa blanca como la nieve, un chaleco verde oscuro y unos pantalones beige. Un enorme sombrero de fieltro con ala ancha cubría su cabeza. No miraba hacia ellos, pero Cay entrevió que era un hombre joven con los muslos propios de un jinete.

—¿Es ese?

Alex la miró con el entrecejo fruncido al ver la expresión de Cay.

—Supongo. ¿Por qué?

—Por nada, es que me recuerda a un conocido.

—Creo que deberías volver a la posada. Si Grady te reconoce, estamos perdidos. Te prometo que vendré a despedirme de ti esta tarde.

Cay se alejó de Alex cuando este intentó de nuevo rodearle los hombros.

—No pienso volver a ese sitio hasta que no me quede más remedio. A ver si se gira para que pueda verle la cara.

Alex se plantó delante de ella para taparle la vista.

—Esto no me gusta. Si crees que conoces a ese hombre, él también te conocerá a ti. No te tomará por un chico.

—Si es quien yo creo que es, no me reconocerá, porque la única vez que lo vi tenía yo ocho años.

—Aun así... —empezó Alex.

—¿Es usted Yates? —preguntó una voz tras ellos.

Alex apartó la vista de Cay a regañadientes y se volvió. Al escucharla resollar, comprendió que se trataba del hombre que conocía.

James Grady era un hombre muy guapo. Parecía acabado de entrar en la treintena, tan alto como Alex, pero de complexión más fuerte. Obviamente no había estado semanas pasando hambre. Tenía el cabello oscuro y los ojos grises, y unos grandes hoyuelos en las mejillas. Nada más verlo, Alex dedujo muchas cosas sobre él. Como Cay, Grady parecía rebosar un aire de riqueza. Al mirarlo, uno lo imaginaba en una sala de estar con un oporto en vaso de cristal y el humo de un puro, rodeado de mujeres con vestidos elegantes con aspecto de haber sido creadas en el mismo Monte Olimpo.

Alex supo, sin ninguna duda, que James Grady era una versión mayor de los ricos jóvenes de las plantaciones a los que Alex había ganado en las carreras de caballos de Charleston. En otras palabras, era de la misma clase y categoría que Cay. Era de los suyos, de los de su entorno social. Grady era igual que Cay. Alex se dijo que no tenía motivo para odiar a ese hombre, pero pudo notar aquella emoción recorriéndole las venas.

—¿Es usted Yates? —volvió a preguntar el hombre.

—Sí —consiguió responder, por fin, Alex—. Soy Alex Yates.

—¿El amigo de T. C.? ¿El que puede dominar a cualquier animal?

—No lo sé —respondió con un fuerte acento—, pero haré lo posible.

—Creo que no le entiendo...

Durante toda esta conversación, Alex se las había ingeniado para mantener a Cay tras él. Ella había intentado soltarse, pero él la tenía muy bien sujeta. Sin embargo, al final consiguió hundirle los codos en la espalda y él tuvo que soltarla.

Apareció por el lado de Alex y se puso delante de él, mirando al señor Grady con los ojos como platos.

—Yo soy Charles Albert Yates —se presentó, manteniendo los hombros bien atrás y el pecho hacia delante—. Este es mi hermano, y yo soy su traductor.

Alex comprendió que, de nuevo, le había salido su fuerte acento escocés y que Grady no le había entendido.

—Lo que mi hermano quiere decir es que aprecia el cumplido del señor Connor y que hará lo posible para cumplir con sus expectativas.

—¿De veras? —dijo el señor Grady, sonriendo a Cay con aire divertido—. ¿Todo eso ha dicho con tan pocas palabras?

—Sí —respondió Cay, sin percatarse de que el señor Grady le estaba tomando el pelo—. Habla inglés, pero no muy bien.

—¿Y cómo es que tu hermano tiene tanto acento y tú no?

—Lo tengo cuando quiero —respondió Cay con acento escocés.

El señor Grady se echó a reír.

—Bueno, muchacho, me parece que serás una buena incorporación a nuestro equipo. Puedes...

—Él no vendrá —intervino Alex en voz alta y con acento americano.

—Ah, perdón —se disculpó el señor Grady—. Pensé que venía con nosotros.

—Debe quedarse aquí hasta que venga a recogerle su hermano... Nuestro hermano.

—¿Y un muchacho sano como este no puede viajar solo por nuestro gran país? ¿Cuántos años tienes, chico?

Cay iba a contestar que veinte, pero Alex le dio un codazo que a punto estuvo de tirarla al suelo. Mientras ella estaba ocupada recuperando el equilibrio, Alex dijo:

—Dieciséis.

El señor Grady miró a Cay, que aún se estaba enderezando, y dijo:

—Parece mayor. —La miraba como si tratara de recordar algo, así que Alex volvió a interponerse entre ellos.

—Me haré cargo de los caballos, de la caza y de cualquier otra cosa que necesite —dijo Alex.

—Lo que necesito es a alguien que pueda dibujar y pintar las maravillas que vamos a ver. —El señor Grady empezó a alejarse por el muelle, con Alex a su lado, y Cay pisándoles los talones. No le llegaba a los hombros a ninguno de los dos hombres, por lo que le costaba rebasarlos. Cada vez que lo intentaba, Alex alargaba el brazo y la detenía. Tras dos intentos, se escurrió por un lateral para caminar al lado del señor Grady.

—Si hubiera sabido lo del accidente de T. C., podría haber traído a alguien de casa. Hay un muchacho allí que sabe dibujar un poco. No es tan bueno como T. C., pero pocos lo son. Y ahora estoy aquí, a punto de partir, y sin nadie que pueda documentar lo que vamos a ver. ¿Se ha adentrado alguna vez en las profundidades de Florida, señor Yates?

Alex, que iba al otro lado, miró y vio que Cay estaba observando al señor Grady con grandes ojos de pura fascinación. Antes de nada, tenía que llevarla de regreso a la posada.

—Por cierto, a mí solo una generación me separa de los brezos —dijo el señor Grady, tras el silencio de Alex—. Mi padre llegó de Escocia cuando todavía era solo un muchacho, no mucho mayor que el joven Charlie y...

—Cay —le corrigió ella, y al ver que la miraba, añadió con mayor intensidad—: Me llamo así por mis iniciales.

—¿Cay, dices? —El señor Grady se la quedó mirando un momento antes de volver a dirigirse a Alex—. ¿Y dicen que vienen de Charleston?

—Sí.

—¿Qué es eso que he escuchado de un asesino fugado? Tengo un primo que vive allí y no habla de nada más en sus cartas. Su nombre, Alex, me lo ha recordado. Parece que el malnacido mató a su esposa en la noche de bodas.

Alex abrió la boca con la intención de decir algo, pero no le salió nada.

—Fue terrible —se apresuró a decir Cay—, pero corría el rumor de que el hombre era inocente, que fue víctima de un complot tan funesto que ni los periódicos se atrevían a escribir sobre ello.

—Ah, ¿sí? —dijo el señor Grady—. Mi primo no lo sabría porque no mencionó nada en sus cartas.

—Nos lo dijo el tío T. C.

—¿Tío?

—Sí, señor —respondió Cay—. Es mi padrino.

—Interesante —dijo el señor Grady—. Hace casi diez años que conozco a T. C. y jamás había mencionado a ningún ahijado.

—Supongo que, como vivíamos en Escocia, no pensaba en nosotros —inventó Cay. Iba con mucho cuidado de no mirar al otro lado del señor Grady, porque Alex no paraba de lanzarle miradas para que cerrara la boca. Las mentiras que estaba urdiendo se apilaban una sobre otra. Cay le ignoró—. Entonces ¿no tiene artista para su viaje?

—No irás a decirme que tú sabes dibujar, ¿verdad?

—¡Qué va! —exclamó Alex—. Apenas sabe cómo sujetar un lápiz, mucho menos un pincel. ¿No es cierto, hermanito? —añadió, mirándola.

—De hecho, en la escuela, era bastante bueno dibujando.

Mejor que algunos, sin duda. —Miró a Alex—. Tú casi siempre estabas fuera, por eso no te acuerdas.

—Bueno, chico, pues vamos a darte una oportunidad —dijo el señor Grady—. Siempre llevo un escritorio portátil conmigo, ¿crees que te las podrás apañar con papel de carta y una pluma?

—Puedo intentarlo —respondió Cay con toda la sencillez de que fue capaz.

—No creo que… —empezó Alex, pero al ver que Cay y el señor Grady se volvían a la vez hacia él, se calló—. Tengo que hablar con mi hermano en privado.

—¿Nos volvemos a encontrar aquí cuando estén listos? —dijo el señor Grady—. Tendré la pluma y el papel a punto.

Alex no perdió un segundo antes de agarrar a Cay del brazo y llevársela al lado de uno de los edificios.

—¿Qué demonios te crees que estás haciendo?

—Quiero ir contigo.

—Ya hemos hablado de eso. Este viaje es demasiado peligroso, no puedes venir, y punto.

—Meterme en la boca del Hades sería mejor que quedarme aquí a esperar que Tally llegue y se ría de mí.

Alex se pasó la mano por la cara barbuda e intentó contar hasta diez, pero sabía que aunque contara hasta cien nada cambiaría.

—No puedes venir con nosotros —le repitió con toda la calma del mundo—. Tu propio hermano te ha pedido que te quedes.

—Adam no sabe que existen circunstancias atenuantes. Si supiera con quién voy a viajar, me diría que fuera.

Alex se apoyó contra la pared y respiró hondo.

—De acuerdo, suéltalo. ¿Quién es?

—¿A quién te refieres?

Alex entornó los ojos.

—Pensé que era el momento de añadir un poco de frivolidad al asunto, pero al parecer has perdido el sentido del humor. ¡De acuerdo! Deja de mirarme así. El verdadero nombre del señor Grady es James Armitage y es...

Alex gruñó.

—O sea que has oído hablar de la familia.

—Me hablaron de ellos nada más bajarme del barco de Escocia. Su padre quería comprarme los caballos.

—King.

—¿Qué?

—Al padre de Jamie le llaman «King», como en «King Armitage».

—¿Jamie?

—Así es como le llama su familia. Supongo que su segundo nombre es Grady. Tal vez sea el apellido de soltera de su madre. ¿Sabes por qué llaman King al padre de Jamie?

—Porque es el dueño de todo Georgia, ¿no?

—Solo de una parte bastante grande. Carolina del Sur es de su propiedad casi por completo. Jamie es su tercer hijo y entiendo perfectamente por qué viaja con otro nombre. Es la única manera de que lo traten como a una persona normal. Y es muy agradable, ¿verdad?

Alex se tapó los ojos con la mano unos instantes.

—Por favor, dime que no estás intentando encontrar un marido de nuevo.

Ella se apoyó también contra la pared, al lado de Alex, y dijo con aire soñador:

—Cuando tenía ocho años fui con mis padres a visitar a la familia Armitage a su casa de Gracewell, Carolina del Sur. Mi padre trabajó con el señor Armitage durante la guerra de la Independencia, y son amigos. Mi padre no le llama King, le llama Billy, y se pasaban horas hablando de Escocia. Cuando fuimos de visita, Jamie había regresado a casa del William and Mary. Es...

—Sé qué es, y lo creas o no, también sé escribir.

Cay le miró como si fuera a preguntarle por qué le decía eso, pero retomó su historia.

—Yo solo tenía ocho años, él tenía veintidós, y me subió a un columpio.

Alex esperó un momento, pero ella no añadió nada más.

—¿Y qué pasó?

—Nada. Eso. Él me estuvo columpiando una media hora y luego se volvió a meter en la casa, y a la mañana siguiente se marchó antes de que yo me despertara. No volví a verlo.

Alex se apartó de la pared y la miró.

—¿Me estoy perdiendo algo? Lo has contado como si fuera algo realmente importante.

—Y lo fue. Esa noche le dije a mi madre que me casaría con Jamie Armitage y ella me dijo que había hecho una buena elección.

Alex simplemente parpadeó unas cuantas veces.

—¿Siempre has estado tan obsesionada con el matrimonio?

—Quiero casarme bien. ¿Qué hay de malo en eso? He visto matrimonios infelices y no quiero esa vida para mí. —Cruzó los brazos sobre el pecho y se volvió para evitar a Alex.

—Hace unos días me estabas hablando de esos tres hombres entre los que intentabas decidir, y ahora vas detrás de este.

—No voy detrás de nadie —replicó ella—. Solo te he dicho que conozco a este hombre. Conozco a su familia, su casa y algunos de los pueblos que pertenecen a su padre.

—¿Y quieres viajar conmigo para poder ir detrás de él, igual que esas gemelas que te persiguen a ti?

—Eres muy desagradable.

Alex respiró hondo unas cuantas veces para calmarse y enfocar el asunto desde otra perspectiva.

—Tu hermano Adam te ha dicho que te quedes aquí y esperes, y creo que eso es lo que debes hacer.

—Creo que a Adam le gustaría que pasara el mayor tiempo posible con uno de los hijos del señor Armitage. A Adam no le gustaba... —Y dejando la frase a medias, rehuyó la mirada de Alex.

—¿Qué no le gustaba?

Ella no quería responder, pero él siguió mirándola insistentemente.

—Ninguno de los hombres.

—¿Me estás diciendo que tu hermano mayor, a quien pareces venerar, no aprobaba a ninguno de los tres con los que estabas considerando casarte?

—Sí. ¿Ya estás contento?

Alex no pudo evitar sonreír.

—¿Qué dice Adam de ellos?

—No te lo pienso decir.

—¿Tan malo era? ¿O eres demasiado cobarde para repetir sus palabras?

—Adam dice que esos tres no son lo bastante buenos para besar las suelas de mis zapatos. ¡Ya está! ¿Saber eso te hace más feliz?

—Mucho más. —Sonreía maliciosamente—. ¿Sabes? Todo lo que me ibas diciendo de tu precioso Adam hacía que el pedante... que el hombre me cayera mal, pero ahora empiezo a pensar que podríamos llevarnos bien.

—No lo creo. Sois demasiado parecidos.

—¿Parecidos? ¿Ahora me estás cambiando la historia y me dices que soy como tu hermano mayor?

—Te estás regocijando demasiado con todo esto, así que no voy a decir ni una palabra más, excepto que, te guste o no, voy a viajar con Jamie.

—No viajarás.

—Sí.

—No.

—Sí.

Alex cerró los puños. Solo pensaba en echársela al hombro y atarla a un árbol. Le pagaría a alguien para que la liberara cuatro horas después de haber zarpado... O tal vez seis. Se movía rápido.

—No me gusta cómo me estás mirando. Voy a ir, y punto.

—¿Y qué vas a hacer? ¿Peinarás a los hombres? ¿Les zurcirás la ropa? He oído decir que se te da muy bien lavar la ropa. ¡Ya lo sé! ¿Qué tal si cocinas?

Cay sintió el impulso de recitarle la lista de credenciales relativas a su formación artística, pero guardó silencio. Su comentario sobre lavar la ropa le recordó que el escocés sabía cosas de su familia que tenía que haberle contado alguien que la conociese muy bien. Lo lógico era pensar en el tío T. C., pero nunca le había oído hablar de gran cosa más que de sus plantas. Fuera cual fuere la fuente, Alex conocía cosas privadas y personales sobre ella y su familia. Sin embargo, le parecía extraño que no supiera que se le daba bien dibujar y pintar. Por lo general llevaba encima un cuaderno de dibujo y algunos lápices. Raramente iba a ninguna parte sin instrumentos para dibujar lo que veía, pero la noche en que conoció a Alex iba a asistir a un baile, de modo que había dejado sus enseres de dibujo en casa. Y desde entonces, todo había sido tan insólito y extraño que ni siquiera había vuelto a pensar en el arte.

Sin embargo, que Alex pareciera no saber de lo que era capaz, jugaba a su favor.

—Dijiste que cualquiera podía dibujar. Si no recuerdo mal, dijiste: «No puede ser tan difícil.» ¿Tú sabes dibujar?

—Un poco —contestó él—. Lo creas o no, tuve un profesor de dibujo formado en Londres.

—Pensabas encargarte tú del trabajo de documentalista, ¿verdad?

—Lo había pensado —dijo Alex, sonriendo para sí.

¡Tenía ganas de pegarle una patada! ¿Qué más le habría ocultado?

—¿Qué tal si ambos hacemos unos cuantos dibujos y dejamos que Jamie decida cuál de los dos va a inmortalizar el viaje para la posteridad?

Alex seguía sonriendo.

—Niña, tengo que advertirte que fui el mejor de mi clase de dibujo.

—¿Sí? —dijo ella, intentando parecer impresionada.

—Sí, así es. Me encantaba perderme en el brezal y dibujar los animales que veía. Si no hubiera sido entrenador de caballos, habría podido... —Se encogió de hombros—. ¿Qué formación has tenido tú?

—Fui a la academia de señoritas de la señora Cooper —respondió—. Solíamos pintar tazas de té de porcelana. —Y era cierto, pero lo que no le dijo fue que eso lo había hecho a los cuatro años y que había pintado los retratos de su familia en las tazas, cosa que hizo que su madre contratara al primero de sus muchos profesores privados de dibujo.

—¿De verdad? —La sonrisa de Alex era tan grande que casi parecía de suficiencia. Estaba convencido de ganar cualquier concurso de dibujo. Si su hermana hubiera sido buena en arte, seguro que Nate se lo habría contado y, como no lo había hecho, suponía que simplemente habría recibido algunas clases. ¡Tazas de té! Esa muchacha no tenía ni la menor idea de lo que se necesitaba en ese viaje. Tenía que ser capaz de dibujar rápido y con precisión.

—¿Hacemos un trato? —preguntó ella—. Compitamos y que Jamie haga de juez. Si dice que no soy buena, volveré a la posada y me quedaré allí hasta que Tally venga por mí. ¿No te parece una ganga?

Alex frunció el ceño. Cay hablaba con tanta seguridad que empezó a sospechar que había gato encerrado.

—¿Qué te propones?

—Nada. Solo quiero ir contigo y voy a hacer todo lo posible por ganarte con el dibujo. Si me hubieras sugerido un duelo con pistolas al alba, también lo habría intentado.

—¿Y todo eso para poder ir con este tal Armitage?

—Por eso y por otras cosas.

—Dime, niña, ¿qué es lo que quieres? ¿Al hombre o su dinero?

Por un instante, tuvo que reprimir las ganas de abofetearle, pero se negó a ponerse a su nivel.

—Su dinero, por supuesto, ya que, según tú, quiero casarme con un hombre aunque no sienta amor por él. Puede que hasta pienses que soy incapaz de amar. ¿Es lo que crees? ¿Que tengo el corazón demasiado frío para amar a nadie?

Alex parpadeaba, confuso.

—¿Cómo hemos pasado del dibujo a corazones fríos?

Cay levantó las manos con disgusto.

—Eres un idiota. No, pero, eres un hombre. —Y pasó por su lado con un gesto que venía a decir que se recogía las faldas para no rozarse con semejante escoria.

Alex echó la cabeza atrás, contra la pared, y miró al cielo. No estaba seguro, pero le daba que tal vez había prestado su consentimiento para que se embarcara en un peligrosísimo viaje a través de la selva. Y lo peor de todo es que no sabía ni cómo había podido suceder.

16

Alex observó a Cay avanzando hacia el muelle. Llevaba la cabeza alta, la barbilla erguida, y caminaba con la determinación de un hombre que va a enzarzarse en una pelea. Muy contra su voluntad, no pudo evitar sentirse orgulloso de ella. No podía creer que aquella fuera la misma chica que vio por primera vez.

Pero que se sintiera orgulloso de ella no iba a impedir su firme voluntad de mantenerla alejada del viaje. No podía decirle que el verdadero motivo por el que no quería llevarla con él era que, de pasar más tiempo juntos, no podría mantener sus manos apartadas de ella. No podía pasar ni un día más viéndola pasear su trasero con sus pantaloncitos ajustados sin tocarla. Puesto que eran hermanos, era de suponer que tendrían que pasar la noche juntos en una tienda. ¿Cómo iba a superar eso?

Cuando iniciaron su periplo juntos, Alex estaba tan enfadado, tan lleno de rabia y de odio, que bien podía haber dormido junto a una docena de mujeres desnudas sin aprovechar lo que le ofrecían.

Pero Cay, con su alegre perspectiva de la vida y su fe en que cualquier cosa era posible, lo había cambiado todo. Charleston y cuanto le habían hecho allí parecía algo irreal, como si jamás hubiera ocurrido.

La vio sonriéndole a Grady y diciéndole que ella y su hermano iban a competir para ver si podía ir o no con ellos. No le gustaba ser petulante, pero estaba seguro de que ganaría él. Siempre se le había dado bien capturar en el papel la imagen de lo que veían sus ojos. No se lo había dicho a ella, pero su padre le había traído unas acuarelas de su visita a Edimburgo y Alex había pintado muchos paisajes. Sabía que haría bien lo que Grady necesitaba para el viaje, así que ganar le resultaría sencillo.

Lo difícil sería consolar a Cay cuando tuviera que quedarse. Se imaginó una tierna escena con ella llorando y él reconfortándola. Se mostraría firme pero compasivo y le diría que era por su propio bien. Estaba seguro de que ella acabaría comprendiendo que él tenía razón.

Por la mañana partirían y sus bonitos ojos se llenarían de lágrimas, y los recordaría a lo largo de su peligroso viaje. Tenía la esperanza de que, en su ausencia, Nate podría encontrar algunas respuestas y, a su regreso, tal vez pudiera limpiar su nombre.

Cuando ya no estuviera lacrado por la injusticia, recuperaría sus caballos y se iría al norte de Virginia a buscar a Cay. Y si todavía no se había casado con algún joven frío y desconsiderado que jamás descubriría cómo era ella en realidad, él... Prefirió dejar ese pensamiento para el futuro.

Cay le llamaba con la mano para que se acercara. Por lo visto, lo había dispuesto todo para comenzar a competir. Alex se acercó sonriendo al embarcadero.

—¿Están bien? —preguntó el señor Grady, asintiendo hacia los dos puestos de trabajo que Eli y Tim habían montado. Habían reclinado sobre unas cajas unas tablas anchas, con unos enormes papeles sobre ellas, y plumas y tinta a un lado.

—El joven Cay ha pedido un tazón con agua —dijo el señor Grady—. ¿Quiere usted también uno?

Alex no tenía la menor idea de para qué quería Cay agua con la tinta, pero lo rechazó encogiéndose de hombros, mientras se sentaba sobre una caja, colocaba la pluma y la tinta a un lado, y se acercaba su caballete improvisado.

—Puesto que, como ya saben, estaremos viajando —empezó el señor Grady—, en ocasiones será necesario dibujar las cosas rápido, así que esta prueba será cronometrada. Tendrán tres minutos para dibujar lo que ven. Si es el embarcadero, una persona o un pájaro, ustedes pueden elegir. Solo quiero ver qué son capaces de hacer en muy poco tiempo.

Cay se sentó sobre la madera basta del muelle, con las piernas cruzadas, y miró el papel en blanco. Todo lo que su profesor, Russell Johns, le había gritado le vino inmediatamente a la cabeza. Cuando llegó al país procedente de Inglaterra, hacía dos años, estaba totalmente desamparado. No conocía a nadie y la madre de Cay decía que tenía el corazón roto, pero ni siquiera ella había conseguido que le contara qué le había ocurrido para que fuera tan infeliz. Su madre había contratado al señor Johns para enseñar a Cay, pero, a decir verdad, la muchacha pensó siempre que no había sido capaz de complacer al maestro. Él quería a alguien que dedicara su vida al arte, pero Cay no deseaba eso. Ahora podía oír la voz del hombre en medio de una lección de retrato en movimiento. «¡Dibuja más deprisa!», le gritaba. «¿Pretendes que tus hermanos se queden quietos a esperar que tú acabes?» Cay había aprendido a esbozar rápidamente a sus hermanos mientras jugaban a la pelota o montaban a caballo con solo unas pinceladas. Con la tinta, tenía que estar segura de sus trazos, sin vacilar, porque los errores no podrían corregirse. Tras tres meses trabajando con aquellos dibujos rápidos, el señor Johns por fin había emitido un gruñido. No la había felicitado, pero tampoco la había criticado y, para ella, eso había sido todo un halago.

El señor Grady se sacó el reloj del bolsillo, lo miró y dijo:
—¡Ya!

Cay trabajaba con las dos manos. Con la derecha, sostenía la pluma, que sumergía en la tinta con frecuencia, mientras se mojaba los dedos de la izquierda con el agua. A medida que iba dibujando trazos rápidos y firmes con la pluma, iba difuminando la tinta mojada con el agua para crear las sombras de su escena.

Cuando el señor Grady dio por terminado el tiempo, Cay levantó la pluma y se puso en pie. El delgaducho de Tim, sonriendo socarronamente como si esperara verla fracasar, se acercó pavoneándose por el embarcadero para ver lo que había dibujado.

Eli fue primero a ver el dibujo de Alex.

—Por lo más sagrado, es bueno. Pensaba que T. C. era bueno, pero usted es mucho mejor. —Eli miró al señor Grady, que miraba en silencio el retrato de Cay—. Tiene que contratar a este hombre para el trabajo.

El señor Grady siguió en silencio, limitándose a mirar el dibujo de Cay, inmóvil detrás de Tim. Movido por la curiosidad, Eli se unió a ellos.

Alex miraba a Cay tratando de reprimir una sonrisa. Después de lo que Eli había dicho, estaba seguro de haber ganado el concurso.

—Vamos, ni... —Hizo una pausa—. Cay, no te desanimes. No todos podemos tener...

Se calló de repente al ver su dibujo. En apenas unos instantes había capturado el muelle, el río, el cielo y a Eli con una red de pesca en la falda. Había líneas y sombras, algunas gruesas, otras finas, otras claras, otras oscuras. Para Alex, aquel dibujo merecía un marco y un lugar en un museo.

Los cuatro hombres, Tim, Eli, Grady y Alex se volvieron hacia ella.

—Sé que es tosco, pero es que he perdido la práctica —dijo—. Prometo hacerlo mejor durante el viaje.

Alex fue el primero en recomponerse y girar sobre sus talones. Sin mediar palabra, enfiló la calle que llevaba a la posada.

—Creo que mi hermano se ha enfadado conmigo —dijo, y echó a correr tras él.

—El trabajo es tuyo —gritó el señor Grady tras ella, sin apartar la vista del dibujo del tablero.

—Nunca he visto nada igual —dijo Eli.

—Se ha dejado ese pájaro horrible del poste —apuntó Tim, consiguiendo que los otros dos le clavaran la mirada.

—Ese pelícano no estaba ahí hace un minuto —dijo Eli.

—Me parece, Tim, que te estás dejando traicionar por la envidia. —El señor Grady tomó el dibujo y lo estudió detenidamente—. Creo que se lo enviaré a mi madre. Siempre quiere estar informada de mis incursiones en los oscuros parajes desconocidos. Ahora puedo mostrárselas.

Cay atrapó a Alex justo a la entrada de la posada y agradeció que ni Agradecida ni las gemelas rondaran por allí.

—¿Te has divertido? —dijo Alex en un murmullo—. ¿Te sientes mejor después de burlarte de mí?

—Eras tú el que fanfarroneaba de sus habilidades, no yo. —Cay estaba perpleja ante su reacción. Jamás habría imaginado que fuera un mal perdedor—. ¿Estás enfadado porque pinto mejor que tú?

Le echó una mirada que le reveló que eso era una absurdidad.

—Entonces ¿por qué estás tan enfadado? —Y nada más preguntarlo, entendió el motivo—. Estás enfadado porque no quieres que vaya contigo.

Cay le miraba con los brazos en jarras.

—Estabas tan seguro de que ibas a ganar el concurso que cerraste la apuesta conmigo, pero no tenías ninguna intención de honrar tu deuda, ¿verdad? Eres tan egoísta que ni siquiera eres capaz de reconocer tu error.

—¡Baja los brazos! Los hombres no adoptan esa postura.

Cay estaba tan enfadada que apenas podía hablar.

—Intenta bajármelos tú.

Alex le agarró el brazo y tiró por el lateral del edificio,

llevándosela por un sendero que se abría entre las palmeras y arbustos que crecían a los lados. En pocos minutos perdieron la aldea de vista. Al llegar a un claro, se paró y se volvió hacia ella.

—No pareces darte cuenta de lo peligroso que va a ser este viaje. En Florida hay criaturas vivas que nadie ha llegado a ver jamás. Podrías morir de un millón de formas distintas. Podrías...

Cay retrocedió un paso, con los ojos como platos ante la evidencia.

—Tú no temes por mi seguridad en este viaje. Hay algo más. He viajado con un asesino buscado, con un montón de hombres que me perseguían y me acechaban en cualquier lugar, pero tú no temías por mi seguridad en esos momentos. Tú y yo hemos encendido hogueras, entrado a la fuerza en una tienda y hasta bailado juntos. El motivo por el que no quieres que vaya contigo es otro, ¿verdad?

—No, por supuesto que no —replicó rápidamente, aunque rehuyéndole la mirada.

Cay se le acercó y ladeó la cabeza para verle los ojos. A veces, con aquella barba tan poblada era difícil leer su expresión.

—Me gustaría pensar —dijo en tono suave— que estas últimas semanas tú y yo nos hemos acercado. Hemos pasado muchas cosas juntos, ¿eso no nos convierte en amigos?

Alex empezó a contestar, pero estaban en un lugar plácido, rodeados de exuberante vegetación, el canto de los pájaros de fondo y el aroma de las flores en el aire. No pudo resistirse. La tomó entre sus brazos y la besó. Al principio, fue un beso tierno, pero Cay se echó hacia atrás y le miró atónita. Parpadeó incrédulamente varias veces, con sus pestañas proyectando largas sombras, y, entonces, le rodeó el cuello con los brazos y le devolvió el beso.

Alex sabía que a pesar de tanto parloteo, Cay era inexperta, así que fue dulce con ella; sus labios tiernos contra los de ella, sin exigencias, pero ella le pegó el cuerpo y profundizó el beso.

Necesitó toda la fuerza de voluntad del mundo para apartarla de sí.

—¡Esto está mal! —exclamó Alex, con el corazón desbocado y la respiración alborotada.

El corazón de Cay también galopaba y le miraba con ojos curiosos.

—Los otros hombres a los que he besado no eran como tú.

—¿Me vas a poner en tu lista de pretendientes? —dijo, en un tono más duro del que pretendía usar, pero no quería ni pensar en los besos que ella pudiera dar a otros hombres.

—Te voy a poner el primero de todas mis listas.

Lo dijo con tanto entusiasmo que Alex no pudo evitar reírse. Al parecer, Cay siempre conseguía quitarle el malhumor.

—¿Ves ahora por qué no puedo llevarte conmigo? —le preguntó.

—¿Porque me deseas más que nada en el mundo y te hago hervir la sangre?

—Más o menos —admitió él—. Por lo menos, ahora ves que tú y yo no podemos seguir viajando juntos y mucho menos dormir en la misma tienda.

—Tienes un problema —dijo Cay, apartando la mirada para volverla sobre él un instante más tarde—. ¿Estás enamorado de mí?

—Seré honesto contigo, niña, no estoy seguro de poder volver a amar otra vez. Puede que las personas solo tengan un verdadero amor en la vida y yo me casé con el mío.

Cay intentó no mostrar su decepción. Ella no estaba enamorada de él tampoco, pero a las chicas les gusta pensar que hay al menos media docena de hombres que andan colados por sus huesos.

—Es solo que... la naturaleza es un obstáculo para seguir juntos el viaje.

—Ya... La naturaleza.

Se agarró los laterales del pantalón.

—¿Que lleve ropa de hombre no basta para enfriar tus deseos?

—Si acaso, los calienta. Si las mujeres empiezan a llevar pantalones de hombre y a enseñar la verdadera forma de sus piernas, no sé cómo vamos a soportarlo los hombres.

—Eso es porque no has visto tantas piernas femeninas como yo —dijo Cay—. Puedo asegurarte que hay más feas que bonitas.

—¿En serio?

—¿Vuelves a burlarte de mí?

—Eso me temo, niña. Parece que se ha convertido en un hábito.

Cay le puso las manos en el pecho.

—¿Y si te prometo no hacer nada para... alterarte la sangre? —Dio otro paso hacia él—. ¿Y si te prometo comportarme en todo momento?

Alex le puso las manos en los hombros y la apartó.

—Un solo beso y te conviertes en Eva. Aléjate de mí y no me toques.

Cay se apartó de él, pero no pudo disimular su sonrisa. Alex la estaba haciendo sentir mujer. Después de semanas haciéndose pasar por un chico, con esas horribles muchachas echándosele encima, que la trataran como una mujer la hacía sentir bien, poderosa.

Cay volvió a mirarle a la cara.

—Por favor, déjame ir contigo, Alex. Lo siento por tus... tus instintos masculinos, pero te prometo que haré lo posible por atajarlos. Seré grosera y odiosa contigo en todo momento y te pegaré patadas si te acercas a más de un metro de mí. No quería utilizarlo, pero te salvé la vida. Cuando necesitaste mi ayuda, yo te ayudé. Aquella noche, ya que ni el tío T. C. ni Hope podían ir, tenía que ser yo o nadie. Estaba muy asustada, pero lo hice igualmente. Y, excepto en el momento en el que intenté cortare el cuello, creo que, por lo general, he sido bastante amable contigo.

—Lo que me estás diciendo es que te lo debo —dijo Alex, con la seriedad en el rostro.

—Pues sí.

—Dime, ¿de verdad quieres hacer el viaje o es que temes a tu hermano?

—¿A Tally? Él no me da ningún miedo, pero me ridiculizará y me hará sentir realmente mal. —Levantó las manos con frustración y se volvió un momento—. ¿No entiendes lo que significa esto para mí? Si tengo que regresar a casa ahora, mi padre jamás volverá a dejarme salir. Tendría tanto miedo de que me ocurriera algo malo que me encerraría en mi habitación y tiraría la llave a un pozo. Mi dama de compañía me tendría que subir la comida con una cuerda por la ventana.

—Por no hablar del orinal.

—Las señoritas no hablan de esas cosas, y puedes reírte cuanto quieras, pero si tengo que esperar aquí a que Tally venga a recogerme y que Adam y Nate resuelvan el misterio del asesinato, mi padre me verá como alguien a quien hay que cuidar en todo momento. Pensará que para protegerme tendrá que tenerme en arresto domiciliario permanente. —Suspiró, frustrada—. Al final, hasta me querrá casar con algún primo escocés capaz de linchar a tres dragones antes del desayuno.

—¿Casarte con un escocés sería peor destino que la muerte?

—Puedes reírte todo lo que quieras, pero lo digo en serio. Si yo me estoy tomando tu lujuria irrefrenable en serio, tú también deberías tomar mis problemas en serio.

—Irrefrenable... —Alex se irguió—. Está bien, niña, dime en qué va a ayudarte meterte en la selva.

—Tal vez, si logro llevar a cabo una misión, conseguiré que mi familia pase por alto el hecho de haberme cruzado diversos estados con todos esos hombres armados dándome caza.

—¿Y dibujar te va a ayudar?

—Si tienen un objetivo, sí. Me gustaría que mi padre se sintiera orgulloso de mí, que mi futuro marido tuviera algo que contar a nuestros hijos.

—¿Igual que cuando tú cuentas lo de la empresa de fruta que dirigía tu madre?

—Sí, exacto. Muchas de las mujeres que trabajaron para ella viven ahora en Edilean y se han casado con hombres que conocía mi padre.

Alex le dio la espalda. Estaba en deuda con ella, cierto. Podía bromear con el asunto, pero, si no hubiera sido por la valentía de la muchacha, ahora no estaría vivo. La verdad era que, en realidad, deseaba con toda el alma que les acompañara. A pesar de las instrucciones de su hermano Adam —a quien ella tenía por un santo puesto en la Tierra para dirigir al resto de mortales— a Alex, nunca había creído que dejarla sola fuera demasiado seguro. Había pensado en todo lo malo que podría ocurrirle. Tal vez no todo el mundo supiera que su nombre había quedado limpio. ¿Y si alguien descubría que no era un chico, sino una bonita pelirroja? Entonces, querrían saber por qué iba disfrazada y no les costaría mucho relacionarla con el escándalo que se había extendido por toda la costa desde Charleston. Alex no quería ni pensar qué sucedería si al descubridor no le hubieran llegado las últimas noticias.

Además, estaba la vertiente personal. A él le gustaba su compañía. Le hacía reír y conseguía que se sintiera bien. El día de su boda con Lilith, mientras permanecía sentado con una copa de champán observando cómo su preciosa esposa se movía entre sus invitados y conversaba apaciblemente con todos ellos, se había sentido el hombre más afortunado del mundo. A juzgar por el número de invitados y sus buenos deseos, había pensado que había hecho muchos amigos desde que había llegado a Estados Unidos. No había dejado de sonreír mientras todos reían y bebían a su salud para que siempre fueran felices. Todos le habían dado golpecitos en la espalda mientras le hablaban de caballos y de inversiones que les gustaría compartir con él. Ese día, Alex se había sentido parte del feliz mundo de los ricos. Ya no era el hombre que había desembarcado con tres caballos y la ropa sucia y raída. Había sido «alguien», un joven en pleno ascenso.

Pero al día siguiente, después de que encontraran el cadáver de Lilith junto a él, todo había cambiado. La rabia de la ciudad había inundado el juicio. Y mientras había estado en aquella andrajosa cárcel, ninguno de sus supuestos amigos le había visitado. Solo T. C. había sacado la nariz. Lo primero que había hecho había sido pedirle papel, tinta y pluma, y T. C. se lo había llevado. Alex estaba obsesionado por decir a los que creía que eran sus amigos que era inocente, que él nunca habría matado a Lilith. La amaba demasiado. Había volcado su alma en aquellas cartas que T. C. había entregado personalmente a cada destinatario.

Nadie había contestado a sus cartas. De hecho, había obligado a T. C. a decirle la verdad, que todas ellas le habían sido devueltas, sin abrir. Nadie quiso saber nada de Alexander McDowell tras su detención. Al parecer, nadie había siquiera considerado la posibilidad de que fuera inocente.

Tras tres semanas de frenéticas misivas dirigidas a la gente que había conocido en el país, escribió a Nate. Tal vez fuera porque habían sido amigos desde la infancia y habían hecho todo lo posible por impresionarse el uno al otro, pero no había querido admitir ante su amigo que había fracasado... Porque así era como Alex lo veía. Había llegado a Estados Unidos seguro de poder hacer algo, de poder alcanzar algo. Se había pasado la vida escuchando a su padre hablar de las oportunidades del nuevo país. Al fin y al cabo, era donde su padre había conseguido todo su dinero. Muchos años antes, a Mac se le asignaron cuatrocientas hectáreas de tierra a través de la Compañía de Ohio, pero Angus, el padre de Nate, le había convencido para que vendiera las tierras al capitán Austin, que estaba tratando de agrupar un estado para la mujer a quien amaba. Al final, resultó ser lo mejor que Mac había podido hacer, porque el rey de Inglaterra jamás llegó a firmar los documentos. Ninguno de los terrenos de cuatrocientas hectáreas concedidos fueron entregados a las personas que tenían en su poder el certificado de propiedad. El capitán Austin lo perdió todo.

A Alex, el nuevo país le había parecido una tierra de ricos... Hasta la mañana siguiente a su boda, cuando se lo arrebataron todo, incluida, al parecer, la amistad de todas las personas que había conocido. Pero tras revelarse la verdadera naturaleza de sus nuevos «amigos», Alex se tragó el orgullo y escribió a Nate. Había tardado semanas en escribir la carta. A T. C. solo le permitían visitas de pocos minutos. Había logrado meterse una pluma y tinta en la bota, y se había forrado el interior de la chaqueta con papel. Había escrito todo lo que había podido, y tan rápido como había podido. La carta contaba a Nate todo lo que le había sucedido, con tanto detalle como se le ocurría, con la esperanza de que en alguna parte de la historia hubiera alguna pista. Le había acompañado la convicción de que Nate se haría mil preguntas. ¿Alguna persona misteriosa le había estado haciendo preguntas a Lilith? No que Alex hubiera visto, pero había estado tan enamorado que no había tenido ojos para nada más que para ella. Sin embargo, tenía que haber alguien, porque alguien la odiaba lo suficiente para matarla... A ella, y no a Alex.

—¿Sigues aquí? —le preguntó Cay.

Alex tardó un momento en volver al presente. Su mente se había sumergido tanto en el pasado que hasta había podido oler la celda en la que había vivido tantas semanas. Alex deseaba por encima de todas las cosas abrazar a Cay y sentir su cuerpo joven y sano contra el suyo, recostar la cara sobre sus cabellos.

Al ver que ella parecía haber adivinado sus sentimientos, incluso llegando a comprenderlos, Alex dio un paso atrás.

—Tienes la mirada de estar pensando en tu esposa.

—¿Cómo dices?

—Cuando piensas en ella, tus ojos se cierran como ranuras y tu cuerpo parece desfallecer. Si eso es lo que el amor le hace a las personas, no quiero tener nada que ver con ello.

—Esto no lo hace el amor. Esto... —Se dio cuenta de que Cay estaba intentado hacer que dejara de sentir compasión de sí mismo—. ¿Quieres decir que tu Abraham no te hace sentir así?

—Ephraim. Y, no, pero su hijo sí —respondió, y abandonó el claro de camino a la aldea.

Alex permaneció donde estaba, pero sonriendo.

—Preséntate en la barcaza a las cinco de la mañana y trae el baúl de T. C. contigo —gritó tras ella. Al ver que asentía, pero no se giraba a mirarlo, todavía sonrió más a gusto. Sí, la verdad era que quería que les acompañara porque disfrutaba de su compañía.

Y también porque... ¿Cómo lo había dicho ella? ¿Que le despertaba la lujuria? Algo así. Sí, eso también, pero sabía que podía controlarse. Después, cuando hubieran superado todo aquello y él hubiera podido limpiar su nombre, tal vez... No podía pensar en el futuro. En aquellos momentos, lo único que existía era el presente, y tenía que vivir el aquí y el ahora.

17

A la mañana siguiente, Alex tuvo que esforzarse por contener la risa, a las cuatro y media de la madrugada, antes incluso del alba, levantó la cabeza y vio a Cay acercándose con paso tranquilo. Tras ella iban las gemelas acarreando el pesado baúl de enseres artísticos de T. C. y, tras ellas, Agradecida, con un viejo zurrón de piel y una gran cesta que esperaba que estuviera repleta de comida.

Alex miró a Eli y supo que él también estaba a punto de echarse a reír al ver semejante desfile. El señor Grady, sin embargo, tenía el ceño fruncido.

—¡Yates! —gritó el señor Grady con voz de comandante, aunque Alex no supo a qué «Yates» se refería—. Dígale a su hermano que, a partir de ahora, tendrá que acarrear él mismo su equipo. No se permiten parásitos en este viaje y, si no va a poder cumplir las normas, tendrá que quedarse aquí.

Cay se quedó plantada al lado de la barcaza sin saber muy bien qué decir.

—Querían ayudarme —murmuró—. Y yo...

Alex dejó caer las cuerdas que acababa de atar y corrió a su lado.

—Calla —le susurró con su acento más cerrado—. Un muchacho no da explicaciones.

—De acuerdo. No dar explicaciones. Añadiré esa norma a mi lista. —Y bajando la voz, añadió—: Junto con la puntuación del beso.

Alex sabía que lo había dicho para gastarle una broma, pero no sonrió.

—Agarra el baúl y empieza a trabajar.

—¿Y qué hago?

—Mira a tu alrededor. Busca algo para hacer, y hazlo.

Si realmente hubiera sido un muchacho de dieciséis años, Alex le habría cargado el baúl en los brazos. El hecho de que Grady reaccionara con sorpresa ante un muchacho que permitía que las mujeres llevaran el peso, fue para Alex una demostración de que Cay tenía que endurecerse... y tenía que trabajar para seguir haciéndose pasar por un chico.

Pensándolo mejor, Alex se acercó a las muchachas, se hizo cargo del baúl metálico e hizo ademán de entregárselo a Cay. Al ver que no se movía, gritó:

—¡Agarra el maldito baúl!

Y lo hizo, pero no se esperaba un peso de veintidós kilos. Se balanceó hacia atrás, pero consiguió equilibrarse después de golpearse contra una pared de la pequeña estructura que se alzaba en un extremo de la barcaza. Alex sabía que le habría dolido, pero Cay se limitó a hacer una mueca. Por fin, consiguió controlar los pies y erguirse con el baúl aún entre sus brazos.

Cuando el pequeño Tim se echó a reír como si nunca hubiera visto nada más divertido, a Alex le entraron ganas de pegarle, pero lo que hizo fue decirle a Cay:

—Tendrás que desarrollar esa musculatura si quieres formar parte del viaje. —Sabía que Cay tendría dificultades para entenderle por encima de la ruidosa risa de Tim, pero ella comprendió el sentido y asintió.

La observó mientras dejaba el baúl en la cubierta y Eli le enseñaba a atarlo bien.

Alex se mantuvo ocupado asegurando el cargamento en la

barcaza mientras Cay se despedía de las tres mujeres. Se alegró al oír que Tim murmuraba al ver que las mujeres le besaban la mejilla. Tal como Alex le había dicho, Tim era uno de los que habrían apreciado en gran medida la atención de las chicas, pero ellas ni siquiera le miraban.

A las cinco, estaban a punto para partir. Alex había dado a Agradecida instrucciones para cuidar de los dos caballos que dejaban atrás. A unos ciento sesenta kilómetros, había otro enclave comercial, donde dejarían el bote y tomarían más caballos para continuar su camino por tierra. Pero, por ahora, iban a viajar por agua durante el día y pasarían la noche en tierra. Si la orilla resultaba demasiado peligrosa, ya fuera por los animales o los indios, se cobijarían en el pequeño cubierto de la barca.

Grady dejó que Tim desatara el amarre del muelle y los cuatro, en pie, comenzaron a alejarse mientras las mujeres les despedían con la mano. Cay empezó a saludar también, pero Alex le dio un golpecito en el costado y sacudió la cabeza.

—¡Qué aburrida es la vida de hombre! —murmuró—. Constantemente esforzándoos por no hacer siquiera las cosas más simples y agradables.

—No, niña —le susurró él—. No queremos parecer idiotas saludando a las chicas con la mano.

—No...

—¡Joven Yates! —gritó el señor Grady—. ¿Qué es ese pájaro?

—No tengo ni idea, señor —respondió ella, haciendo visera para mirar a un ave con una longitud de alas que bien podía haber dado sombra al patio entero de un colegio.

—Bueno, ¿y qué dicen tus libros?

—¿Mis libros?

—¡En el baúl, chico! ¿No están los cuadernos de investigación de T. C. en el baúl? —La miraba con el ceño fruncido y su bonita frente arrugada.

—No he mirado dentro, señor, pero pesa lo suficiente para

contener la mismísima biblioteca del señor Jefferson —replicó ella.

Eli se rio, pero inmediatamente se tapó la boca con la mano. El ceño fruncido del señor Grady no se inmutó.

—Estoy seguro de que a tu madre le debe de parecer graciosa tu falta de respeto, pero a mí no. Mira en esa faltriquera y verás algunas plantas que he recogido porque nunca las he visto. ¿Tengo que asumir que si no sabes qué pájaros son esos, tampoco sabrás de qué plantas te hablo?

—No, señor. Quiero decir, sí, señor, tiene usted razón. No conozco nada más que las rosas del jardín de mi madre. Oh, disculpe, señor, no era mi intención bromear. Sacaré los libros y miraré de qué plantas y aves se trata.

Ahí fue Alex quien tuvo que disimular su risa. Cruzó una mirada con Eli y ambos sacudieron la cabeza. Si Grady y Cay iban a pasarse las próximas semanas discutiendo, el viaje iba a ser de lo más interesante. Alex pensó que, si Grady llegaba a enfadarse tanto que la echaba de la expedición, sin duda, él, Alex, tendría que irse con ella.

Mientras empezaban a surcar el río, Alex notó que se quitaba un peso de encima y sonrió al mirar a Cay, sentada sobre la madera de la cubierta, con el cuaderno de dibujo delante y una docena de plantas a su lado y en su regazo. Estaba contento de no haberla dejado atrás. Si lo hubiera hecho, ahora estaría preocupado por ella. No confiaba siquiera que el supuestamente angélico Adam pudiera cuidarla bien.

—¿Quieres que te la sujete?

Cay se estaba peleando con el viento para mantener quieta una planta y poder ver exactamente por dónde se enganchaban las hojas al tallo. Los dibujos de T. C. tenían tanto de ciencia como de arte. Cay sabía que en los mejores dibujos de naturaleza viva, se podía observar el movimiento de las hojas, contarlas y, lo más importante de todo, el nombre en latín que las identificaba... o la falta de nombre, si todavía no habían sido bautizadas.

Cay hizo una mueca.

—Si me ayudas, probablemente dirá que no estoy trabajando —apuntó, señalando con la cabeza al señor Grady, que iba al timón observando las plácidas aguas. El St. Johns era conocido por ser un río «perezoso». Era ancho, en ocasiones a punto estaba de alcanzar los cinco kilómetros de anchura; transcurría muy lentamente; y hasta donde había sido explorado, su elevación era mínima.

Alex miró a Cay.

—Mi trabajo es conseguir la cena, ya sean aves o peces. ¿Qué te parece si te dejo dibujar lo que cace o pesque antes de que Eli lo despelleje para meterlo en la cazuela?

—Me parece una magnífica idea.

La expresión de gratitud de sus ojos hizo que Alex sacudiera la cabeza. Ella miraba hacia arriba a través de sus espesas pestañas, por debajo del ala de su sombrero de paja... Jamás había visto una muchacha tan guapa... Ni que quisiera besar con más ahínco. ¿Cómo era posible que los demás no la vieran como una mujer?

—¿Le importa si ayudo a mi hermano pequeño con las plantas y los animales? —preguntó Alex a Grady, en la otra punta de la cubierta.

—Haga lo que tenga que hacer, pero no en perjuicio de sus propias obligaciones. —Estaba estudiando sus mapas y ni siquiera levantó la vista para mirar a Alex.

—Bueno, ya te he dicho que todo iría bien.

—Normalmente tú te encargas de que así sea —dijo ella, volviendo a centrarse en el papel.

Las palabras de Cay hicieron sentir bien a Alex.

Seis horas más tarde, estaba empezando a desear no haberse ofrecido para ayudarla. Por la insistencia de Cay, y para disgusto de Eli, cada pájaro que abatía era distinto al anterior, y todos se los iba dando a Cay para que los dibujara.

Al principio, ella era incapaz de imaginar la posición en que debía dibujarlos. El primero, lo inclinó contra una caja atada y, tal como le habían enseñado, dibujó exactamente lo que estaba viendo. Al terminar, tenía un retrato de un pájaro muerto contra una madera vieja. No era bonito.

El señor Grady miró el dibujo y le preguntó si pensaba dibujar la cazuela al lado. Eli la miró esperando ver cómo se tomaba aquella dura crítica, pero las infinitas objeciones del señor Johns la habían inmunizado contra cualquier cosa que el señor Grady pudiera decir.

—¡Imaginación! —murmuró Cay para el cuello de su camisa y rápidamente dibujó el mismo pájaro como si estuviera vivito y bien alimentado. Aunque, a decir verdad, de qué se alimentaba el susodicho era todo un misterio para ella. ¿Debía acompañar al pájaro de un insecto, un pez o una semilla?—. ¿Qué come? —preguntó a Alex.

—¿El zarapito o la agachadiza? —inquirió él.

Tras un momento de incredulidad con los ojos clavados en la espalda de Alex, Cay utilizó su acento escocés más cerrado para describirle detalladamente lo que pensaba de él por haber ocultado que sabía distinguir una exótica criatura de Florida de otra.

—Un hombre debe tener secretos —dijo, mientras le traía otro pájaro para que lo dibujara.

Una hora más tarde, Cay le estaba siseando:

—Aguántalo con firmeza. ¿Cómo voy a dibujarlo si no para de aletear?

—Si pudiera retorcerle el maldito cuello, dejaría de moverse —dijo él en un susurro. Tenía en el regazo uno de los seis pájaros que había matado aquella mañana, pero solo a ese lo había capturado por las alas, y estaba muy vivo. ¿Quién iba a decir que un pájaro fuera tan fuerte? Cuando había caído en brazos de Alex e inmediatamente había comenzado a luchar por liberarse, picoteándole las manos y los brazos, Alex había empezado a silenciarlo, pero Cay lo había detenido.

—Es demasiado bonito para matarlo y, sin duda, también para comérselo. Déjame dibujarlo y después puedes soltarlo.

—No pensarías que es tan bonito si... ¡Ay! Toma, aguántalo tú y ya lo dibujo yo.

—Yo gané el concurso, ¿recuerdas? —Tuvo que mantener la cabeza gacha para ocultar su sonrisa.

Al ver que el señor Grady se acercaba, Alex pensó que se pondría de su lado, pero el hombre dijo:

—Veo que eres aficionado al señor Bartram.

—Sí, señor, así es —dijo ella con seguridad.

—Sigue, pues —añadió Grady, volviéndose a sus mapas y cartas de navegación.

Cay miró a Alex, que apartó la cara a tiempo para que el pájaro no le diera un picotazo en la barbilla.

—No te molestes en preguntarme quién es el señor Bartram. No tengo ni idea. ¿Por qué dicen que eres un mago con los animales?

Entornando los ojos, Alex le murmuró que era una ingrata. Una cosa era dedicar tiempo y esfuerzos a domar animales que iban a correr en las carreras, pero eso era un pájaro con... con un susto de muerte encima. Por un momento, se avergonzó de haber olvidado todo lo que había aprendido de pequeño. Con una infancia tan solitaria como la suya, había adoptado a los animales que le rodeaban como compañeros.

Miró al pájaro que sostenía firmemente entre sus brazos y le prestó toda su atención. Hacía mucho, había aprendido que si aislaba su mente del mundo exterior, conseguía lo mismo de cualquier animal al que estuviera tocando. Notó cómo el corazón desbocado del animal empezaba a sosegarse y, entonces, le tocó la cabeza. Tenía las plumas calientes y suaves, y se concentró para proyectar paz sobre la criatura. Su madre solía decir que el don que había heredado de su familia se extendía también a lo que podía hacer con los animales.

Lentamente, el ave empezó a relajarse y dejó de luchar.

Cuando estuvo quieta, Alex levantó la cabeza y vio que todos los demás pasajeros le estaban mirando.

—¿Cómo lo has hecho? —le susurró Cay.

Alex se encogió de hombros, sin dejar de acariciar las alas del enorme pájaro.

Cay miró a la primera persona que tenía al lado, que resultó ser Tim, para preguntarle si había visto eso, pero el muchacho dio media vuelta y se marchó. Cuando su mirada se cruzó con la de Eli, el viejo dijo:

—Me imagino que no nos vamos a comer ese pájaro esta noche.

—No, creo que hoy estos dos se casan —dijo Cay con un suspiro. Lo dijo con tal tono de hembra enamorada que Eli y el señor Grady se echaron a reír.

Alex sacudió la cabeza como toque de atención, pero también sonriendo para sí.

—¿Quieres continuar con el dibujo antes de que su pareja venga a llevársela?

Cay empezó a dibujar lo más rápido posible. Por supuesto, no eran dibujos acabados, pero necesitaba captar los detalles para poder concluirlos luego.

—¿Cómo sabes que no es un macho?

—Me insultas —le dijo Alex en un tono de ofensa tan auténtico que le arrancó una carcajada.

—Vosotros dos tendríais que hablar inglés —dijo Tim.

—¿Para que tú puedas poner el oído? —preguntó Cay.

—Para que el capitán os pueda decir lo que no podéis hacer —le espetó el muchacho, que se rio, pensando, obviamente, que había dicho algo ocurrente.

Cay usó una palabra de la jerga escocesa que hizo que Alex le dijera que cerrara la boca. Pareció realmente sorprendido.

Mientras trabajaba, Cay le dijo:

—Quiero hacer como el tío T. C. y mostrar los pájaros en su estado natural. Cuando me los das muertos, los dibujo como están, sin vida, pero si pudiera poner algún bicho o alguna planta al lado, parecerían más vivos.

—¿Por qué no dejas la pluma y miras lo que te rodea?

—No puedo. El señor Grady...

—Cuando vea lo bien que lo haces, estoy seguro de que solo tendrá palabras de elogio para ti —la interrumpió Alex, aun sin estar seguro del todo. Desde el momento en que había zarpado del embarcadero, Grady se había convertido en un obstinado capitán de barco. Cualquiera diría que eran la tripulación de una fragata. Y Grady parecía querer dibujos de todo lo que veían, y Cay quería complacerle. A Alex le parecía sorprendente que Grady no se hubiera presentado con media docena de artistas—. Bien se los puede permitir —añadió para sí, y se dio cuenta de que parte del resentimiento que sentía contra los ricos que había tenido por amigos se había transferido a Grady.

—¿Qué dices?

—Nada, niña. Estaba...

Cay le miró con dureza. Era obvio que había escuchado lo que había dicho y sabía de quién hablaba.

—Perdona, ha sido un desliz. Te prometo que no volveré a hacerlo si vienes conmigo a ver este lugar. Es precioso.

Cay miró al señor Grady, que parecía absorto en sus documentos extendidos sobre una mesita, ignorando a todos los demás. Al intentar levantarse, Cay vio que se le habían dormido las piernas y se tambaleó contra Alex al levantarse. Sus manos aterrizaron en el pecho del escocés y tardó unos segundos en retirarlas. Notó los músculos bajo su camisa.

—Has ganado peso desde que te conocí.

Alex le puso las manos en los hombros y la apartó de él.

—No es momento de eso —la reprimió, y miró rápidamente a su alrededor para ver si alguien se había percatado del gesto, pero todos estaban ocupados en otras cosas.

—Solo me preocupaba por tu salud. ¿Qué has comido para recuperar peso?

—Solo he intentado estar a la altura de tu apetito. Y Agradecida me cocinó algunos platos.

—¿Agradecida cocinó para ti?

Caminaron unos pasos hasta la borda de la barcaza.

—Sí, ¿qué hay de malo? También cocinó para ti, ¿no?

—Sí, pero yo iba a quedarme en la posada y a pagar por sus servicios. ¿Le pagaste?

Alex le sonrió.

—Si no te conociera tanto, pensaría que estás celosa. No, no le pagué con dinero, pero tuve que pagarle contándole mil historias sobre T. C. La mujer quería que se lo contara todo, hasta qué tomaba T. C. para desayunar.

—Pero tú no lo sabías, claro, porque estuviste en la... —La mirada de Alex le hizo evitar la palabra «cárcel».

—Por favor, ¿podrías parar de hablar y mirar a tu alrededor? No puedes pasarte todo el viaje sin ver nada más que pájaros muertos.

—Yo... —empezó, y se calló de golpe. Ante ellos se extendía un amplio y plácido río, cuya superficie apenas ondeaba con la corriente. Alex le dijo que lo estaban «remontando» contra la corriente, ya que iban hacia el sur.

—Es como el Nilo, que discurre hacia el norte —observó ella, antes de preguntarle cómo sabía tantas cosas de aquel lugar.

—Mientras tú te escabullías entre los arbustos para besarte con las chicas, yo me fui al puesto comercial a hacer preguntas. Si le pagas a un hombre una cerveza, te cuenta historias toda la noche.

—¿Así aprendiste los nombres de los pájaros?

—No. Me pasé las noches leyendo los libros del baúl de T. C. Agradecida me los prestó.

Le pareció curioso que Agradecida se hubiera negado a abrir el baúl a un muchacho tan joven como Cay y, en cambio, le hubiera prestado su contenido a Alex. Los celos eran algo nuevo para ella, pero empezaba a hacerse una idea.

Cay volvió a mirar el agua. Por toda la orilla había árboles cuyas ramas colgaban sobre el río. Pájaros blancos con cuellos largos y delgados reposaban en los bordes.

—Quiero dibujar esos de ahí —señaló Cay.

—Ya tendrás ocasión.

Un águila les sobrevoló; después, un pájaro que Alex dijo que se llamaba halieto.

—Sí, lo sé. Quieres dibujarlo.

Los peces saltaban en el agua y ella se puso a cuatro patas para ver mejor. Alex aún no le había proporcionado ningún pez. Vio algo bajo el agua y apuntó con el dedo mientras se giraba para mirar a Alex.

—Tal vez puedas pescar alguno para esta noche, así podría...

De repente, Alex la agarró por debajo de las axilas y la apartó. Ante ellos, surgió la cabeza de una criatura prehistórica, que batió su larga y horrible mandíbula al espacio vacío que Cay había ocupado.

Por un instante, se quedó quieta, incapaz de moverse bajo la firme sujeción de Alex. Cuando él la soltó, su trasero cayó como un peso muerto sobre la cubierta.

—Casi se te come, ¿eh? —dijo Tim desde atrás, con voz sonora y satisfecha por lo que acababa de ver—. Si eres lo bastante idiota para sacar la mano por la borda, lo justo es que te la arranquen. Y si fuera la mano de dibujar, tendríamos que echarte entero por la borda porque ya no podrías hacer nada. Ni siquiera eres capaz de levantar un peso ligero —añadió, y reposó su peso sobre los talones, sonriéndole triunfalmente.

—Bueno, yo sí puedo levantar muchas cosas —replicó Alex, mirando al muchacho, que, por alto que fuera, seguía siendo cuatro o cinco centímetros más bajo que Alex, y mucho más delgado.

—Solo le estaba tomando un poco el pelo —dijo Tim—. Siempre te das un buen susto cuando ves el primer caimán.

—¿Y cuántos has visto tú, chico? —preguntó Eli.

—Más que él—murmuró Tim, mirando a los dos hombres, que parecían haberse confabulado injustamente contra él.

Cay seguía estupefacta, mirando aún la borda del bote por donde el caimán había surgido del agua.

Alex se agachó para hablarle al oído.

—Viene Grady, de modo que recomponte y, pase lo que pase, no llores. ¿Me oyes?

Cay logró asentir.

—¿Te ha mordido? —preguntó el señor Grady, con voz preocupada.

Cay respiró hondo y comenzó a levantarse. Alex, a su espalda, consiguió mantener oculta la mano con la que estaba ayudándola a mantenerse erguida.

—¿Si me ha alcanzado? —preguntó ella—. Puede estar seguro de que no, señor. La pregunta correcta sería si le he rebanado el cuello con mi cuchillo.

—¿Con el cuchillo que tienes en la mano?

Cay se miró la mano derecha y vio que ni siquiera había soltado la pluma. El miedo había hecho que se aferrara todavía más a ella. Sostenía una larga pluma de ave, con las barbillas intactas y la punta manchada de tinta. No era precisamente un arma efectiva contra un caimán.

—La tinta en el hocico les provoca asfixia —dijo ella, notando el incremento de presión de la mano de Alex en su espalda para evitar que desfalleciera por el miedo.

El señor Grady no se rio. Muy al contrario, frunció el ceño.

—Me parece que debería vigilar más de cerca a su hermano para no tener más sustos como este.

—No podría estar más de acuerdo —concedió Alex.

18

Tras su devaneo con el caimán, Cay estaba más apagada. Adam le había dicho una vez que había estado protegida toda su vida y que no tenía ni idea de lo que era el mundo real. En aquel momento, Cay había pensado que había sido una grosería por su parte, pero ahora empezaba a comprender por qué lo había dicho. No todo el mundo era como su casa, con sus hermanos y su padre cuidando de ella, y una madre siempre dispuesta a ayudarla a resolver cualquier problema.

De algún modo, la cercanía del ataque le había hecho sentir que tenía una segunda oportunidad en la vida. Si Alex no hubiera estado ahí, si no hubiera reaccionado tan rápido, el caimán la habría mordido y se la habría llevado a las profundidades con él. No habría sobrevivido.

Durante el resto del día, dedicó más atención a lo que la rodeaba, desde sus compañeros de viaje a las aves que la sobrevolaban. A medida que iban avanzando hacia el sur, empezó a escuchar ruidos que hasta entonces no había apreciado. Bajo el incesante canto de miles de pájaros, se escuchaba un rumor de fondo que se hacía más obvio a cada minuto. Sonaba como una piedra grande traqueteando lentamente sobre un lecho de piedras. Era inquietante y fascinante a la vez.

Levantó los ojos del dibujo de una de las plantas que el

señor Grady le había dado. Eli estaba limpiando pájaros para la cena, que todos parecían estar esperando ansiosamente, pues solo habían comido pan con queso en todo el día.

—¿Qué es ese sonido?

—¿El profundo?

Ella asintió.

—Caimanes. Se están acomodando para pasar la noche.

Cay intentó ocultar el terror que le invadió las entrañas.

—Debe de haber muchos para que hagan ese ruido.

—Centenares —informó Eli—. Miles. Se montan los unos sobre los otros. Ya lo verás. Pero no te preocupes. Nosotros acamparemos lejos de ellos.

Cay se limitó a asentir, puesto que, de todas formas, tampoco hubiera podido emitir ni una sola palabra.

El señor Grady anunció el alto en el camino mucho antes del atardecer y arrimaron la barcaza a la orilla. Cay vio lo que parecían ser los restos de una antigua hoguera en una ladera un poco más allá de la orilla.

—Alguien estuvo aquí antes —dijo a Alex, que corría de un lado a otro atando cabos para anclar el bote.

—Aquí ya ha habido gente —admitió él—, pero luego iremos a lugares inexplorados. ¿No tienes ganas?

Pero Cay solo parecía recordar la horrible cabeza del caimán abalanzándose sobre ella desde el agua. Le había podido ver los dientes perfectamente, y parecían muy afilados.

Alex le leyó el miedo.

—Vamos, no te quedes ahí plantada, toma esas cajas y llévalas a la orilla. ¿Crees que te vas a ir de vacío solo porque haces retratos bonitos?

—Tendré que saber... —empezó a decir Cay, pero se detuvo al ver que el señor Grady la miraba. Agarró la pesada caja que Alex le tendía y la subió por la ladera hasta el campamento.

Durante la hora siguiente, estuvo demasiado ocupada para pensar. Alex y ella habían plantado una de las tres tiendas.

Una para ellos, una para Eli y Tim, y la última para el señor Grady. Cay no paró de subir cajas del bote a la colina hasta que le empezaron a doler las piernas y los músculos de sus brazos empezaron a temblar de debilidad.

—Ya te acostumbrarás —le dijo Alex, dándole un golpe en el hombro con tanta fuerza que por poco se cae.

—O me moriré —dijo ella a la espalda de Alex, pero al ver la sonrisilla de Tim, se cargó la caja más pesada que Eli había desembarcado y la subió a la colina. Cuando estuvieron todos los baúles colocados y todas las tiendas plantadas, Cay solo pensaba en tumbarse y comerse una fanega de lo que fuera, pero no, aún quedaba más trabajo. Alex le informó de que tenían que ayudar a Eli a preparar la cena.

—Pero si tiene las aves. Lleva horas limpiándolas.

—¿Ves esos árboles de ahí?

Cautelosamente, con la mano en los riñones, miró a través de los arbustos al lugar que le señalaba Alex. Como acabados de pintar en el dibujo de un niño, Cay vio unos arbolillos con frutas brillantes.

—¡Naranjas! —exclamó, mirando a Alex, maravillada. Solo había comido dos naranjas en toda su vida, pero eran un bien raro y muy preciado, que solía llegar en forma de regalo por Navidad—. ¿Son de verdad?

—Desde luego. Si no te hubieras dedicado tanto a besarte con las chicas detrás de la posada, te habría enseñado los naranjos de los alrededores.

—Y si tú no te hubieras pasado tanto tiempo husmeando entre los libros de Agradecida y flirteando con ella, yo habría tenido ocasión de ir a verlos contigo.

Alex se rio.

—¿Vienes o no?

—¿Adónde?

—A recoger naranjas. Eli quiere cocinar las aves en jugo de naranja.

—Suena fantástico. Me parece que me las comeré todas.

Cuando estuvieron separados del campamento por una buena cantidad de árboles, Alex le tendió la mano.

—Vamos, tortuguita, vamos a cosechar al campo de naranjos.

Ella le agarró la mano y se llevó la otra al sombrero, antes de echar a correr a través del campo de hierbas altas hacia el grupo de naranjos.

—Huelen de maravilla —observó ella, soltándole la mano.

—¿Mejor que el aceite de jazmín? —se burló él, mientras arrancaba las frutas y las metía en un saco enorme que llevaba consigo.

—No sé si hay algo que huela mejor. —Se acercó una naranja a la nariz e inhaló su perfume.

—¿Qué era lo que tanto te gustaba? ¿El jazmín o mi pelo?

—Que estuvieras limpio ya era de por sí una delicia olfativa.

—Prueba a decirle eso mismo a Tim. Seguramente te tirará por la borda.

—¿Por qué le caigo tan mal a este mocoso?

—Justo por eso.

—¿Por qué?

—Por lo que acabas de decir. Piensas que es un crío y lo tratas como tal.

Reclinándose contra el tronco de un naranjo, miró la preciosa fruta de la copa.

—No lo trato de ninguna manera. Ni siquiera le miro.

—Exacto. Él cree que es mayor que tú y, por tanto, que tiene más experiencia, así que tendrías que mirarle como a alguien más sabio que tú.

—No es más sabio que las muñecas de mi cuarto.

—No —dijo Alex, al ver que ella iba a arrancar una naranja del árbol—. Esas no. Eli dijo que las que crecen en el lado del sur son más dulces. ¿Sabes que las naranjas no son originarias de Florida, sino que las trajo aquí un explorador español?

—A ver si adivino... Ponce de León.

—Correcto. Y ahora que ya has tenido tu lección de historia, ¿por qué no nos sentamos y estamos un rato sin hacer nada? Yo no sé tú, pero ha sido un día muy largo...

Cay no pudo evitar sonreír, consciente de que lo hacía por ella. Él no parecía en absoluto cansado, pero ella había levantado más peso en un solo día que en toda su vida. Alex escogió una zona de hierba blanda bajo un árbol desde donde se veían las lejanas colinas y un prado cargado de flores.

—Gracias —dijo ella, cuando él le dio una naranja con un agujero en la parte superior—. ¿Y qué hago con esto?

Alex le enseñó a exprimir la fruta y sorber el jugo por el agujero.

—Delicioso —dijo ella—, y me siento casi mal de comerme una naranja entera yo sola. Ojalá pudiera llevarme un carro lleno a Edilean. Las repartiría entre todos los niños, e incluso les daría a los adultos.

—¿Y a Michael y a Abraham? ¿Y al otro?

Cay tuvo que pensárselo un poco.

—Benjamin —dijo. El jugo de la naranja le chorreaba por la barbilla y había dejado su naranja seca. Alex le dio otra, también con un agujero hecho.

—¿El apostador?

—Sí, ¿no?

Se habían sentado muy juntos y, cuando ella fue a agarrar una tercera naranja, tuvo que pasarle el brazo por delante del pecho. No había vuelto a pensar en el beso que se habían dado pero, al mirarlo a los ojos, todo su cansancio desapareció. Pasó de estar ahí sentada admirando el paisaje a estar entre sus brazos, besándole. La barba la importunaba, porque no podía sentir toda su piel, pero sí sentía el tacto de sus labios.

Él los separó y, al notar que ambas lenguas se tocaban, Cay casi se le echó encima. Levantó el cuerpo y se apretó contra él, tirándole casi al suelo.

Fue Alex quien la atajó.

—No, niña —dijo, con dulzura—. Eso no lo voy a poder soportar. Un beso está bien, pero esto puede llevarnos a otras cosas que sé que tú no quieres.

Cay dejó caer la espalda contra un árbol, con el corazón latiendo desbocado en su garganta.

—¿Cómo sabes qué quiero?

Él no respondió, simplemente siguió ahí sentado, con la respiración acelerada, intentando calmarse.

—Alex, hueles bien. Tienes naranjas en tu aliento y te juro que aún huelo el jazmín de tu pelo. Eres... —Cay se volvió y lo miró fijamente a los ojos.

Él soltó un gruñido mucho más fuerte que el de cualquier caimán y se levantó.

—Me vas a volver loco, niña. No debería haber introducido el pecado entre nosotros, pero he que admitir que te está resultando fácil aceptarlo.

—¿Acaso no es eso lo que dice el pastor cada domingo? ¿Qué todos aceptamos fácilmente el pecado cuando tenemos la oportunidad?

—Pues tú te has adaptado mejor que la media. Y ahora, deja de mirarme así. ¿Cómo voy a poder mirar a T. C. a la cara si te devuelvo impura y con el corazón roto?

Ella se levantó, se acercó a él, le puso la mano en el pecho y lo miró.

—¿Vas a destrozarme el corazón, Alex?

—Hay otras partes de tu cuerpo que he de esforzarme por no destrozar. ¡Venga! Tenemos que llevarle la fruta a Eli.

Sonriente, Cay recorrió ante él el pequeño sendero que habían abierto campo a través en la hierba para regresar al campamento. Alex le había dicho que sentía haber introducido el «pecado» en sus vidas, pero, a pesar de cómo quisiera llamarlo él, ella estaba contenta con los besos. Solo deseaba que le hubiera dejado acabar alguno.

Los demás les estaban esperando ya en el campamento y

Tim tenía mucho que comentar sobre cuánto habían tardado en recoger las naranjas. Eli y el señor Grady no dijeron mucho, pero Cay vio que la miraban de un modo algo extraño. La muchacha se sentó junto al fuego y observó a Eli cortando a cuartos con manos rápidas y expertas las naranjas que echaba, piel incluida, a la cazuela con los pájaros.

Cay estaba tan cansada que pensó que caería dormida antes incluso de que estuvieran guisados, pero sabía que Alex la despertaría. Mientras empezaba a dar cabezadas, pensó que Alex siempre cuidaba de ella.

Pero se despertó cinco minutos después con la picada de un mosquito, seguida de otra, y de otra más. Empezó a darse manotazos en las manos y en el cuello, incluso hasta en la cara, y finalmente se levantó de un bote y empezó a agitar los brazos en un intento de mantenerlos apartados. Eli seguía cocinando tranquilamente, aparentemente ajeno a los insectos traicioneros.

—A mí no me molestan —dijo él.

—Prueba con esto —le aconsejó el señor Grady, ofreciéndole una caja metálica redonda con un ungüento espeso—. Refriégatelo por la cara y el cuello. Debería funcionar.

Se puso un poco en las palmas, se las frotó y se extendió el ungüento por la cara, el cuello y el reverso de las manos. Solo el olor le bastó para empezar a relajarse.

—¿Qué es?

—Lo hace mi madre —respondió el señor Grady, encogiéndose de hombros—. Una especie de aceite, con lavanda y algo más. Si te funciona, te daré la receta.

—Gracias —le dio tiempo a decir, pero Alex la cortó.

—A nuestra madre le gustará, ¿verdad, hermanito?

—Mucho —dijo Cay, mirando al señor Grady. El resplandor del fuego le hacía brillar los ojos y agudizaba el sombreado de los hoyuelos de sus mejillas. Era un hombre muy guapo y Cay no podía dejar de pensar en su linaje. Era un Armitage.

—¿Quieres comer algo? —le preguntó Alex, bruscamente.

—Claro. —Reluctante, apartó los ojos del señor Grady... De Jamie.

—¿Un pecado al día no te basta? —le dijo Alex al oído cuando Grady se hubo alejado—. ¿Qué diría tu madre?

—Mi madre es una mujer muy práctica. Me diría que me metiera en su tienda si así conseguía casarme con un Armitage. Es al delincuente, al que no me dejaría besar.

Se arrepintió de sus palabras tal como las dijo. Lo único que pudo ver en el rostro de Alex fueron sus ojos, pero reconoció en ellos el dolor.

—Muy bien —dijo él, alejándose de ella—, mis bendiciones.

Cay vio que Alex se alejaba del campamento y desparecía entre los frutales. Miró las aves asadas con deseo, esas pieles recubiertas de la salsa de naranja, y volvió a mirar hacia el sendero. Estaba cansada y hambrienta, pero había herido los sentimientos de Alex y tenía que arreglarlo.

Eli resolvió su dilema pasándole un plato de latón con dos pájaros asados.

—Llévaselos —le dijo con voz suave.

Cay se reprimió a tiempo para no darle a Eli un beso de gratitud en la mejilla. Con el plato en las manos, se aventuró tras Alex en la oscuridad.

—¿Por qué le da a él el primer plato? —oyó preguntar a Tim—. ¿No tendría que hacerle volver aquí para comer?

—Siéntate, chico —le respondió Eli—, y ocúpate de tus asuntos.

Cay no tardó en encontrar a Alex. Estaba de pie bajo el árbol donde habían estado juntos hacía un momento.

—Te he traído comida.

—Pensaba que estarías compartiéndola con don Armitage.

Cay se sentó en el suelo, a los pies de Alex, arrancó una pata a uno de los pájaros y comenzó a comer.

—Es fantástico. Qué extravagancia, poder comer todas las

naranjas que queramos. ¿Crees que nos habremos hartado de ellas al final del viaje? —Puesto que Alex no respondía, añadió—: ¿Qué te molesta tanto de él?

—Él no me molesta. Eres tú.

—Pero ¿qué he hecho?

Alex se sentó delante de ella y se puso a comer.

—Es el dinero.

—¿El dinero que tiene?

—No —replicó Alex—. Que quieras casarte con él por el dinero.

—Tú lo hiciste —le espetó ella, preparándose para el arranque de rabia que no llegó.

—No, yo no. Lilith no era lo rica que la gente creía.

—Cuéntamelo, por favor —dijo Cay.

—Lilith era la acompañante pagada de una vieja rica cargada de odio, Annia Underwood. La vieja arpía había despachado hasta a sus familiares más codiciosos y estaba sola. Pero no quería que todo Charleston lo supiera y, por eso, contrató a Lilith para que trabajara para ella y contó a la gente que era su biznieta.

—¿Se portaba bien con tu esposa?

—En absoluto, pero Lilith la aguantó hasta que me conoció a mí. A la vieja, le dije unas cuantas cosas que la hicieron reprimirse un poco. Estaba enfadada porque Lilith la dejara para vivir conmigo tras la boda, que, dicho sea de paso, pagué yo.

—¿Enfadada, hasta qué punto? ¿Lo bastante para asesinarla?

—Si hubiera querido matar a alguien, habría sido a mí, y no a Lilith.

Cay lo miraba a través de la oscuridad, con el rugido de los caimanes por todo su alrededor.

—Yo no soy abogado —dijo—, pero si Lilith no era tan rica como la gente creía, ¿no elimina eso tu móvil para matarla? Si se lo hubieras contado a tu abogado...

—¿Y crees que no lo hice? —Prácticamente le gritó—. ¿Crees que no se lo conté todo al abogado? Pero fue a comprobarlo con la vieja señora Underwood y ella mantuvo su mentira. Le dijo que Lilith era su biznieta, que era su heredera y que, por eso, yo me había casado con ella. Le dijo que había matado a la pobre criatura para intentar quedarme con la herencia. Le dijo incluso que había advertido a Lilith sobre mí... Pero esa última parte al menos era cierta.

Respiró hondo y se serenó.

—La verdad era que la anciana codiciaba cada miga de pan que le daba a Lilith. Las ropas caras que Lilith vestía eran solo una puesta en escena delante de la ciudad, no producto de la generosidad de la mujer.

Cay rumió lo que le acababa de decir.

—Entonces ¿por eso cuando te menciono las glorias de Jamie Armitage te entran ganas de salir corriendo al bosque y no quieres hablar con nadie?

Estaba oscuro, pero Cay notó que él se relajaba.

—Sí, niña, por eso.

—¿Ni siquiera te pasó por la cabeza que si hablaba con tanta dulzura de Jamie era para darte celos?

Se quedó quieto, con un ala del pájaro camino de la boca.

—No, te puedo asegurar que ese pensamiento jamás me ha cruzado por la mente.

—A veces —dijo ella, limpiándose la boca—, uno tiene que mirar a su alrededor en lugar de quedarse estancado en el pasado. —Miró el plato repleto de huesos—. Me siento mucho mejor y me voy a ir a la cama. Cuando vuelvas, ¿podrás traer los platos?

No había dado ni cuatro pasos cuando él le puso la mano en el hombro y le obligó a volverse para que le mirara a la cara.

—Siempre me haces sentir mejor —le dijo, enterrándole la cara en el cuello—. Agarras las peores cosas de mi vida y las conviertes en algo soportable.

—Alex —le susurró ella—. Hazme el amor.

—Niña, no puedo hacer eso.

—Hoy he estado a un segundo de la muerte. Cuando te conocí, tú estabas a un día de la ejecución. Tu Lilith no vivió para tener su noche de bodas.

Él se llevó los dedos a los labios.

—No soy un hombre completo. Lo que me han hecho me ha arrebatado una parte de mi interior. No puedo ser el hombre que tú quieres.

—Y nunca seré la mujer que tú perdiste, así que estamos empatados.

Y dando un empujocinto a Alex, retrocedió un paso y se dispuso a volver al campamento, pero él la agarró.

La tomó entre sus brazos y ella se puso de puntillas para besarle. Por un momento, él la miró a los ojos, intentando averiguar si la muchacha estaba segura de aquello. Al segundo siguiente, su boca se posó en la de ella de un modo que ella jamás había experimentado. Cay solo había intercambiado unos cuantos besos castos con sus pretendientes, y un par con Alex, pero nunca había sentido lo que estaba sintiendo ahora.

Las manos de Alex bajaron por la espalda de Cay y lo exploraron todo, tocándole los brazos, la nuca, el cabello.

—¿Sabes que me has vuelto loco desde el mismo día en que te conocí? —le murmuró él mientras le besaba el cuello.

Cay echó la cabeza hacia atrás y levantó la barbilla para que él tuviera mejor acceso.

—Me odiabas.

—Parecías un ángel con aquel vestido. Me pregunté si habría muerto y tú me estabas esperando para llevarme al cielo.

—Alex, me gusta.

El escocés le mordió la parte sensible de su cuello y, al ver que sus rodillas cedían, se inclinó y la levantó, asiéndole las piernas con los brazos. Con delicadeza, la depositó sobre la hierba y empezó a desabrocharle la camisa. Debajo tenía el vendaje para ocultar el busto, pero Alex la incorporó y pronto le hubo quitado las vendas y la camisa.

Cuando los labios de Alex rozaron sus pechos, Cay resolló.

—No tenía ni idea... —murmuró. Las manos y la boca de Alex parecían estar en todas partes y la ropa de Cay desaparecía de su cuerpo con suaves movimientos. Una vez desnuda, Cay tiró de él, pero él se hizo atrás.

—Quiero mirarte, quiero ver la piel que llevo tanto tiempo deseando.

Era pequeña y su cuerpo estaba firme de sus días de ejercicio. Él le acarició los muslos, el estómago y subió de nuevo hasta el cuello.

—No había visto nunca una mujer tan bella —dijo.

—¿No parezco un chico? —Le había puesto las manos en la nuca, aferrándole, los ojos clavados en los suyos.

Una risilla fue toda la respuesta de él.

Insegura, Cay bajó la mano por el pecho de Alex.

—¿Puedo tocarte?

—Claro —dijo él, con voz ronca—. Puedes tocar cuanto quieras, donde quieras.

Sonriendo, ella comenzó a desabrocharle los botones de la camisa y, acto seguido, le escurrió la mano dentro. Tenía mucha más musculatura de la que ella había imaginado y pensó que, aquella primera noche, se había hecho una idea de él y que jamás la había cambiado. Lo había concebido como un hombre mayor y delgado, y habían estado tan ocupados desde entonces que ni siquiera se había fijado en que él había ganado peso.

Le descubrió los hombros e hizo correr las manos sobre el vello de su pecho, bajando hasta la cintura.

—Ah, niña —susurró él—. Eres tan bonita...

Ella no podía dejar de sonreír mientras empezaba a desabrocharle los botones laterales de los pantalones.

Cuando estuvo desnudo y a su lado, clavó la mirada en su rostro y le acarició la barba.

—¿Tienes cicatrices ahí debajo?

—Solo mi corazón soporta las cicatrices de mi vida —dijo, y comenzó a besarla de nuevo. Le mordisqueó las orejas y volvió al cuello. Siguió adelante, sus labios tiernos y cálidos sobra la piel de la muchacha que se arqueaba bajo sus brazos.

—Por favor —dijo ella—. Por favor, hazme el amor.

La mano de Alex fue más abajo y ella jadeó al notar su tacto entre las piernas. Lentamente, se colocó sobre ella, abriéndole los muslos con las manos para deslizarse entre ellos.

—Me da miedo hacerte daño.

—Pero ¿y la pasión? —le citó ella, con las mismas palabras y el mismo tono exacto que él había utilizado una vez.

—¿Quieres pasión, niña? —le preguntó él, con los ojos centelleantes.

—Sí, oh, sí.

—Entonces, no voy a reprimirme más.

En cuestión de un segundo, Alex pasó de ser el amante tierno y cuidadoso a un hombre abandonado al deseo por la mujer que tenía debajo. Sus besos ganaron exigencia, tomando de ella todo lo que quería. Sus manos se agarraron a su cuerpo con una intensidad desconocida para ella... Y ella le respondió igual.

Cuando la lengua de Alex buscó la suya, ella se abrió a él y le devolvió el mismo impulso. Era como si toda la vida hubiera tenido algo atrapado en su interior y las manos y los labios de Alex lo estuvieran liberando. En algún rincón de su mente, pensó: «Así que esto es lo que significa la pasión.» Y supo que ninguno de los hombres que había conocido hasta entonces habría sido capaz de hacerle sentir lo que Alex hacía correr por sus venas. Alabado fuera el Señor, pero realmente se sentía como si le hirviera la sangre.

Cuando la penetró, reprimió un grito de dolor en sus labios y el dolor pronto dio paso a una agradable sensación en su interior. Lo agradable pronto se convirtió en algo distinto cuando empezó a notar que su cuerpo parecía necesitar algo.

No sabía qué era, pero sentía como si fuera a morir si no lo conseguía.

—Alex —susurró—. Alex, Alex, Alex.

Alex había hundido el rostro en el cuello de Cay. Ella se aferraba a él, con las manos en su espalda empujándole hacia sí una y otra vez. Las embestidas se tornaron cada vez más rápidas y profundas hasta el punto en que casi deseaba gritar de anhelo.

Con él en su interior, cerró las piernas alrededor de él y sintió el latido de su masculinidad, como oleadas de placer que se hubieran adueñado de todo su cuerpo.

Se apretaba contra él firmemente y, cuando Alex se retiró, ella no podía soltarle. Él le recostó la cabeza sobre su hombro musculado y ambos yacieron juntos, acurrucados, sus cuerpos sudorosos. Olían las naranjas a su alrededor, oían a los animales.

Le pareció demasiado pronto cuando Alex le dijo:

—Tenemos que volver.

—Un minuto. Quiero estar aquí tumbada.

—Tú quieres una luna de miel —replicó él—. Eso es lo que una mujer se merece.

Incorporándose sobre un codo, lo miró fijamente.

—Pues ayúdame, Alex McDowell, si me dices que te arrepientes de esto, yo...

—¿Qué?

—Haré que te arrepientas.

Sonriendo, se acercó, la besó en los labios y volvió a reposar la cabeza de ella sobre su hombro.

—No, niña, no me arrepiento de nada. Era lo que necesitaba. Ha sido...

—¿Lo mejor que has tenido nunca?

Alex sabía que ella estaba bromeando, pero no pudo seguirle la broma.

—Sí —dijo, sinceramente—. Has sido la mejor. Pero, ahora, prométeme una cosa.

—¿Qué? —preguntó, con aire de ensueño. Su imaginación esperaba que él le pidiera amor eterno.

—Que no vas a volverme loco preguntándome por las demás mujeres de mi vida. Y ahora levántate, vístete y volvamos antes de que manden al joven Tim a buscarnos. No me gustaría que te viera así.

Cay ignoró la mayor parte del mensaje, mientras se levantaba para vestirse.

—¿Qué otras mujeres? ¿Con cuántas has hecho... esto? Alex gruñó.

—No con tantas como tu tono sugiere.

—¿Qué significa eso?

—Niña, tienes que recordar que, para los demás, soy tu hermano, así que, por favor, mañana no cometas el error de preguntarme por otras mujeres. ¡Y no me beses!

—¿Te crees que me voy a morir de deseo? Me parece que va a ser todo lo contrario.

—Lo único que te pido es que hagas un esfuerzo.

—Ya veremos quién es el que necesita una lección de comportamiento —replicó ella, mientras se ponía la camisa sobre el vendaje de los pechos.

—Que pena —dijo Alex con un suspiro, viéndola abotonarse la prenda—. Esconder tanta belleza es una ofensa.

Cay se esforzó por mantenerse soberbia, pero no pudo. Al mirar a Alex, recordó lo que acababan de hacer y, enseguida, se lanzó a sus brazos y volvieron a besarse.

Él le acarició el pelo.

—No será fácil para ninguno de los dos mantener el papel, pero debemos hacerlo. Ni nos tocaremos ni nos miraremos. Y, ahora, dame un par de besos más y volvamos.

—Tres.

Seis besos después, Alex la tomó de la mano y regresaron al campamento con los demás.

—Y en la tienda no puede pasar nada —le susurró—. No podemos arriesgarnos a que nos oigan.

—Prometo no tocarte —dijo Cay—, pero no puedo poner la mano en el fuego por ti, ya que tus manos no paran de rondar a traición.

—¿En serio?

—Sí, en serio.

Alex se inclinó con la intención de volver a besarla, pero escucharon una voz y se irguieron. Con una mirada lastimera, Alex le soltó la mano y entraron en el campamento.

19

Habían pasado tres días desde que habían hecho el amor por primera vez y Cay estaba sentada a la orilla de una pequeña laguna, con los pies colgando y las piernas desnudas. Iba solo con la camisa y el pecho de la camisa desabotonado. Alex estaba a tan solo unos pasos de ella, sosteniendo unas bolsas de piel alargadas en el pequeño torrente de agua fresca que surgía de una roca. Vestía solo sus calzones, con el torso desnudo. Ella le miró la espalda, observando el movimiento de su piel sobre sus músculos y le entraron ganas de tocarlo, de pegar su boca a la suya, de hacer todas esas cosas que habían estado haciendo los últimos días.

La mañana de su primera noche juntos, Alex le había dado una charla sobre la posibilidad de la concepción.

—Entonces, tendrás que casarte conmigo —dijo Cay.

A tal respuesta, él solo supo reaccionar con un parpadeo.

—Pero ¿y si no puedo limpiar mi nombre? No puedes vivir con un malvado toda la vida. Tendré que regresar a Escocia.

Cay decidió ponerle tan poco entusiasmo como él, de modo que no hizo ningún comentario más sobre la idea de casarse.

—¿Crees que podrías convivir con el clan de mi padre, el clan McTern?

Él le sonrió.

—¿Te has enamorado de mí, niña?

Ella no quería revelar lo que sentía por él, pero lo cierto era que no estaba nada segura de sus sentimientos. Toda la vida había sabido lo que quería y qué clase de hombre era el de sus sueños, pero Alex estaba muy lejos de ese prototipo. Por otra parte, disfrutaba enormemente de su compañía.

Sin embargo, también tenía que pensar en Lilith. Hasta donde Cay sabía, Alex la consideraba la mujer perfecta. No tenía defectos, ni ningún rasgo de personalidad molesto como el resto de los mortales. A ojos de Alex, Lilith era el paradigma de lo que deberían ser todas las mujeres. El hecho de no saber casi nada de ella parecía no haberle importado.

Cay sabía que aunque ella y Alex hubieran pasado por todo aquello juntos, aunque llegaran a casarse y tener una docena de hijos, ella nunca podría reemplazar los recuerdos de su primera esposa. La maravillosa, bella y perfecta Lilith siempre estaría entre los dos. La mujer que él había perdido. El gran amor de su vida. La mujer de la que se había enamorado a primera vista.

Cay dibujó con un palo el nombre de Lilith en el barro de la orilla de la laguna y, acto seguido, pasó el palo por encima trazando profundos surcos.

—Ya están llenas —anunció Alex, con una bota de agua en cada mano.

Al levantar la vista, no pudo evitar reírse. Iba con su precioso cuerpo casi desnudo, pero su cara seguía cubierta por una gran mata de pelo descuidada.

—¿Qué te hace tanta gracia, niña? —Se acercó a ella por encima de las rocas, dejó las botas en el suelo y comenzó a vestirse. A su alrededor, los caimanes seguían emitiendo sus profundos bufidos y los pájaros se acomodaban en los árboles para pernoctar. Al caer la noche, todos los árboles estarían tan repletos de aves que apenas se verían las hojas. Las tiendas ya estaban listas y Eli, el señor Grady y Tim les esperaban en el campamento.

—Tú y esa barba. ¿No te parece que ya va siendo hora de que te afeites? —Al sentarse a su lado, Alex le puso una mano detrás de la cabeza y le besó los párpados—. ¿O acaso ocultas algo ahí debajo? A lo mejor no quieres que vea lo feo que eres. ¿Es eso?

—¿Cómo voy a competir con el señor Grady?

Cay se alejó de él refunfuñando.

—No empezarás otra vez con eso, ¿verdad?

—¿Cómo no quieres que empiece? —protestó él—. En la barca te pasas el día diciendo «señor Grady esto, señor Grady aquello». No paras. ¡Y cómo lo miras! Te lo juro, niña, hoy he estado a punto de echar al hombre por la borda.

—¿En serio? —Cay sonreía—. No tienes motivos para estar celoso. Es mi jefe y tengo que complacerle.

—¿Complacerle?

—Con mis dibujos. Le gusta lo que hago, ¿verdad?

—Me parece que le gustan demasiadas cosas de ti —murmuró Alex.

—Pues si le gusto y cree que soy un chico no dice mucho de su hombría, ¿no?

—A cuento de eso, no estoy muy seguro.

—¿De qué?

Alex se levantó para acabar de vestirse.

—De que crean que eres un chico.

—No puedes estar pensando que saben que soy...

—No estoy seguro. No parece importarles que tú y yo nos escabullamos durante horas cada noche para intentar satisfacer tu insaciable lujuria.

Ella empezó a defenderse pero acabó riéndose y estiró las piernas desnudas hacia delante.

—En cuanto a eso, creo que tienes que esforzarte más. Y más a menudo. Sí, mucho más.

—No creo que pueda —replicó Alex, mirándole las piernas—. De hecho, niña, creo que me tienes extenuado. Además de los mañaneros silenciosos, los rápidos y ruidosos cuando nos escabullimos durante el día y los largos y lentos de las noches, no creo que pueda hacer mucho más.

—¿No? —Le subió la mano por la pierna, curvando los dedos en la pantorrilla, siguiendo hacia arriba para acariciarle el muslo firme y duro de toda una vida a lomos de un caballo.

Cuando llegó a las ingles y movió la mano hacia el centro de sus piernas, él se dejó caer de rodillas y la besó.

—Creí que no podías hacer más.

—Puede que algo más sí —dijo él, y Cay soltó una risilla.

Tres semanas, pensó Cay levantando la vista del dibujo en el que trabajaba para mirar a Alex. Estaba delante del timón de la barcaza y, en la imaginación de Cay, él era quien pilotaba. Para el caso, ella solo le veía a él.

En las últimas tres semanas, habían hecho muchas cosas y muchas otras habían cambiado. Para empezar, el cuerpo de Cay se había fortalecido. Ni el señor Grady, ni Alex, ni Eli habían rebajado la exigencia física. Al principio, le había costado acarrear las cajas, pero ahora casi podía correr con ellas hasta el campamento. Incluso la caja más pesada, le resultaba fácil de levantar. Una noche, mientras ella y Alex yacían en su tienda, él le levantó los brazos y admiró los músculos que estaba desarrollando.

—Pronto serás un chico de verdad.

—Yo te enseñaré quién es un chico —le dijo, montándose sobre él.

Con los sonidos que emitían los caimanes, los pájaros y las ranas, no se molestaban en disimular sus propios ruidos. En algunas ocasiones, Alex le había tapado los labios con los suyos para silenciarla, pero, la mayor parte del tiempo, hablaban y reían sin temor a que les escucharan.

Al final de la segunda semana, hicieron un alto en una plantación y ella y Alex se escabulleron a explorar. La casa grande

232

se erigía sobre una colina con vistas al río y el señor Grady se había impuesto dedicar un tiempo obligado al dueño.

—¿Crees que estas tierras son de su padre? —preguntó Alex.

—Probablemente —respondió ella, con una mirada de soslayo—. Cuando mi madre sepa que he estado a solas con un Armitage y que no he aprovechado el tiempo, me despellejará viva.

—¿En serio? —dijo Alex—. ¿A esta piel, te refieres? ¿A la que llevas puesta?

Ella le quitó la mano del interior de su camisa, pero sus ojos le dijeron que más tarde estaba dispuesta a hacer todo lo que a él le pasara por la cabeza.

El dueño de la plantación había limpiado de hierbajos y arbustos un campo de naranjos, y había dejado solo varios centenares de árboles. Tenían un huerto enorme, florido a pesar de estar en invierno.

—El calor y los insectos acaban con todo en verano —les había contado el jefe de jardineros—. Tener huerta aquí es una ingenuidad.

Estaban rodeados de campos de índigo, todos ellos atendidos por esclavos.

—Mi padre está de acuerdo con el presidente Adams —dijo Cay—. No tendría que haber esclavitud en nuestro nuevo país.

Alex miró los campos.

—Me parece que todo esto tiene mucho más que ver con el dinero que con la humanidad.

Tras un reconfortante desayuno, partieron temprano a la mañana siguiente y Cay se alegró de volver a la barcaza. Le gustaba el grupito, a excepción de Tim, porque seguía haciendo todo lo posible por hacerla sentir mal. Cada vez que el señor Grady elogiaba uno de sus dibujos, Cay sabía que tendría que aguantar un arrebato de envidia del muchacho. Durante la primera semana, tuvo que comprobar su lecho cada noche para asegurarse de que el chico no le hubiera metido nada malo. Encontró tres plantas que le habrían garantizado una buena erupción, dos serpientes (no venenosas) y seis clases diferentes de bichos asquerosos.

A Cay le habría gustado que Alex saliera en su defensa y le parara los pies a Tim, pero él se había limitado a encogerse de hombros.

—Son la clase de cosas que los chicos suelen hacerse.

—Me parece que es hora de que los machos acabéis con estas historias. Aquí y ahora. Si algún hombre se tomara la molestia de evitar que los muchachos se torturen entre ellos, al final, se convertiría en lo normal para todos.

Alex la miró como si estuviera loca.

—¿Y las mujeres sois mejores? Cuando os enfadáis, no os pegáis, pero no paráis de hablar entre vosotras.

—Sí, bueno... —Cay levantó la cabeza—. Eso es mejor que meterle un bicho en la cama a alguien.

—Ah, ¿sí?

Cay no quería discutir con él. Solo quería que el terrible Tim dejara de hacerle cosas desagradables. Decidió hablar de ello con el señor Grady, pero el hombre no quiso ni escucharla.

—Yo no puedo inmiscuirme en peleas de chiquillos —le respondió, dejándola atrás.

Frustrada, Cay decidió resolverlo por sí misma. Trataría a Tim como a uno de sus hermanos, en concreto, Tally.

La primera vez que había visto una serpiente deslizándose por su tienda, se había tenido que tapar la boca con el puño para no gritar... Y Alex se había encargado de ella. La había pisado, la había agarrado justo por detrás de la cabeza y la había lanzado colina abajo. La segunda vez que había visto a una serpiente metiéndose en su tienda, Alex también la había capturado y la había echado. Pero la tercera vez, Cay no molestó a Alex. Hizo lo mismo que él, la pisó con la bota, la agarró por la cabeza, la bajó hasta el río y la tiró dentro. Cuando volvió al campamento, se encontró a los tres hombres mirándola fijamente.

—¿Qué? —preguntó ella.

—Era una mocasín de boca blanca —dijo Grady.

Incluso ella sabía que eran extremadamente venenosas.

—La próxima vez, llámanos a nosotros —le advirtió el señor Grady.

Pero Cay no llamó a nadie para ocuparse de la siguiente, ni de la de después. Lo que sí hizo fue consultar los libros del baúl de T. C., dibujó las más venenosas y las memorizó.

Al final de la segunda semana, tomó prestado un cuenco enorme de Eli, lo llenó de serpientes pequeñas no venenosas y una noche lo vació al pie del lecho de Tim. El muchacho no estaba acostumbrado a que Cay lo molestase, así que no se dio cuenta de su venganza hasta que las tuvo enrolladas en las piernas. Al oír los gritos del muchacho, tumbada en la tienda junto a Alex, sonrió, y él le preguntó qué le había hecho al «pobre Tim».

—Darle su propia medicina —dijo ella, y empezó a besarlo antes de que pudiera hacerle más preguntas.

Después de eso, fue como si se hubiera declarado una guerra. Un día vio la cabeza de un caimán en el agua, sin cuerpo, la arrastró por la colina, la escondió entre los arbustos y, a la mañana siguiente, antes del alba, la deslizó parcialmente bajo la tienda que Tim y Eli compartían. Cuando Alex se despertó con los gritos de Tim, miró a Cay, que yacía apaciblemente a su lado, y le dijo:

—Pero ¿qué le has hecho ahora a ese pobre muchacho?

Ella se limitó a sonreír.

Tim empezó a tener más cuidado con las bromas que le gastaba. Entendió que si le hacía algo, obtendría su contrapartida.

Para Cay, lo único que equilibraba su disgusto por Tim era su creciente agrado por Eli. Tardó varios días en darse cuenta de que había dado injustamente por hechas algunas cosas de él que distaban mucho de la realidad. Había asumido que Eli se había pasado la vida cocinando para otros, pero no, había estudiado para ser abogado.

—Cuando era abogado, tenía que enfrentarme a demasiado odio —le contó un día a Cay—. La gente se gritaba con odio, de modo que cuando mi cliente, aquí el joven Grady, me dijo que quería explorar, cerré mi bufete y me vine con él. Y no he vuelto a mirar atrás.

Cay sabía que si había trabajado para los Armitage, tenía que haber sido un muy buen abogado.

—Entonces ¿usted no quería un hogar y una familia?

Cay vio que los ojos de Eli perdían brillo, pero el hombre apartó la mirada y no añadió nada más.

Más tarde, Cay preguntó al señor Grady qué había ocurrido.

—No creo que le haga gracia que te lo cuente, pero su mujer y su hijo murieron de viruela. Nunca volvió a casarse.

Después de eso, Cay veía a Eli de un modo diferente y, al sorprenderlo leyendo un libro de Cicerón, sonrió. Conocía a alguien que deseaba un marido.

La tercera semana, sacaron media barcaza del agua y emprendieron el camino a pie, tierra adentro, para visitar unas ruinas sobre las que el señor Grady había oído hablar. Él y Alex cargaron con el equipo de exploración y Cay metió el papel y los lápices en una bolsa, mientras que Tim y Eli eran los encargados de acarrear los utensilios de cocina. Alex no dejaba nunca de cumplir con su obligación de conseguir comida, por lo que Tim tuvo que cargar también con el enorme pavo que Alex cazó.

Cay no pudo resistir la tentación de decirle a Tim que las plumas le quedarían muy bien en un sombrero. El punto era que dejaba entrever que sería un sombrero de mujer.

Cuando llegaron al viejo fuerte que el señor Grady quería mapear, Cay se sentó y empezó a dibujar. La fortaleza había sido construida por los españoles y, aunque estaba en ruinas, todavía quedaba una torre con paredes de unos nueve metros de altura. Cuando Cay tuvo unos cuantos dibujos hechos, ella y Alex se dieron una vuelta para ver el viejo fuerte.

—Me gustaría hacerte el amor aquí y ahora —le susurró Alex, pero cuando se estaba inclinando para besarla, una enorme roca cayó de lo alto del viejo muro y aterrizó a solo unos centímetros de Cay. Alex miró hacia arriba a tiempo para captar un destello blanco, que identificó enseguida como la camisa de Tim. Alex echó a correr de inmediato y, minutos después, retumbaron sus gritos en el bosque.

—Una cosa es hacer travesuras y la otra intentar matar a alguien —oyeron todos que le decía al chico.

Cay, que había vuelto a su bloc de dibujo, miró al señor Grady, pero él no la estaba mirando. Era su responsabilidad abroncar a Tim por haber hecho algo tan peligroso, pero cedió el honor a Alex.

Durante tres días, pusieron a Tim a limpiar cacharros y a buscar leña para el fuego.

Por la noche, después de la cena, Eli, que había estado varias veces en Florida, les hablaba de sus otras visitas y relatos que le habían contado a él. Refirió una historia de una tribu de indios que tenía unas mujeres extremadamente hermosas.

—Las más bellas que se hayan visto —dijo el hombre—. Sus cabellos, sus ojos, sus cuerpos... Lo más bello que existió sobre la tierra. Y eran tan buenas y agradables como celestiales a la vista.

Siguió hablando de los primeros exploradores que dieron con ellas. Los hombres habían salido de caza, se habían perdido y estaban a punto de morir cuando vieron a las mujeres, a las que llamaron Hijas del Sol. Las mujeres cargaron a los cazadores de provisiones y les dejaron descansar, pero al atardecer les dijeron que tenían que partir; que sus maridos eran feroces guerreros y que les matarían si les encontraban allí. Pero los hombres no querían marcharse, así que siguieron a las mujeres hasta su poblado, que se vislumbraba en la distancia. Pero por más que lo intentaban, los cazadores no lograban nunca llegar a la aldea. Cuando pensaban que ya estaban cerca, volvía a desaparecer en la distancia. Al final, los cazadores abandonaron y volvieron al establecimiento comercial con su historia.

—A lo largo de los años —añadió Eli—, han sido muchos los que han intentado encontrar la aldea de las Hijas del Sol, pero nadie lo ha conseguido.

Al terminar la historia, Cay le entregó a Eli un dibujo de una mujer de una belleza increíble.

—¿Crees que tendrían este aspecto?

Eli miró el dibujo con los ojos como platos, prendado.

—Creo que sí. ¿Es alguien a quien tú conoces o te la has imaginado?

—Es mi madre —dijo Cay, con melancolía en la voz. Le gustaba estar en la selva, pero echaba de menos su casa y a su familia.

Al día siguiente, se detuvieron pronto y el señor Grady les llevó a un pequeño poblado indio. Cay no sabía qué esperarse, pero, desde luego, no el lugar limpio y ordenado que encontró. Los niños corrieron hacia ellos y Cay deseó tener algún dulce para darles. En un extremo, había una casa grande donde vivía el jefe de la tribu con su familia y donde se celebraban las reuniones. Alex, el señor Grady y Eli fueron invitados a pasar, pero Tim y ella tuvieron que esperar fuera.

Lo primero que descubrió Cay fue que los indios sabían que era una mujer. No tenían ideas preconcebidas sobre los rituales estilísticos del hombre blanco, por lo que no tuvo en ellos ningún efecto el disfraz masculino de Cay. Entre risas, la mujer del jefe la metió con ella en una casita, pero, a Tim, no le permitieron la entrada. Obsequiaron a Cay con unas cuantas tortas de maíz y un cuenco de leche fresca. Una mujer mayor, que hablaba un poco de inglés, le preguntó quién era su marido. Cay respondió que «Alex» a bote pronto. Todas asintieron en signo de aprobación, pero una dijo algo acompañándose de un gesto para imitar su barba.

La mujer mayor tradujo:

—Cree que es muy feo y que estarías mejor con el otro. Mucho más guapo.

Cay no pudo contener la risa al tiempo que asentía, pero le dijo a la mujer que el pelo de Alex olía muy bien y que por eso le gustaba. Las mujeres se rieron y, cuando ya se iban del poblado, las mujeres siguieron a Alex de cerca para olerle el pelo.

Alex se lo tomó con buen humor, pero iba echando a Cay miradas asesinas. Eli y el señor Grady no dijeron nada, pero al llegar a la barcaza, se echaron a reír.

—¿Qué ocurre? —preguntó Tim, mirando a Cay—. ¿Se ríen porque las mujeres te metieron en su casa? A mí también me pareció bastante raro. Debieron percatarse de que ni siquiera te afeitas aún —añadió, frotándose con orgullo los cuatro pelos de su barba.

Esa afirmación provocó aún más risas en Eli y el señor Grady, y más arrugas en el ceño fruncido de Alex.

Aquella noche, cuando estuvieron a solas en la tienda, Cay intentó apartar el malhumor de Alex, pero no pudo.

—¿Por qué estás tan molesto? —le preguntó, frustrada—. ¿Porque te estaban gastando bromas? ¿Tan fuerte es tu orgullo que no puedes reírte de ti mismo? A las mujeres les gustó el olor de tu pelo. ¿Qué mal hay en eso?

—Que a las mujeres les guste lo que sea de mí no me habría puesto furioso, ha sido... —No terminó la frase porque no quería alarmarla, pero, cada vez estaba más seguro de que Eli y Grady sabían que era una mujer. Y más aún, tenía la sensación de que Grady sabía quién era. Había detalles que Cay no percibía, pero Alex sí. A primera vista, Grady trataba a Cay del mismo modo que al idiota de Tim, pero había ciertos detalles con los que Alex se había quedado. Mientras que Tim bien podía tirar su cuchara al barro y comer sin casi limpiarla, Grady siempre se aseguraba de que el plato y los cubiertos de

Cay estuvieran limpios. Había visto varias veces a Eli y a Grady interceptando a algún insecto o criatura reptante que se dirigía a Cay, sentada y absorta en sus dibujos. Una vez, Grady alargó el brazo por encima de la cabeza de Cay para arrancar un simple hilo de la red que estaba tejiendo una araña porque se estaba acercando demasiado a su cabeza.

Alex también se había percatado de otras cosas menos físicas. Grady hablaba a Cay de un modo distinto. Era cuestión de tono, incluso de vocabulario. Por lo que Alex sabía de su trato previo con los jóvenes ricachones de las plantaciones de Charleston, creía que Grady trataba a Cay como a alguien de su clase. Y Alex había aprendido que uno no puede introducirse en esa clase; había que haber nacido en ella. A pesar de que a los norteamericanos les gustara llenarse la boca afirmando que el nuevo país no era un país de clases, Alex había visto que sí.

Lo que Alex se preguntaba era hasta qué punto sabía Grady. Según Alex, Grady podía haber llegado fácilmente a la conclusión de que Cay era una chica. Caminaba, hablaba e incluso reaccionaba como una mujer. Incluso las inocentadas a las que sometía al joven Tim tenían algo de femenino. Si Cay hubiera sido un chico, a aquellas alturas, Tim ya se habría llevado un puñetazo en la cara.

Lo que Alex temía era que Grady supiera más de Cay por lo que le habían contado que por lo que había podido inferir. Además de que era una mujer, parecía saber también que era de su clase y eso hacía que Alex sospechara que Grady hubiera podido recibir una carta de T. C. o de la familia de Cay relatándole las circunstancias. Y si sabía lo de Cay, también sabría que Alex era un fugitivo.

Tras la visita al poblado indio, Alex se volvió más cauteloso y observó a Grady y a Eli más de cerca. Según pensaba Alex, Eli solo sabía que Cay era una chica, pero Grady parecía saber mucho más. En la vertiente personal, que era lo peor, por lo menos en la mente de Alex, Grady parecía estarle haciendo el juego a Cay. Alex sabía muy bien que no podía confesarle sus temores a ella. Se reiría de él y le diría que estaba celoso, pero Alex no paraba de ver cosas que le molestaban. Por la noche, las historias de Eli eran cada vez más largas, por lo que ella y Cay tenían menos tiempo para escabullirse juntos. Ya iban cuatro veces en que Grady le pedía adentrarse en tierra a buscar algo de caza y traer plantas raras para que Cay pudiera pintarlas. Que Cay estuviera sola con ellos en el bote mientras él estaba atrapado en tierra no era algo contra lo que pudiera luchar sin traicionarse. Moverse a pie entre la espesura de Florida le resultaba extremadamente difícil, y más aún derribar ciervos, cargárselos a los hombros y volver junto a los demás.

—Pensábamos que no ibas a conseguirlo —le dijo Eli la primera vez que Alex regresó al campamento adentrada la noche.

Alex dejó caer el cuerpo del ciervo y miró a Grady, pero el hombre evitó cruzarle la mirada.

Alex se preguntaba qué quería Grady de Cay. Parecía obvio que quería romper el lazo entre Alex y Cay, es decir, que quería evitar que hicieran el amor. Pero ¿por qué? ¿Tal vez porque conocía a la familia de Cay y se sentía responsable de ella? ¿O era porque estaba interesado en unir a su familia con la suya?

—Pones cara de circunstancias —le susurró Cay mientras se metían en su tienda juntos—. ¿Te ha pasado algo con el señor Grady?

—¿Por qué lo preguntas?

—No sé. Quizá porque llevas dos días mirándolo con el ceño fruncido y, cada vez que me habla, me da la impresión de que le vas a pegar con un remo. Me halaga que estés tan celoso, pero me parece que lo que tú y yo hacemos es suficiente para que no tengas ningún motivo para rechazarle.

—Ah, ¿no? —replicó él, con un sonoro susurro—. Cuando salgamos de aquí, ¿con quién es más probable que estés? ¿Conmigo o con el Armitage?

—Calla, te van a oír. El señor Grady no quiere que nadie sepa quién es.

—¿Tú crees que Eli no lo sabe? Si prácticamente le besa el anillo.

—Jamie no lleva anillos.

—¿Qué? —gruñó Alex, acercando los codos hasta que casi se tocaron en el centro de su pecho.

—Nada. Era una broma. Intento animarte. ¿Qué ha pasado para que, de pronto, estés tan enfadado? Creía que lo estabas pasando bien. —Le puso la mano en el pecho y bajó la voz—: Yo lo estoy pasando muy, muy bien.

Él le tomó las manos.

—Y cuando esto termine, eso será lo único que quede.

—¿Qué quieres decir?

—Cuando volvamos a la civilización, tú revelarás tu verdadera identidad a Grady y entonces ¿qué haréis? ¿Confesaros que estáis enamorados y colgar carteles de boda?

Cay le miró, muy seria.

—Cada noche, después de hacer el amor contigo, cuando te quedas dormido, me escabullo para ir a la tienda de Grady. Disfrutamos del sexo salvaje toda la noche y, por cierto, es mucho mejor que tú en eso.

Alex dejó ir un suspiro tan fuerte que hasta la lona de la tienda vaciló.

—Eres... Eres... —empezó, pero se le atragantaban las palabras.

—Y el mejor de todos es Eli —dijo, sin un ápice de humor—. Tim no es tan bueno, pero le he estado enseñando lo que he aprendido de vosotros tres. Sobre todo de Eli, claro. ¿Te he dicho que...?

—Basta —le dijo Alex, tomándola entre sus brazos y besándola.

Después, cuando ambos yacían juntos, sudados y saciados, Cay volvió a insistirle en que no debía tener celos del señor Grady.

—Aunque él es mucho más guapo que tú —añadió, con los dedos enredados en su barba—. Hasta la india lo dijo. ¿Vas a quitarte algún día este nido de correlimos?

Alex le tomó la mano, le besó la palma y se la puso en el pecho.

—Lo que me importa no es el aspecto. Es que Grady es como un duque y tú eres una princesa.

Cay se rio, pero Alex no.

—Hace una semana que no me baño y me paso el día cargando cajas de arriba abajo. No veo nada de princesa en mi vida.

—Incluso cubierta de barro, actúas, hablas y te mueves como una princesa. Incluso cuando compartimos la cuchara y el cuenco del estofado, eres una dama.

Cay sabía que debía sentirse halagada ante esas palabras, pero no pudo evitar fruncir el ceño. Algo preocupaba de verdad a Alex, pero no conseguía que se lo contara. El único modo de poder dormirse era convencerse de que la amargura de Alex era normal. Le había acusado injustamente de asesinato y no tenía la menor idea de lo que deparaba el futuro en cuanto abandonaran la privacidad del inexplorado territorio de Florida. Por fin, se quedó dormida, pero pasó la noche inquieta. Igual que Alex.

20

Alex se afeitó.

A la mañana siguiente, Cay necesitaba la única palangana que tenían y, al ver que Alex la estaba usando, ni siquiera llegó a imaginar lo que estaba haciendo.

—Necesito eso —dijo.

La barcaza ya estaba cargada y ella aún no se había lavado ni la cara ni las manos. Como siempre, Eli le había guardado un poco de agua caliente, pero Cay no había tenido tiempo de usarla porque Tim le había hecho una de sus trastadas mañaneras, esta vez relacionada con las púas afiladas de la criatura que Alex le había llevado el día anterior. Cay se salvó de clavarse los afilados pinchos gracias a su mes entero de entrenamiento. Tim había estado sonriendo toda la mañana mientras Cay seguía quitándose púas de la ropa.

Así que, ahora, Alex la estaba sacando de quicio con el monopolio de la palangana.

—¿Desde cuándo te lavas? —le espetó.

—Ya puedes usarla —dijo él, aunque ella apenas le oyó, pues la toalla le tapaba la mitad inferior de la cara.

Al agarrar la palangana, vio el agua jabonosa llena de pelos, pero ni siquiera entonces se dio cuenta de lo que Alex acababa de hacer. Eli y el señor Grady se afeitaban cada mañana, por lo que estaba acostumbrada a los pelos en el agua.

Echó a andar con la palangana en las manos, pero después de dar dos pasos se detuvo y se volvió para mirarle.

Alex todavía tenía la cara cubierta con la toalla y la miraba con timidez, como si temiera incluso mostrarle esa parte de su cuerpo desnuda. Si hubieran estado solos, Cay habría bromeado sobre las partes de él que había visto desnudas.

—A ver qué aspecto tienes.

Él no se movió. Siguió mirándola con la toalla pegada a la cara.

Cay le sonrió con ademán tranquilizador.

—No te preocupes, no me quitarás el aliento. —Se acercó a él y endulzó la voz—. Aunque tengas cicatrices ahí debajo, no me importará. —Lo había dicho con intención de hacerle reír, pero dejó de sonreír al recordar que Alex había estado en la cárcel. No había pensado en lo que podían haberle hecho allí dentro, pero, de pronto, cayó en ello. Le vinieron a la mente las torturas sobre las que había leído en sus lecciones de historia, y que Tally le había reproducido alegremente en voz alta. Apretó el borde de la palangana con tanta fuerza que los nudillos se le pusieron blancos—. Por favor, quítate la toalla de delante —insistió con voz suave al tiempo que se preparaba para lo que iba a ver.

Lentamente y con reticencias, Alex se apartó la toalla de la cara y la miró.

Nada podía haber preparado a Cay lo bastante para ver lo que vio en la cara desnuda de Alex. Era bello. No solo guapo, sino encantador, perfecto, un ángel. Sus ojos azules, tan familiares a los ojos de Cay, la miraban alineados sobre una nariz perfecta. Sus labios, los que tantas veces había besado sin acabar de ver realmente, eran carnosos y con las líneas típicas de los retratos clásicos. Lo más asombroso era que Alex era joven, de menos de treinta, calculó ella, y que no tenía una sola arruga o imperfección en el rostro. Comparado con Alex, el señor Grady era un hombre del montón.

Ella lo observó un momento en silencio, incapaz de hablar por el asombro, y le vinieron a la cabeza todas esas veces que le había llamado viejo y que le había hablado de la belleza de otros hombres. Alex le había mentido por omisión. Recordó las veces que se había burlado de ella, por tantas cosas, pero, al parecer, aquello no había sido nada. Desde el día en que se conocieron, Alex se había regodeado sabiendo que le estaba tomando el pelo. ¡Debió de disfrutar mucho pensando en lo humillada que se iba sentir al descubrir la verdad! Y lo peor de todo era que, incluso haciendo el amor, se había burlado de ella.

Sin pensar en sus actos, Cay le lanzó el agua sucia del afeitado a la cara, dejó caer la palangana al suelo y echó a andar. No sabía hacia dónde, pero lo que no quería era volver a ver a Alexander McDowell nunca jamás.

Él la alcanzó cuando ella ya estaba llegando al río y le puso la mano en el brazo.

Ella se soltó, evitando mirarlo. Se quedó plantada con los brazos cruzados sobre el busto aplanado, mirando fijamente el agua.

—¿Qué ocurre? —preguntó él.

—Lo sabes muy bien. —Tenía los dientes tan apretados que apenas podía hablar.

—¿Tan feo soy que no puedes ni mirarme?

Estiró el brazo con la intención de tocarle el hombro, pero ella se apartó de nuevo.

Cay tensó los brazos y los labios, pero no le miró.

—¡Eres hermoso! —exclamó ella en un tono que hizo que la palabra sonara como una acusación.

Él guardó silencio unos segundos, al cabo de los cuales, dijo:

—¿Soy más guapo que Adam?

Otra vez, volvía a burlarse de ella; la estaba ridiculizando tanto en ese momento que incluso le entraban ganas de pegarle, o al menos gritarle, pero no podía darle esa satisfacción. Si él podía bromear, ella también.

—En absoluto. Ni más guapo que mi padre, tampoco.

—¿Y qué me dices de Ethan?

—Ni por asomo.

—¿Y que Nate?

—Sí.

—¿Soy más guapo que Nate?

—Sí. —Seguía con la mandíbula apretada, y odiaba que él estuviera disfrutando tanto.

—¿Y que Tally?

—Tally tiene cuernos y rabo.

—Será mejor que eche un vistazo.

—¿Un vistazo a qué? —le espetó ella, y cometió el error de mirarle. Era incluso más guapo de lo que pensó al verle por primera vez. Se volvió hacia el río—. ¡No! No me lo digas. Te refieres a si tú también tienes rabo. Para tu información, te he visto el trasero desnudo, y es de lo más común.

—Ah, ¿sí? —dijo él, con la voz teñida de risa.

—¡Basta ya de reírte de mí!

—Perdona, niña, pero es que es la mejor conversación que he tenido en mi vida. Cuando a los nueve años un niño me contó cómo se hacían los bebés, disfruté de la conversación, pero esta es aún mejor.

—Bueno, ¡pues, a mí, no me gusta! Me siento como... Como Eva en el Jardín del Edén.

—¿Quieres decir desnuda?

—¡No! Quiero decir que ahora veo toda la verdad. Pensé que eras mayor. Pensé que tendrías la edad del tío T. C.

—Soy el hijo de su amigo.

—Ahora lo veo, perdona si estaba algo confundida. Perdona que con esa gente disparándome el día que te conocí y el hecho de estar junto a un asesino, se confundieran mis ideas.

La voz de Alex perdió todo ápice de risa y se acercó a ella, pero no la tocó.

—Niña, debiste pensar que no era un hombre mayor. Los mayores no pueden...

—¿Qué? —Se giró de golpe para mirarle y pestañeó ante la belleza de aquel rostro—. Perdona por no tener tanta experiencia como tú y no haber visto bastantes cuerpos de hombre desnudos para poder comparar. Ni tu experiencia en las habilidades amatorias de los viejos en comparación con los jóvenes. Yo...

—Pero ¿y Eli? —le preguntó él, con aire solemne.

Cay no sonrió.

—Te odio. —Y le dio la espalda, con el cuerpo aún rígido.

—¿De verdad?

—¡Sí! Y deja de mirarme así.

—No me estás mirando, así que no puedes saber cómo te miro.

—Lo noto. Me miras de la misma manera que Ethan mira a las chicas.

—Me honra la comparación.

—Mi hermano es buena persona. Tú, Alexander Lachlan McDowell, ¡no! —Y sin volver a mirarle, regresó al campamento.

21

A los catorce años, Alex se había encaprichado de una muchacha que vivía a unos cuantos kilómetros de su casa, pero ella ni siquiera le miraba. Un día, se había ocultado tras unos matorrales y le había saltado al paso. Al ver que ella seguía sin querer saber nada de él, le preguntó por qué. Ella le dijo que era demasiado guapo y que nunca sería fiel a una sola mujer, y por eso ella no quería tener nada que ver con él. Abatido y enojado por la injusticia de tal acusación, Alex volvió a casa y se lo contó todo a su padre. Mac le escuchó con actitud comprensiva y, al final, le dijo que las mujeres tenían maneras de causar a los hombres heridas mucho peores que las de una espada o una pistola. En aquel momento, Alex pensó que lo que le dijo su padre era una absurdidad, pero, en los últimos tres días con Cay, había entendido lo que su padre le había querido decir.

Cay llevaba días sin hablarle ni tocarle. El día que se había afeitado le habían enviado a cazar, con lo que no había vuelto a ver a la muchacha hasta la noche. Mientras perseguía ciervos entre la espesa vegetación de la orilla, corriendo todo el día para poder volver al bote amarrado lo antes posible, Alex se había preparado lo que iba a decirle. Se había imaginado varias conversaciones, todas ellas acabando con Cay entre sus brazos, «perdonándole» por ser guapo. El solo hecho de pensar en el motivo de su discusión, le hacía sonreír.

Imaginó algunas conversaciones enojadas. Pensó en decirle lo injusta que había sido con él. Y, entonces, ella lo reconocería y se lanzaría a su cuello.

Imaginó también otras en las que le pedía perdón y se disculpaba por no haberle dicho que... Y ahí es donde se perdía. ¿De qué tenía que disculparse? ¿Se lo tenía que haber dicho en el granero del viejo Yates? Y, además, con toda esa mata de pelo maloliente, ¿acaso no era feo? ¿O acaso se lo tenía que haber dicho cuando estuvieron bailando en la tienda en la que habían entrado? ¿O la primera noche que hicieron el amor?

La verdad, y Alex era muy consciente de ello, era que la había dejado pensar que era feo y viejo a propósito. De hecho, en más de una ocasión le había dicho cosas del tipo: «Tus ojos son más jóvenes que los míos.» O, «tú eres más joven, hazlo tú».

Y luego estaba Grady. Siendo honesto consigo mismo, tenía que reconocer que se había puesto celoso con todo lo que Cay decía sobre el buen aspecto del hombre. Según ella, hasta los ángeles envidiarían la belleza de Grady. O, como ella decía, «la belleza de Jamie». Se las había visto y se las había deseado para mantener la boca cerrada cada vez que ella decía algo así. A Alex, le habían entrado ganas de afeitarse a los cinco minutos de conocer a Grady. Sabía que era más guapo y más joven que Grady, y había sentido el impulso de mostrárselo a ella, pero algo le había retenido.

Sabía muy bien qué era. Quería estar seguro de gustarle aún cuando pensaba lo peor de él. Desde pequeño, todo el mundo había comentado su belleza. Las mujeres le decían que era un niño guapísimo y los hombres le decían a su padre: «Qué muchacho tan apuesto tienes.» Al crecer, su aspecto le había traído problemas con las mujeres. O se le echaban encima o, como la que a él le gustaba, no querían saber nada de él.

En el nuevo país, su aspecto le había traído la fortuna. Siempre había pensado que su belleza, combinada con su habilidad con los caballos, le había permitido la entrada en el rico círculo de la alta sociedad de Charleston. Y, por estar en ese círculo, había conocido a Lilith. Sabía que Lilith jamás se habría fijado en él si hubiera sido feo. Que una mujer de una belleza tan espectacular se sintiera atraída por alguien como él siempre le había sorprendido. Después, cuando se enamoraron y empezaron a pasar tiempo juntos, ella le había confesado que era pobre y poco más que una criada de una anciana rica. También le había contado que no había podido aceptar la propuesta de uno de los muchachos de las plantaciones porque su familia habría esperado que ella tuviera una gran fortuna que no tenía. Y hasta le había admitido que sí, que lo que primero le había atraído de Alex había sido su aspecto.

Alex había estado tan enamorado de ella, tan hechizado por la hermosura de Lilith, que le había dicho que lo comprendía. Y en aquel momento, creyó que era así. Fue después de conocer a Cay, que creía que era viejo y feo, y posiblemente hasta un asesino, cuando empezó a considerar la idea de seguir siendo así para ella. Así, si le gustaba o no sería solo una cuestión de cómo era él, Alex, no de lo que ella pudiera inferir por su aspecto. Que Cay hubiera llegado a tenerle aprecio, o tal vez a amarle, sin haberle visto la cara, había sido una experiencia maravillosa.

Sí, algo magnífico para él, aunque, al parecer, no tanto para ella. Tal vez sí que había sonreído cuando ella le hablaba de su edad. Y tal vez también se había llegado a reír —para sí mismo, nunca a la vista de ella— cuando ella hablaba sin cesar de lo guapo que era Grady.

Y, cierto, tal vez solo había valorado su posición en aquella historia, sin tener en cuenta cómo reaccionaría Cay cuando descubriera que él, bueno... Que no había sido honesto con ella. La pregunta ahora era cómo iba a ingeniárselas para salir del atolladero.

Todo el día anduvo pensando en cómo podía recuperar de

nuevo las atenciones de ella. En algunas ocasiones llegó a pensar en contarle la verdad, que había cometido un grave error y que, por favor, le perdonara. Pero descartó rápidamente la idea. A las mujeres les gustaban los hombres duros, y humillarse e implorar perdón no funcionaría. Aunque... Recordó que le había pedido disculpas una vez y había funcionado. Pero esta vez era más serio... Y, en la ocasión anterior, no habían contado con la solución de soluciones: los besos.

Al final del día, cuando vio el campamento, respiró aliviado. Pronto estaría en la tienda con ella, la tomaría entre sus brazos y le haría el amor tan dulcemente que no tendría que añadir ni una palabra. Le demostraría cuánto sentía todo lo que le había hecho y lo solucionaría. Le haría el amor con tanta ternura que ella le perdonaría todo lo ocurrido entre ellos. No serían necesarias las palabras y, sin duda, tampoco las disculpas.

Llegó sonriendo al campamento y colgó el ciervo muerto de un árbol. No dudaba de que Cay agradecería tanto evitar la discusión como él. En realidad, hacía mucho tiempo que había aprendido que podía utilizar su imagen para que las mujeres se rindieran a sus pies. Lo único que tenía que hacer era besarle el reverso de la mano y mirarla con los ojos entornados, y ella se lo perdonaría todo. ¿Qué importancia tenía dejar esperando dos horas a una mujer mientras él hacía correr a uno de sus caballos? Ella le perdonaría. Si no aparecía a cenar con la familia de ella porque estaba con los preparativos de las carreras del día siguiente, ella le perdonaría. No tenía más que besar la nuca de una mujer unas cuantas veces. Los besos en el cuello siempre le conseguían el perdón de las mujeres.

Excepto con Lilith, pensó mientras ataba la cuerda que tenía que sujetar al ciervo en suspensión. Lilith no le toleró nunca nada a Alex. Solo una vez la dejó plantada y, al día siguiente, la vio agarrada del brazo de otro hombre, riéndole las gracias. Y al ver a Alex, se limitó a sonreírle. Comprobar que ella no se había molestado, que ni siquiera le había importado que se saltara su cita, hizo que él no volviera a llegar tarde nunca más.

Alex sabía que Cay estaría furiosa. Conocía su temperamento y se esperaba una situación desagradable, pero le besaría la espalda y ella recuperaría el buen humor.

Seguro con sus pensamientos, se quitó la camisa sudada y se metió en la tienda. Vio la silueta dormida de Cay al fondo. Había colocado un rollo de lona entre los dos camastros y hasta una caja pequeña, pero Alex lo apartó todo silenciosamente y se deslizó a su lado. Alargó la mano, le tocó el hombro suavemente y le enterró la cara en el cuello disponiéndose a besarla.

¡Todo ocurrió tan deprisa! Alex se encontró con que el cuello peludo sobre el que había puesto los labios no era el de Cay y que el receptor del beso se despertaba con un grito horrorizado. No era Cay quien estaba en la tienda con él, sino Tim.

—¿Qué demonios está haciendo? —gritó el muchacho, y por poco no desmontó la tienda al intentar quitárselo de encima.

Todos los demás se despertaron por el ruido y salieron de sus tiendas. Grady llevaba una pistola cargada en la mano y Eli un enorme cuchillo de despiece. Cay, saliendo de la tienda de Eli, miró a Alex con expresión divertida.

—¡Ha intentado besarme! —vociferó Tim, apartándose de Alex con una mirada de repugnancia.

—No es cierto —se defendió Alex, mientras recogía su camisa y se la volvía a enfundar—. Estaba tirando de una manta para poder taparme y me desequilibré. Si Tim quiere pensar que le estaba besando, será porque es su propia fantasía. Puede que lleve solo demasiado tiempo.

Alex evitó mirar los ojos de Cay mientras se inventaba la mentira.

—Tim, me parece que deberías volver a la tienda y dejarnos dormir a todos —dijo el señor Grady.

—No quiero dormir con él —dijo el muchacho—. Y tampoco entiendo por qué nos tenemos que cambiar de tienda. Yo ya estaba bien con Eli.

—Tienes que dejarme dormir un poco —dijo Eli—. Roncas como para espantar a los caimanes. El joven Cay duerme como un bebé y necesito la paz que me proporciona. Que Alex aguante tus ruidos unas cuantas noches.

Si Alex albergaba alguna duda de que Eli y Grady sabían que era una mujer, las palabras de Eli acabaron de confirmárselo. Alex miró a Grady, pero él no le devolvió la mirada. Era obvio que sabían que se habían peleado, tal vez no por qué motivo, pero sabían que Cay estaba furiosa y Eli le había proporcionado una excusa para alejarse de Alex.

Por un instante, Alex consideró la posibilidad de contar la verdad. Si todos ellos, excepto Tim, por descontado, sabían lo que estaba pasando, ¿por qué no iba a poder decirlo en público? Pero no podía hacerle eso a Cay. No podía admitir que eran amantes. No era bueno que la gente lo supiera con toda certeza, sin un ápice de duda. Y, además, también tenía que protegerse a sí mismo. Si sabían lo de Cay, también debían de saber lo suyo. No quería tener que sentarse alrededor de una hoguera y responder a mil preguntas sobre lo que había ocurrido en Charleston.

—¡No vuelvas a tocarme! —le ordenó Tim, paseando la mirada de Alex a Cay y viceversa, como si quisiera decir que había algo «raro» entre ellos. Grady tampoco miró a Tim a los ojos.

—Me parece que todos tendríamos que descansar un poco —opinó el señor Grady—. Y, Tim, si quieres dormir bajo el raso con los mosquitos, por mí, no hay problema —añadió, se volvió y se metió de nuevo en su tienda.

Cay sonreía. Parecía disfrutar del enfado del Tim y la cara de consternación del rostro demasiado hermoso de Alex. Bostezó exageradamente y miró a Eli.

—¿Volvemos dentro a ver si podemos dormir algo? —Sonrió a Alex—. Buenas noches, hermano. Espero que ningún bicho se te coma esa carita tan bonita. Sería una pena arruinar tanta pulcritud.

—¿Eh? —preguntó Tim cuando Cay se hubo metido en la tienda—. ¿Qué ha dicho?

Eli se reía.

—Nada que te incumba. Y ahora, a la cama, muchacho, e intenta no mantener a Alex toda la noche en vela.

Eli se metió en la tienda.

Al quedarse solos, Tim miró a Alex amenazadoramente.

—Si me vuelves a tocar, te... te...

Alex le miró con tanta dureza que Tim no pudo siquiera acabar la frase.

Con otra mirada recelosa, Tim se metió en la tienda.

Alex sintió tentaciones de quedarse fuera el resto de la noche, pero le picó un mosquito en el cuello y entró en la tienda al tiempo que le pegaba un manotazo. Tim ya se había dormido y Alex entendió a qué se refería Eli cuando decía que Tim roncaba. El muchacho hacía un ruido sibilante al inspirar y una especie de silbido agudo al espirar. Al principio, el sonido le hizo sonreír. Llevaba escuchándolo desde que habían comenzado el viaje, pero siempre había pensado que sería de alguna ave nocturna. Ahora que sabía a lo que había estado sometido el pobre Eli durante toda la travesía, se preguntaba cómo había podido soportarlo.

A la mañana siguiente, cuando Alex se levantó tan cansado como se había acostado, ya no sonreía.

—La mejor noche de sueño que he tenido desde que empezamos el viaje —dijo Eli, mientras les servía el café en tazas de latón y las repartía a los demás—. No me he despertado ni una sola vez con pitos y silbidos. —Le dio a Cay un golpe tan fuerte en el hombro que a punto estuvo de tirarla del tronco sobre el cual estaba sentada—. Tengo que decir, chico, que eres la persona más silenciosa durmiendo que conozco. Si encontrara una mujer tan silenciosa, me casaría con ella en el acto.

Alex estaba sentado enfrente de ellos y miraba a Cay, pero ella le ignoraba.

—¿Está buscando esposa? —le preguntó Cay.

—Antes de partir, le dije al señor Grady que esta era mi última vuelta por el mundo. De hecho, le dije que no quería participar en este viaje, pero él me lo imploró. «No puedo ir sin usted, Eli», me dijo. «Especialmente en este viaje.»

Alex miró a Cay para cerciorarse de si había comprendido la implicación de lo que Eli acababa de decir. Era como si estuviera admitiendo que Grady, de algún modo, sabía lo de Cay, y también lo de Alex. Iban a llegar al puesto comercial en solo tres días, y, desde ahí, seguirían a caballo hacia el sur, dejando atrás la barcaza. Alex no pudo evitar preguntarse qué les estaría esperando allí. ¿Un sheriff con esposas?

Pero Cay no miró a Alex, ni se percató de su mirada de alerta. Solo atendía a Eli.

—Me parece que tengo a la mujer perfecta para usted.

—¿Ah, sí? —dijo Eli, con interés en la voz.

—No creo que sea momento de... —empezó a decir Alex, con la intención de cortarla. Si, por casualidad, aún no sabían que era una mujer, su maniobra casamentera descubriría su tapadera.

De nuevo, Cay le ignoró.

—La ahijada del tío T. C.

—¿La señorita Hope? —preguntó Eli, con ojos sorprendidos.

—¿La conoce?

—Tuve el placer de gozar de su compañía en una ocasión en que acompañaba al señor Grady. Una joven bonita.

—Entonces, sabe lo de... —vaciló Cay.

—¿Su pierna? Sí. Pero ¿has probado la tarta de manzana de esa mujer? —Eli atizaba el fuego del desayuno—. Siempre me he preguntado por qué una dama tan exquisita no se había casado.

—Entonces, es que no ha conocido a su padre.

—¿A T. C.?

—Vaya —dijo Cay—, veo que el rumor se ha extendido. No, me refiero al hombre que se casó con la madre de Hope, Bathsheba.

—¿Isaac Chapman, dices? —El tono de desagrado de Eli era evidente—. Una vez me estafó casi cien dólares. Cuando muera, el demonio será más rico.

—¿Qué hizo cuando se dio cuenta de que le había robado dinero? —preguntó la voz curiosa de Cay.

—Me avergüenza confesar que le di un puñetazo en la cara, pero después le llevé ante los tribunales, donde me defendí a mí mismo, y gané. El juez le obligó a devolverme el dinero, a pagar las minutas de abogado y a resarcirme con diez dólares más por las molestias.

—¡Muy bien! —Cay se puso en pie—. Creo que me servirá perfectamente. Hope me pidió que, cuando regresara, le llevara un marido que pudiera plantar cara a su padre y, al parecer, usted puede.

—Isaac Chapman no dejaría que me casara con su hija —afirmó Eli.

—Sí, lo hará. Cuando le hable a Hope de usted, ella le convencerá —replicó Cay—. Ah, pero me puso una condición.

Eli resolló, como si quisiera decir que ya sabía que habría un pero.

—Querrá un joven guapo como Alex, y no un viejo zoquete como yo.

—Hope quiere un hombre que no se duerma en su noche de bodas.

Al principio, Eli se mostró consternado ante el comentario, pero después se echó a reír a carcajadas.

—Te puedo garantizar que no me dormiré. Te puedes apostar tu fortuna a que no me duermo si estoy en la cama con una joven fuerte como la señorita Hope.

Por primera vez en toda la mañana, Cay miró a Alex con

una sonrisa maliciosa destinada a recordarle que él sí se durmió en su noche de bodas.

Alex abrió los ojos como platos ante la maniobra de Cay: cómo había dirigido a Eli para terminar la conversación clavándole una puñalada a él, a Alex. Que hubiera usado la noche del asesinato de su esposa era mucho más de lo que Alex la creía capaz.

Al ver que Eli y Grady le miraban con una expresión a medio camino entre el divertimento y la compasión, tuvo la absoluta certeza de que lo sabían todo.

Puesto que tenían suficiente comida para un par de días, Alex obtuvo permiso para quedarse en la barcaza todo el día, pero no pudo separar a Cay de los demás para hablar con ella. La falta de sueño le había afectado el ánimo y, cuando por fin la encontró sentada en un extremo del bote con su cuaderno en el regazo, a duras penas le salieron las palabras.

—Estás poniendo mi vida en peligro —le advirtió entre dientes.

—¿Intentando encontrarle un marido a Hope?

—Solo las mujeres hacen de casamenteras.

—Mi hermano Ethan presentó a tres parejas y las tres se han casado. Tienes una idea muy extraña sobre lo que deben o no deben hacer los hombres y las mujeres.

Cay no había levantado la vista.

—¿Qué dices que hizo? ¿Buscar marido a las chicas que le habían echado el guante a él? ¿Esa es su forma de quitárselas de encima?

—Sí.

Alex lo había dicho en tono sarcástico, pero le desconcertó el hecho de comprobar que había dado en el clavo.

—Cay... —Alargó la mano para tocarle el brazo, pero ella lo apartó.

—Si no quieres que nadie sepa que soy una mujer, te sugiero que dejes de tocarme. Y, definitivamente, tendrías que dejar de besar a Tim en el cuello.

—Te echo de menos —dijo él, con verdadera agonía en la voz.

—¡Y yo al hombre que pensaba que conocía! El mentiroso de cara bonita es un extraño para mí.

—¡Cay!

La muchacha se giró a mirar al señor Grady, que estaba señalando un pájaro de pico largo que se paseaba por la orilla.

—¿Sí, señor?

—¿Lo has pintado?

—Sí, señor. Tengo cuatro dibujos de ese pájaro.

—¿Sabes cómo se llama?

—No, señor. Tenía pensado dejar el trabajo artístico al tío T. C. y también la identificación de los nombres. Su ahijada Hope tiene buena mano con la caligrafía, por lo que puede escribir los nombres en los dibujos después.

—Parece que lo tienes todo pensado —dijo el señor Grady con una sonrisa, antes de volver a girarse.

—Te va a pedir matrimonio —dijo Alex, junto a ella.

—¡No seas ridículo! Cree que soy un chico. —Al ver que Alex no replicaba, levantó la vista—. De acuerdo, puede que lo hayan deducido, pero Eli y Jamie son demasiado caballeros para decir nada. Tim sigue creyendo que soy un chico.

Alex se sentó junto a ella.

—Ese chico no para de silbar toda la noche.

—Eso dice Eli.

Cay no había parado de dibujar. Estaba pintando una acuarela rápida del meandro del río, intentando capturarlo antes de que el bote tomara la curva y desapareciera la escena.

—Si alguien le oprimiera las costillas a su debido tiempo podría convertirlo en un instrumento. Se puede hasta bailar con sus silbidos. —Miró a Cay en busca de alguna reacción divertida a su broma, pero no observó nada. No era justo, pensó, que ella pudiera hacerle sonreír a él en cualquier situación, por mala que fuera, y él no tuviera el mismo efecto en ella.

—Niña —dijo suavemente, cerrando el acento—, no quería hacerte sentir mal. En la cárcel, no me afeité porque no pude. Y no soy la clase de hombre que fanfarronea de no ser desagradable a la vista. No se me ocurre nada más engreído que eso, y no quería que pensaras que era así.

—No —dijo ella con calma—. Quería saber si me gustabas incluso cuando pensaba que eras mayor y tan feo que necesitabas ocultar tu rostro.

Él sonrió ante el apunte.

—Sí, es cierto. ¿Tan malo es eso?

—Pues, la verdad es que sí. —Se volvió a mirarle—. Me juzgaste tan superficial que solo podía fijarme en un hombre si tenía un determinado aspecto. Me pusiste a prueba a pesar de haber arriesgado mi vida para salvarte. Eras un asesino convicto, pero yo te juzgué por lo que vi con mis ojos, no por lo que me habían contado. Y ahora, ¿puedes marcharte para que pueda seguir trabajando?

Alex se levantó y, al girarse, interceptó la mirada compasiva que Eli le estaba dedicando.

Cay le castigó durante los tres días que tardaron en llegar al puesto comercial. Apenas le miraba, raramente le hablaba y, poco más o menos, actuaba como si él no existiera. Incluso hacía ver que no entendía su acento. Alex no se había dado cuenta, pero se había pasado todo el viaje hablando con acento escocés, que ella se había encargado de traducir... Hasta que los demás habían empezado a entenderlo. Incluso Tim, que no tenía un cerebro demasiado privilegiado, había empezado a decir: «Ah, sí, yo tamén o entendo.»

Pero cuando Cay estaba enfada con Alex, le decía en tono seco que no tenía ni idea de lo que había dicho y que si lo podía repetir en inglés.

Fue Eli quien detuvo aquella guerra que parecía no tener fin. Se acercó a Alex cuando los demás no estaban y le dijo:

—Dile a Cay que estabas equivocado.

—¿Qué? —dijo Alex, levantando la vista del rifle que estaba limpiando.

—A tu hermano. Dile que estabas equivocado.

—Pero si ya lo hice...

—Dile que naciste equivocado y que, desde entonces, has vivido equivocado.

—Pero... —murmuró Alex.

Eli se encogió de hombros.

—Es cosa tuya, muchacho. Pero la única manera de arreglar esto es estando equivocado y habiéndolo estado siempre. Y te lo dice un hombre que quiso tener razón siempre a toda costa. Y mira dónde estoy ahora. Solo. Viajando con un puñado de hombres. Mis tres hermanos tienen ocho hijos. —Y, con el haz de leña que cargaba entre sus brazos, regresó al campamento.

No es que Alex tuviera la menor duda de que los hombres sabían que Cay era una chica, pero las palabras de Eli lo confirmaron definitivamente. Lo primero que le pasó por la cabeza fue advertir a Cay, pero, después, pensó que le estaba dando demasiada importancia a lo que los hombres pudieran saber. Si eso conseguía que Cay dejara de estar enfadada con él, se arrodillaría ante ella y le suplicaría.

—Y le diré que estoy equivocado —dijo en voz alta.

Seguía pensando que no estaba tan equivocado. No del todo, pero tal vez... Por otra parte, puede que tampoco hubiera sido totalmente justo.

Se sintió mal por aprovechar la ocasión, pero la siguió cuando ella abandonó el campamento para tener un momento de intimidad y la esperó entre los arbustos hasta que la vio regresar. Cuando apareció ante ella de entre los arbustos, Cay soltó un gritito.

—No quería asustarte —dijo tan compungidamente como pudo—. Solo quería decirte que... Que... —Levantó los hombros—. Que estaba equivocado.

—¿Sobre qué?

—Sobre todo.

Cay achinó los ojos.

—¿Es un truco?

—Te estoy suplicando que me perdones —respondió él—. Te mentí, lo admito. No volverá a suceder. Y te juzgué mal. Pensé que serías una joven frívola a la que nunca le había ocurrido nada malo. Pero ha habido mujeres que solo me querían por mi aspecto, y fue muy agradable ver que tú empezabas... Bueno, que empezaba a gustarte aun pensando que era mayor y feo. Pero fue muy egoísta por mi parte, y estaba equivocado. De principio a fin, he estado equivocado. Total y completamente equivocado. Por favor, di que me perdonas.

—Está bien —dijo ella, y echó a andar de nuevo hacia el campamento.

Alex la agarró del brazo y tiró de ella para que le mirara.

—¿Está bien? ¿Eso es todo?

—¿Quieres más? Me has hecho algo realmente muy malo y yo... —Alex la cortó atrayéndola a sus brazos para besarla.

Cay lo había echado terriblemente de menos, mucho más de lo que jamás le admitiría. Había echado de menos su olor, el tacto de su piel, sus acciones, sus hábitos. Todo aquello formaba parte de ella, y había tenido que mantenerse alejada de él tanto tiempo que le llegó a parecer que le faltaba parte de su cuerpo.

Cay le besó el bonito rostro y sintió el cosquilleo de su barba en las mejillas. Una gota de sudor se deslizaba por la mejilla de Alex y ella, no pudo resistirse a lamerla. El sudor y el tacto, su masculino sabor en la lengua, hicieron que una oleada de deseo recorriera el cuerpo de la muchacha.

—Cay, te he añorado —dijo Alex—. No vuelvas a dejarme. Por favor, no me dejes más. Te necesito tanto...

Ella echó la cabeza hacia atrás y él le recorrió el cuello con los labios. Cay pensó que se sentiría diferente ahora que conocía el aspecto de Alex. Había sido como si hasta entonces él hubiera llevado una máscara, pero, por fin, se había presentado completamente desnudo ante ella, y ella no había podido evitar pensar que ahora sería un hombre distinto. Pero no fue así. Con los ojos cerrados, él era para ella el mismo hombre con el que tantas horas había compartido. Se habían reído juntos, se habían amado y se habían peleado. Y ahora estaban cerrando el círculo.

22

—Es más dulce ahora —dijo Alex, con una mano sobre el hombro desnudo de Cay y la otra acariciando el agua del riachuelo.

—¿El qué?

—Lo nuestro. Tú y yo. Lo que hay entre nosotros es mejor ahora.

Incorporándose, ella lo miró a los ojos. Desnudos, estaban los dos acurrucados entre las altas hierbas, a pocos minutos del campamento. Iban a llegar al puesto comercial al día siguiente, donde iniciarían una nueva parte del viaje.

—¿Y si no volvemos?

—¿Quieres decir si nos quedamos en el paraíso y no volvemos jamás a la civilización con la gente y el ruido?

A su alrededor, el sonido de los pájaros y los caimanes siempre presentes era casi ensordecedor. Con una sonrisa, ella recostó la cabeza en el hombro de Alex.

—Tengo la sensación que algo va a ocurrir.

Alex pensó en algunas palabras que pudieran tranquilizar sus temores, pero decidió decirle la verdad.

—Yo también. Pero tal vez tenga esa sensación por todo lo que ya ha ocurrido. Justo cuando pensaba que lo tenía todo, me lo arrebataron.

Sin embargo, no le confesó que tenía aquel sexto sentido indefinible que había heredado de su madre. Algo iba a cambiar, aunque no sabía si para bien o para mal. Siempre le había sorprendido no haber tenido ninguna premonición sobre la muerte de su esposa.

Cay guardó silencio un instante.

—¿Habrías deseado no pasar por todo esto?

—¡Claro! El hedor de la prisión me perseguirá toda la vida. Lo que dijeron de mí en el juicio jamás debió decirse y... —Dejó de hablar al ver que Cay se sentaba—. ¿Qué sucede?

—Nada. Es solo que me está dando frío —dijo, y empezó a vendarse los pechos.

—Ojalá no tuvieras que llevar eso. —La ayudó a atarse las vendas—. Si no estuviera Tim, creo que podrías llevar tu vestido de baile y nadie se sorprendería. —Viendo que Cay seguía sin decir nada, le giró la cara hacia él—. Algo te preocupa, así que suéltalo.

Al cruzarse la mirada, Alex supo lo que ella estaba pensando. Le estaba preguntando si, en lugar de estar con ella, preferiría volver a tener a Lilith a su lado. Pero ¿cómo podía él responder a eso? Lilith había sido su esposa. Cierto, lo había sido por muy poco tiempo, pero se habían amado desde el primer momento en que se habían visto. Algo en aquel amor a primera vista empañaba la relación mucho más realista que tenía con Cay.

Deshaciéndose de sus manos, Cay metió los brazos en las mangas de la camisa.

—Era tu esposa y la amabas. Lo entiendo. ¿Podrías pasarme los zapatos, por favor?

—No vamos a volver a pelearnos, ¿verdad? No vas a dejar de hablarme de nuevo, ¿verdad?

—No —respondió ella, dándole un cariñoso beso en los labios—. En realidad, no creo que vuelva a hacerlo nunca más. La próxima vez que me hagas algo que no me guste, creo que te pegaré un buen puñetazo en esa cara vieja y fea.

Alex sonrió al tiempo que entornaba los ojos y la miraba de aquel modo que había hecho que tantas mujeres le perdonaran por lo que fuera que hubiese hecho.

—¿Eso piensas? ¿Que soy viejo y feo?

—Los jabalíes verrugosos son más lindos que tú. Y si no dejas de mirarme de ese modo, esconderé esa flor amarilla bajo la almohada de Tim... Esa que le hace estornudar. Y se pasará toda la noche con sus pitos.

Alex abandonó su mirada seductora y volvió a tumbarse en la hierba, refunfuñando. Desde que se habían reconciliado tras la discusión, ella no había regresado a la tienda. «Creo que te toca dormir con el chico», le había dicho Eli a Alex con ojos de no querer ceder.

Alex no le comentó nada a Cay, pero pensaba que la actitud de Eli tenía algo que ver con el hecho de que ellos hubieran hecho el amor en la tienda de al lado. Para esconder su incomodidad, le había apartado la mirada.

—Tú ganas —dijo Alex a Cay—. No soporto los silbidos del crío, y menos aún sus estornudos. —Dos veces ocurrió que los sonoros estornudos de Tim habían espantado a una bandada de pájaros de los árboles, y los que estaban debajo habían recibido una buena ducha de plumas y otras deposiciones no tan agradables—. Espero que no volvamos a pelearnos nunca más.

—Y yo —le aseguró Cay, aunque con menos esperanza en la voz.

No sabía por qué, pero temía el día siguiente. Aunque estaría con su pequeño grupito de gente, también habría extraños en el puesto comercial, y los extraños siempre traían noticias. Temía que algún explorador hubiera estado haciendo preguntas en la aldea donde vivía Agradecida. Si los agentes de la ley se habían enterado de que Alex se había adentrado en los pantanos, tal vez se las habrían arreglado para llegar allí antes que él y ya le estarían esperando.

—No quiero verte tan abatida —le dijo Alex, rodeándola

con el brazo—. Siempre puedes regresar con esos hombres
que querían casarse contigo. A ver, ¿cómo se llamaban?
Alex se adelantó riéndose.
—Alex —susurró ella—. Todos se llamaban Alex.

—Le conozco —dijo Alex, con la voz tan compungida
que Cay casi no pudo oírle.

Hacía dos horas que habían llegado al puesto comercial,
pero Cay y Alex se habían mostrado reticentes. Se habían tomado su tiempo para ajustar bien los amarres de la barcaza y
Cay había puesto como excusa que quería revisar sus dibujos. Después de los lugares donde habían estado, el puesto
comercial, con su media docena de casitas al lado, les pareció
una gran ciudad. El señor Grady y Eli también se habían de-
morado, pero después de un rato se habían adelantado, aunque con paso lento y fijándose en todo aquel con el que se
cruzaban.

Tras un par de horas sin que nadie corriera hacia ellos con
pistolas y esposas en mano, Alex y Cay decidieron entrar
en el edificio bajo y alargado que se hallaba en el centro del
minúsculo asentamiento. Allí llevaban los hombres las pieles
que habían conseguido y el comerciante se las intercambiaba
por provisiones o dinero. Después, vendía las capturas a los
que bajaban por el río y, finalmente, las pieles acababan sobre
los hombros de alguna rica señora de Nueva York.

Pero al entrar cautelosamente en el puesto, Alex se había
quedado blanco, había susurrado «le conozco» y había vuelto
a salir del edificio como un rayo. El joven de detrás del mostrador levantó la vista de las plumas de ave que estaba contando
—y que acabarían en el sombrero de alguna dama— y solo vio
a Cay. La miró de arriba abajo, y volvió a sus plumas. El señor
Grady y Eli estaban a un lado, llevándose sendas tazas de sidra
a los labios y observando cuanto pasaba a su alrededor.

Cay volvió a salir por la puerta sin hacer ruido y echó a

correr, buscando a Alex frenéticamente. Le encontró sentado en un tronco no muy lejos del bote.

—¿Quién es? —preguntó al tiempo que se sentaba junto a él. Intentaba mantener la calma, pero tenía el corazón en la garganta.

—Lo creas o no, es uno de los jóvenes ricachones de las carreras de caballos.

—¿Le quitaste mucho dinero?

—¿Qué quieres decir con eso? Parece que estés diciendo que le robé.

—Algunos apostadores así lo creen. Solo quiero saber a qué nos enfrentamos, eso es todo.

Alex levantó la mirada a un árbol lleno de pájaros blancos y suspiró.

—No, él no era de esos. Se llama George Campbell, y hubo un tiempo en el que lo consideré mi amigo. Le invité a la boda, pero no estaba en la ciudad.

A Cay no le gustaba tener que pensar en la boda de Alex.

—Tal vez no sepa lo que te ocurrió o puede que realmente sea amigo tuyo y no diga nada si te ve.

—¿Tú crees que hay alguien en este país que no haya oído hablar de lo mío?

—Para asegurarnos, tendremos que asumir que no —admitió ella.

En la cabeza de Cay se arremolinaban las posibilidades que tendrían si el hombre reconocía a Alex. Lo primero era mantenerse alejados de él. No podían dejar que viera a Alex, por lo que pudiera hacer o decir. Aunque ahora no hubiera nadie en la aldea para detenerle, si George Campbell le veía, o simplemente se enteraba de que estaba allí, ¿cuánto tardaría en contárselo a alguien que fuera hacia el norte? Que les localizaran, sería solo cuestión de días.

—Quiero hablar con él —dijo Alex.

—¿Hablar con él? ¿Con el comerciante? ¿Has perdido el juicio?

—Es posible. Después de casarme con Lilith, todo lo que vi y oí se me difumina en el recuerdo, pero ya que George no estuvo en la boda, tal vez no... No me odie tanto. —Alex tomó aire—. Antes de marcharse de la ciudad, George me dijo que le encantaba mi forma de robarle todo lo que tenía.

—Qué agradable —murmuró Cay.

—Fue una broma de hombres.

—Entonces, supongo que no puedo entenderla, ¿verdad? —protestó ella, en tono beligerante.

—No vas a iniciar una discusión, ¿verdad?

—¿Cómo puedes decirme eso? Yo solo trato de... —Cay se calló de repente, al darse cuenta de que sí trataba de iniciar una discusión, porque era mejor eso que afrontar lo que estaba pensando—. ¿Qué quieres que le diga?

—Quiero que averigües lo que sabe.

—¿Te refieres a averiguar si sabe si te están buscando?

—Sí —respondió Alex.

—No sé si voy a saber mentir.

—¿Sobre qué tienes que mentir? —le preguntó Alex—. Dile que me conoces por mi padre. ¿Acaso no es cierto?

—¿Y crees que el señor Grady y Eli no se van a dar cuenta de quién estoy hablando? Hasta Tim podría imaginárselo.

—No te preocupes, les haré salir a la calle. Tú habla con George y averigua lo que puedas. Yo estaré contigo.

—¿Para asegurarte de que no me agrede cuando mencione tu nombre?

—Sí, niña, exactamente para eso.

Cay tragó saliva.

—De acuerdo —dijo, aun sin tener ni idea de cómo convertirse en una espía.

Volvió al puesto comercial sin prisas y esperó en la puerta hasta que escuchó una especie de explosión en la dirección del bote. El señor Grady y Eli salieron del edificio inmediatamente y Cay se coló entre las sombras.

—¿Qué ha hecho ahora ese crío estúpido? —preguntó Eli.

Cay dedicó un segundo a discernir si se referiría a ella o a Tim antes de entrar en el oscuro y frío puesto comercial donde el joven contaba un montón de pieles.

—¿Me ha parecido oír que se llama usted George Campbell?

—Que yo sepa, soy el único en Florida.

Cay empezó a sonreírle de aquel modo que sabía que atraía tanto a los hombres, pero se contuvo. Se suponía que era un chico.

—Mi padre tiene un amigo, el señor McDowell, cuyo hijo...

—¿Alex?

—Exacto —dijo Cay, alegrando la cara—. Alex me habló de un tal George Campbell y me preguntaba si sería usted.

—El mismo. —Cuando George se agachó tras el mostrador para subir más pieles, Cay vio que Alex se colaba por la puerta y se escondía detrás de un armario repleto de camisas de hombre—. ¿Cómo está Alex?

Cay tuvo que esforzarse por ocultar su sorpresa ante la pregunta.

—Bien. ¿Desde cuándo no lo ve?

—Desde el día antes de marcharme de Charleston. Nos emborrachamos tanto que tuvieron que llevarme a cuestas y meterme en el barco. Cuando desperté, estaba en Nueva Orleans, y el dolor de cabeza me duró toda una semana.

—¿En Nueva Orleans? ¿Y era ahí adonde iba?

—Sí —respondió George, sonriendo—. Ahí era adonde iba. ¿Dónde has estudiado?

—En el William and Mary —mintió Cay rápidamente. Al parecer, había vuelto a dar más información de la necesaria sobre ella misma—. ¿Y le conocía bien, a Alex?

—¿Si le conocía? Eso suena como si estuviera muerto. No lo está, ¿verdad?

—No —respondió Cay, cautelosamente—. Que yo sepa, sigue vivo.

—Me alegra saberlo. Pasé muy buenos ratos con Alex, aunque perdí contra él en un centenar de carreras. Sacó ese caballo suyo... —George silbó y sacudió la cabeza—. Ese animal tenía que ser de otro planeta. Era más rápido que ninguno. Pero también es que Alex es un gran equitador.

—¿En serio?

Había un taburete al lado del mostrador y Cay se sentó. Era agradable escuchar hablar de Alex a alguien que le conoció antes de que le tacharan de asesino.

—Lo que consigue hacer ese hombre con un caballo, nadie más lo puede conseguir. —George levantó la vista de las pieles—. ¿Qué le pasó?

—¿Qué quiere decir? —preguntó Cay, intentando mantener la calma.

—Pensé que iba a casarse con la nieta de la señora Underwood, pero, obviamente, no lo hizo.

Cay necesitó toda la fuerza de voluntad del mundo para no girarse a mirar a Alex.

—¿Por qué lo dice? —preguntó tan serenamente como pudo.

—Porque vi a Lilith en Nueva Orleans hace dos semanas.

—¿Cómo dice?

—Tuve que hacer un viaje rápido de ida y vuelta porque... —Agitó la mano para quitarle importancia—. En fin, que cuando estuve allí, la vi. —George volvió a agacharse—. Juraría que ella me vio a mí, pero me dio la espalda. Fui tras ella porque quería preguntarle por Alex, pero Lilith se metió en un edificio y ya no volví a verla. Pregunté incluso por ella a la gente, pero nadie la conocía. —Se encogió de hombros—. Tal vez no fuera ella. Puede que fuera alguien que se le parecía. Aunque...

—¿Aunque, qué?

—Lilith tenía un pequeño lunar en un lado del cuello, justo donde se une con el hombro, con esa forma de corazón. Tú eres demasiado joven para saber de qué te hablo, pero te puedo decir que todos los hombres fantaseábamos mucho con ese lunar.

—¿Y la mujer de Nueva Orleans tenía el mismo lunar?

—Desde luego. Es lo que hizo que reparara en ella. Por lo demás, todo en ella parecía distinto. Llevaba el cabello recogido hacia atrás y no era tan bonita como siempre había sido. No me malinterpretes, seguía siendo guapa, pero, parecía... Bueno, casi parecía asustada. Al verme, casi grita. Me miró con ojos de animal salvaje. Me dio pena. ¿Por qué no se casó con Alex? ¿Se pelearon?

—No lo sé —respondió Cay, con poco más que un susurro—. Yo ya no sé ni lo que sé.

—Pensaba que era el único que se sentía así. Me vine aquí con la esperanza de que, si mi padre no me veía durante un tiempo, se olvidaría de lo que hice en Nueva Orleans, pero a juzgar por su última carta, creo que me voy a pasar el resto de mi vida aquí.

Con la sensación de estar en un sueño, Cay se bajó del taburete. No pudo evitar mirar hacia Alex, escondido entre las sombras del armario. Le vio mover la mano y tardó unos segundos en comprender lo que quería. Le estaba pidiendo que sacara a George de la tienda.

Cay se volvió de nuevo hacia George.

—¿No hay alguien en la puerta trasera?

—No he oído nada.

—Ah, tal vez sean los caimanes. Ya sabe cómo son. Uno de ellos casi se le llevó una pierna a Tim, pero yo le di en la cabeza con un remo y le maté. En serio, si no hubiera estado ahí, el muchacho habría muerto. Creo que el señor Grady puede estar muy satisfecho de haberme contratado.

George miró la figura delgada de Cay sin dar crédito.

—Es más, yo...

—Más vale que vaya a echar un vistazo a la puerta —dijo George, alejándose rápidamente.

Alex salió de detrás del armario.

—Y decías que no sabías mentir.

Ella ignoró su comentario.

—¿Y ahora qué hacemos?

—Tú lo mismo que ibas a hacer. Quedarte aquí y seguir hacia el sur, tal como estaba planeado —dijo, y acto seguido, se giró y salió de la tienda. Cay le pisaba los talones.

—¿Y qué piensas hacer tú? —preguntó Cay.

—Ir a Nueva Orleans, por supuesto.

Cay no podía asegurarlo, pero le pareció detectar unos andares distintos, una prisa que no había visto hasta entonces.

—Voy contigo.

Casi tuvo que correr para mantenerse a su lado.

—No.

Cay se paró y se quedó mirándole la espalda.

—¡Bien! Pues pasaré un montón de semanas sola con Jamie Armitage.

Alex se detuvo, permaneció inmóvil un momento y enseguida se volvió para mirarla.

Ella le ofreció una dulce sonrisa.

—Nos encontraremos aquí en una hora —dijo él, pero caminaba demasiado rápido y ella no podía seguirle.

—Como te vayas sin mí, te mandaré una invitación a mi boda —gritó ella a sus espaldas.

Alex levantó la mano, pero no miró atrás.

Cay permaneció quieta un instante. Tal vez Lilith siguiera con vida. La esposa de Alex podía estar viva en Nueva Orleans. La mujer que él amaba más que a su vida podía estar esperándole a tan solo unos días a caballo.

Cay cerró los puños.

—Espero que no sea demasiado grande —dijo para el cuello de su camisa—. No quiero tomarme demasiadas molestias para matarla.

Dicho esto, se sintió mejor y, un segundo más tarde, ya estaba corriendo. Tenía que prepararse para el viaje; esta vez, a caballo, y sola con Alex. Cosas peores había oído.

23

Nueva Orleans, 1799

—¿Y cómo demonios vamos a encontrar a tu hermano? —preguntó Alex.

Ambos habían llegado sucios, sudados e infinitamente extenuados, pero al mirar a Cay desde su caballo, Alex no pudo evitar sonreír.

—Me alegro de que le veas la gracia, porque yo no se la veo. Solo quiero darme un baño y dormir tres días seguidos.

—Estaba recordando el primer viaje que hicimos juntos. Estabas agotada después de solo unas horas a caballo.

—¿Unas horas? —Se rascó la nariz con la manga—. ¿Te refieres a cuando me hiciste cabalgar sin parar durante un día y medio, y después me dejaste abandonada bajo un árbol a merced de cualquier desalmado que pasara por allí? ¿A ese viaje?

—Sí —dijo Alex—. A ese me refiero. Ahora has cabalgado mucho más.

—¿Acaso me quedaba otro remedio? —murmuró Cay, mientras entraba tras él en las afueras de la ciudad. A pesar de ser más de medianoche, se veían luces y se oía música en la distancia.

—¿Qué has dicho?

—Nada. No he dicho nada.

Lo que había querido decir Cay era que él estaba tan decidido a encontrar a la mujer que amaba, que habría cabalgado sin parar a dormir si hubiera podido. Que, por otra parte, era casi lo que habían hecho. Desde el puesto comercial, habían tomado un barco que, según Alex, iba demasiado lento, de modo que se habían bajado en una plantación y habían utilizado el resto del dinero que T. C. les había dado, para pagar un desorbitado precio por dos caballos. Alex había cabalgado intensamente bordeando la orilla del río, siempre hacia el norte, con Cay siempre tras él. Solo se habían parado por la noche y, una de las veces, habían tenido lo que Alex denominó un «desafortunado» encuentro con un puñado de caimanes escondidos en la arena.

A Cay le habría encantado subirse a un árbol para ponerse a salvo, pero eso habría significado dejar a Alex solo. Él mató a uno con un rifle, le pasó a ella una pistola cargada, y ella mató a otro. No había tiempo para recargar, de modo que tuvieron que usar sus cuchillos. A la carrera, lo dieron todo para escapar de las criaturas que les daban caza. En una de sus historias, Eli les había contado que los animales no podían correr en zigzag, así que Alex y Cay empezaron a correr de ese modo mientras se dirigían a una zona más alta.

Cuando llegaron a un sitio seguro, Cay miró a Alex y se lanzó a sus brazos, llorando de miedo. Él la abrazó tan fuerte que ella llegó a pensar que le partiría las costillas, pero no le importó, porque ella se estaba aferrando a él con la misma fuerza.

Esa noche no durmieron demasiado y, a la mañana siguiente, Alex tuvo que salir en busca de los caballos. Cay pensó que no los encontraría, pero los encontró. Cuando regresó, Cay corrió hacia él y le besó la cara con tanto alivio que acabaron dedicando toda una hora a hacer el amor antes de volver a emprender el camino, esta vez, más alejados de la orilla.

Esa noche, tuvieron que pararse antes porque ambos iban medio dormidos sobre sus monturas y los animales también estaban demasiado cansados para seguir. Alex armó un fuego para que pudieran comer y beber antes de acostarse. Cay no había dejado de pensar en su hermano Nate en todo el día, preguntándose qué habría averiguado sobre el caso de asesinato. Mientras se acurrucaba con Alex después de haber hecho el amor, y justo antes de dormirse, Cay le contó a Alex que su hermano Nate se estuvo escribiendo con un chico de Escocia casi toda la vida.

—Mi hermano cree que nosotros no lo sabíamos, pero sí lo sabíamos. Estamos casi seguros de que es nuestro primo Lachlan. Solo tiene unos años más que Nate y congeniaron mucho cuando fuimos de visita. ¿Quieres que te cuente un gran secreto?

Alex deseó que ella no notara que a él se le estaba acelerando el corazón.

—Sí, niña, me gustaría oír ese secreto. Pero solo si es bueno.

—Para nosotros sí, pero no sé si tú pensarás lo mismo. Nate llama Merlín a su amigo por correspondencia.

—¿En serio? —dijo Alex, intentando parecer distraído y soñoliento—. ¿Y por qué le llama así?

—No lo sé. Si alguien tuviera que tener el nombre de un mago, ese es Nate. —Cay notó que se la llevaba el sueño—. Me gustaría saber cómo llama Merlín a mi hermano científico.

—Arquímedes —musitó Alex, cuando, por su respiración sosegada, supo que se había quedado dormida.

Dos días más tarde, cuando llegaron a la aldea y vieron a Agradecida, Cay dijo:

—Ahora sé por qué se llama así. En la vida me había sentido tan agradecida de ver a alguien.

—Yo sí —dijo Alex—. Cuando escapamos de esos caimanes y vi que tenías tu precioso cuerpo enterito, no podía estar más agradecido.

Cay se quedó sin habla, mirándole desde su caballo. Era lo más cerca que había estado de decirle que la amaba.

—Si lloras, se te verán chorretones en la mugre que te cubre la cara —le advirtió él.

—¿Por qué iba a llorar? ¿Por algo que has dicho? ¡No lo creo! —dijo ella, adelantándole con la cabeza bien alta, mientras escuchaba las risotadas de Alex.

Agradecida salió corriendo a recibirles.

—Ha venido a buscarles —dijo sin aliento, mientras agarraba las riendas del caballo de Cay—. Llegó dos días después que ustedes y les habría seguido, pero llegó un mensajero con una carta que le enviaba a Nueva Orleans.

—¿Quién? —preguntó Alex, con voz tensa y cansada.

—Tally —dijeron las gemelas al unísono. Habían salido de la posada y parecían haber vivido una experiencia celestial—. Tally.

—Es el hombre más guapo que he visto en mi vida —dijo una de ellas.

—Y yo —añadió la otra.

Agradecida observó a Alex mientras desmontaba.

—Se le ve bastante mejor ahora que se ha afeitado.

—¿De verdad es hermano suyo? —preguntó una de las gemelas a Cay, sin ni siquiera mirar a Alex.

—Se le ve mucho más... Bueno, masculino.

Las muchachas que antes pensaban que Cay era un chico tan guapo, ahora por poco le tosían encima.

Pero Cay sabía que tenía un aspecto horrible, y que olía mal. Su chaleco, antes encantador, estaba hecho jirones y con sangre de caimán incrustada. Sus calcetines estaban tan sucios que ni siquiera se distinguía su color, y lo mismo podía decirse de la camisa.

—Pasen y coman —ofreció Agradecida—. ¿Quieren que les consiga ropa nueva? Me parece que no van a estar aquí el tiempo suficiente para lavarles y secarles lo que queda de sus prendas.

—Tally llevaba un abrigo precioso —comentó una gemela con aire ensoñador—. En los bolsillos llevaba unos bordados de girasoles enredados con ramas de vid.

—A mí me gustaban más las abejas.

—Tally dijo que se lo había bordado su hermana.

Alex miró a Cay con curiosidad y ella asintió levemente. Le costaba recordar los tiempos en que su vida había sido tan plácida que había podido pasarse el día sentada junto a la chimenea bordando los bolsillos de los abrigos de sus hermanos.

—Lo de la comida suena bien —dijo Alex—. Y en cuanto a la ropa nueva. Según lo que cueste...

—El señor Harcourt dejó dinero para usted —dijo Agradecida, mirando a Cay.

«Lo sabe», pensó Cay. Tally le ha dicho que soy una mujer y ella ha guardado el secreto.

—¿Le ha dicho algo del tío T. C.?

A Agradecida se le iluminó la cara.

—Sí. De hecho, pasó aquí dos noches contándome todas las historias que recordaba del señor Connor. Su hermano es un joven muy agradable y considerado. —Abrió la puerta para que pudieran entrar—. Tengo jabón líquido para tu pelo —le susurró a Cay cuando pasó ante ella—. Y aceite de jazmín para el baño.

Alex la oyó, se giró y miró a Cay. Todo el estrés y la tensión, todo el miedo de los últimos días desapareció de golpe y ambos se echaron a reír. De estar rígidos y tan agotados que apenas podían moverse, pasaron a abrazarse y reírse tan fuerte que las gemelas entraron en la sala a ver qué ocurría.

Agradecida echó a las chicas por donde habían venido y cerró la puerta. Cay y Alex seguían abrazados, muertos de risa, diciéndose cosas extrañas para ella como «por dónde venía el viento», «ladrones de banco con ese olor» y «nunca me había olido el pelo tan bien».

Agradecida se metió en la cocina con una sonrisa para prepararles un gran manjar.

Para Cay, aquella noche en la posada de Agradecida fue maravillosa. Se dio un baño, durmió con sábanas limpias —y Alex secretamente tumbado junto a ella—, comió guiso y, por la mañana, se visitó con ropas nuevas. Que Alex la hiciera levantarse a las cuatro de la madrugada fue duro, pero Agradecida les estaba esperando con un paquete de tortitas de maíz calientes para que se las comieran por el camino.

—Debe de anhelar mucho algo —susurró Agradecida a Cay, justo antes de que montara.

—Sí, así es.

No fue su intención, pero la rabia había teñido su voz. Ahora que se estaban acercando, constatar la urgencia de Alex le estaba empezando a pasar factura.

—He oído algunas cosas sobre él —añadió Agradecida, en un tono tan bajo que Cay casi no pudo oírla—. Pero no me las creo. No creo que hiciera nada de lo que la gente dice.

—No lo hizo, y vamos a demostrarlo.

—Tu hermano... —empezó Agradecida, pero se calló como quien no quiere desvelar un secreto.

—No pasa nada. Alex dice que no ha visto nunca a nadie que se haga pasar tan mal por un chico.

—Eso no es verdad. La primera vez que viniste, yo también pensé que eras un muchacho.

—Gracias —dijo Cay, y le dio un beso en la mejilla por pura inercia—. Haré lo que pueda para desbloquear lo suyo con el tío T. C., pero es un hombre muy obstinado. Mi madre dice que prefiere llorar a una mujer que enfrentarse con una real.

—Tu madre parece una mujer muy sabia.

—Lo es, y la echo mucho de menos.

—Más vale que os marchéis —dijo Agradecida—. Alex nos está mirando mal. —Se inclinó hacia Cay—. ¿Quién hubiera dicho que era tan guapo cuando llevaba todo ese pelo?

—Yo no.

—Pero parece que has recuperado el tiempo perdido...

—Nosotros, bueno... —vaciló Cay.

—Las paredes de esta casa son muy finas. Y ahora, marchaos y haced lo que debáis. Y dile al señor Connor que... Que...

Cay se subió al caballo.

—Haré que se vean y así se lo podrá decir usted misma —dijo Cay, y miró a Alex—. ¿Piensas quedarte ahí parado todo el día?

Alex dio rienda suelta al caballo.

—Así que ya vuelves a hacer de casamentera. Primero querías juntar a Eli con la hija de T. C. y ahora le estás buscando una esposa al propio T. C. ¿No se te ha pasado nunca por la cabeza que tal vez esas personas puedan encontrar solas una pareja?

—No, la verdad es que no. ¿Crees que a Tally le podría ir bien una de las gemelas?

Alex puso su caballo al trote.

Pasaron días antes de llegar a Nueva Orleans y, para entonces, estaban exhaustos, pero tener tan cerca su objetivo les daba energías renovadas.

—¿Dónde crees que estará tu hermano? ¿Durmiendo en algún hotel caro? —Alex levantó la ceja mirando a Cay—. ¿Solo? ¿Acompañado?

—Estoy segura de que Tally es virgen. Adam y mi padre le vigilan muy de cerca.

—¿Como a ti?

Cay hizo una mueca de disgusto.

—A mí me dejaban salir sola porque me tenían por la más cuerda y sensible.

—Y he demostrado que se equivocaban —dijo Alex, con tanto orgullo en la voz que Cay no pudo por más que reírse.

—No he estado nunca en esta ciudad y no sé dónde están los hoteles.

Alex la miró. Su espesa mata de cabellos cobrizos había crecido en las últimas semanas y se le había escapado de la coleta. Se le rizaba sobre los hombros de un modo que provocaba en Alex un deseo irrefrenable de darle un tirón y llevársela a la silla de su propio caballo.

—No tenemos tiempo para eso ahora —le dijo Cay en respuesta a su mirada—. Creo que me has corrompido.

—He hecho lo que he podido —replicó él, pestañeando inocentemente.

—Me alegro de que solo esté Tally aquí, porque si Adam te viera mirándome de ese modo...

—¿Qué haría? —preguntó Alex, con cierto divertimento en la voz—. ¿Me tiraría uno de sus guantes y me retaría en duelo al amanecer? ¿Crees que habrá traído las pistolas de tu padre?

Cay le dedicó una sonrisa petulante.

—Es obvio que no te has llevado la impresión correcta de Adam. Pero, igualmente, me alegra que no esté aquí.

—Entonces ¿quién envió la carta a tu hermano pequeño?

—Nate —respondió Cay rápidamente—. Supongo que Nate estará en al ciudad, pero él no es un problema. Si le contara que me he pasado la noche contigo en la cama, se limitaría a preguntarme por qué he perdido el tiempo de una forma tan improductiva cuando podía haber estado aprendiendo algo.

Alex no se atrevió a reírse demasiado por miedo a que ella se imaginara que él sabía mucho más de lo que decía. Pero Cay había descrito exactamente a su amigo.

—Bourbon Street —anunció Alex—. Probemos ahí primero.

—¿Ya habías estado aquí?

—Cay, cariño, gané miles y miles de dólares en esta ciudad. Sígueme.

El afectuoso apelativo mantuvo la sonrisa de Cay durante todo el camino a través de las viejas y retorcidas calles de la ciudad. Atravesaron las soñolientas afueras en dirección a las luces y el ruido que se oía desde lejos. Cuando el ruido se convirtió en música que sonaba cada vez más alta, Cay se encontró más erguida a lomos del caballo y con el cansancio abandonando su cuerpo. En todo el trayecto no se había permitido pensar en lo que significaría encontrar a la esposa de Alex viva. En cuestión de un segundo, había pasado de ser un pretendiente soltero a un hombre casado. No, ella prefería pensar que, si encontraban viva a su mujer, significaría que la condena por asesinato de Alex podría quedar anulada. Al fin sería libre. Podría... ¿Qué?, pensó. ¿Qué podría hacer? ¿Sentar la cabeza? ¿Viajar más? ¿Explorar nuevos lugares? No habían llegado a adentrarse en la parte inexplorada de Florida y tal vez Alex quisiera volver.

¿O querría estar con su esposa y formar una familia?

Y, en ese caso, ¿qué iba a hacer Cay? La sola idea de regresar a Edilean y presentarse ante los tres hombres con los que había contemplado casarse le resultaba tan absurda que le provocaba la risa. En aquel preciso instante, no podía comprender cómo había podido ser una joven tan ingenua e inocente. Durante el periplo, había elucubrado un par de veces cómo habría sido su vida si realmente se hubiera casado con alguno de aquellos tres hombres. Aburrida, muy aburrida, aburridísima, concluyó.

Alex le había dicho que necesitaba pasión para casarse con alguien y ahora sabía muy bien a qué se refería. Era cierto que Alex había hecho mal ocultando su apariencia y que se había reído de ella durante varias semanas. Incluso la había animado a pensar en él con aquella concepción errónea, pero ella le había perdonado. Sabía sin ninguna clase de duda que si Micah, Ephraim o Ben hubieran hecho algo la mitad de malo, jamás se lo hubiera perdonado.

Recordaba muy bien lo que Alex le había dicho un día. «Al mirar al hombre, tendrías que sentirte como si fueras a morirte si no pudieras pasar el resto de tu vida junto a él. Se te tiene que subir el corazón a la garganta y quedarse ahí para siempre.» Y, en aquel momento, Cay pensó que jamás podría sentirse de ese modo.

También sabía ahora qué era hacer el amor. Con solo pensarlo, se le inundaba el cuerpo de calor. ¿Quién podía haber imaginado que algo tan básico podía resultar tan excitante y gratificante? ¡Las manos de Alex por todo su cuerpo! Pensó en las posiciones que ambos habían experimentado y se ruborizó. Si alguien le hubiera dicho que un día estaría totalmente desnuda y con los pies entrelazados aferrando el cuello de un hombre, ella lo habría juzgado imposible. ¡Ella jamás iba a hacer esas cosas tan vulgares, desagradables y primitivas! ¡Jamás!

Pero las había hecho, y había amado. Tuvo que reprimir una risilla al pensar en hacer lo mismo con Micah. Alex le había dicho que algunas parejas solo utilizaban una posición, y ella se había reído, pero, ahora que lo pensaba, seguramente Micah habría utilizado solo una y muy rápido.

—Si no te quitas esa expresión de la cara, vamos a tener que parar y pedir una habitación en uno de estos hoteles —le advirtió Alex desde su lado, con voz profunda y ronca.

—Pues, verás, es que estaba pensando en Micah.

—¿Tienes más hermanos? ¿O es uno de tus primos?

—¡Como si no te acordaras! ¡Ahí! Mira ese hotel. Me parece la clase de sitio donde se hospedaría Tally. —Señalaba un hotelito bien conservado, justo a las puertas del ruido de un poco más adelante.

—¿Este lugar para jóvenes ricos que están solos en Nueva Orleans? No lo creo. Por lo que me has dicho, es mucho más probable que se haya hospedado aquí. —Alex señaló un edificio de tres plantas un poco más allá, que parecía ser el origen del bullicio. Las puertas y ventanas abiertas proyectaban la luz del interior a la calle. Los hombres deambulaban con mujeres del brazo con vestidos chillones y sus risas flotaban llevadas por la brisa nocturna.

—Te equivocas —dijo Cay—. Aunque a veces Tally parezca un inmaduro, es un buen chico. Nunca iría a un lugar como ese.

—¿Qué te parece si vamos a la parte de atrás y echamos un vistazo por la ventana? Si no le vemos, apuesto por reservar una habitación y, mañana, con la mente más despejada, ya le buscaremos. O a los dos, si tu otro hermano también está aquí.

Alex tuvo que esforzarse por ocultar el entusiasmo en su voz mientras pensaba que, por fin, iba a encontrarse con el amigo de su infancia. Además de su padre, Nate había sido la persona más importante en la vida de Alex. Las cartas frecuentes que se intercambiaban le habían sido de mucha ayuda para tirar adelante.

—De acuerdo —aceptó Cay—, pero solo miraremos por la ventana. No entraremos. Me metería en una ciénaga llena de caimanes contigo, Alex McDowell, pero no en ese lugar tan desagradable e inmoral.

—Yo tampoco —dijo él, con aire serio—. Nunca he estado en uno de estos —añadió, alejándose con el caballo.

—¿Es cosa mía o cada vez mientes peor?

Alex se rio y ella sacudió la cabeza.

Veinte minutos más tarde, se encontraban en la parte de atrás del edificio. La música del interior tapaba cualquier ruido que ellos dos pudieran hacer. Los sonidos roncos y sugerentes de los hombres contrarrestaban las risas histéricas y agudas de las mujeres. Cay miró a Alex como diciéndole que se había equivocado con el sitio.

—¡No está ahí! —susurró ella, mientras recorrían las ventanas. Alex tuvo que ir a gachas para que no le vieran la cabeza.

Cuando ya casi habían llegado a la fachada, se detuvo de golpe y se irguió.

—Miraré yo para preservar tu delicada sensibilidad.

—Que tenga moral no significa que sea frágil. He tenido la suficiente fortaleza para salvar tu ingrata vida como una docena de veces.

Alex no se molestó en contestarle mientras observaba el interior a través de la alta e iluminada ventana.

Al ver que pasaban varios minutos y que él no decía nada,

Cay miró hacia arriba. El quicio de la ventana le quedaba por encima de los ojos, de modo que tuvo que seguir inclinada contra la pared.

—¿Qué es lo que ves?

—A unos cuantos viejos amigos. ¿Cómo crees que te quedaría un vestido rojo?

—¿Puedes centrarte en lo que tenemos entre manos? ¿Ves a mi hermano?

Alex se había apartado de la ventana y miraba a Cay.

—¿Cómo voy a saberlo? Nunca le he visto.

—¿Y por qué no me lo has dicho? —empezó, pero se calló porque era ella la que debería haberlo pensado—. Súbeme.

Él permaneció en silencio, pero ella sabía que se estaba riendo por dentro.

—No creo que sea una buena idea —dijo él por fin—. Una chica dulce e inocente con aspecto de chico quedaría traumatizada con lo que hay ahí. Hay una mujer sentada en el regazo de un hombre que tiene la cabeza enterrada en su... —Hizo un gesto para representar un busto exuberante—. Alguien tan inocente como tú no debería ver algo tan inmoral como... ¡Ay! —Se tocó el brazo donde ella acababa de pegarle.

—Levántame para que pueda ver lo que hay dentro y deja de reírte de mí.

—Para eso, tendría que quedarme mudo. Está bien, niña, no me pegues más. De tanto pelearte con los caimanes, tus puños empiezan a doler.

Cay le miró con los ojos achinados y él la agarró por la cintura para elevarla. Con los pies sobre el muslo de Alex, Cay se quedó quieta hasta encontrar el equilibrio.

Lo primero que vio, y lo único, fue a su hermano Tally sentado a una mesa de juego, con una mano llena de cartas y la otra alrededor de una mujer que a Cay le pareció gorda. O que lo sería cuando se quitara el corsé. Llevaba la cinturita prieta, pero su cuerpo se expandía por encima y por debajo de un modo realmente vulgar.

—¿Reconoces a alguien? —preguntó Alex, mientras la sujetaba en un abrazo con la cara apoyada en su costado.

Cay dedujo por la diversión en su voz que, de algún modo, había reconocido perfectamente al joven.

—No conozco a nadie en este sitio —respondió ella, con firmeza.

—¿Seguro? Juraría que he observado cierto parecido entre tú y ese joven, pero supongo que me lo habré imaginado.

—¡Déjame bajar! —siseó ella, pero él siguió sujetándola. Inclinándose, intentó bajarse de la ventana, pero las fuertes manos de Alex en su cintura la mantuvieron perfectamente erguida—. Suéltame, si no me dejas bajar, haré que te arrepientas.

—¿Qué piensas hacerme? —preguntó con voz seductora.

—Nada de lo que tienes en ese cerebro de nuez. ¡Suéltame!

Cay siguió forcejeando un momento con él hasta que se dio cuenta de que seguía delante de la ventana. Cuando volvió a mirar por ella, Tally la estaba observando. Al principio, Cay pensó que no podía haberla visto, pero, al constatar que el joven se quitaba de encima a la mujer sin miramientos, dejaba las cartas sobre la mesa y se levantaba, todo ello con los ojos clavados en Cay, supo que su hermano no solo la había visto, sino que la había reconocido.

Cay se agachó para quedar fuera de su vista.

—Tally me ha visto y viene hacia aquí.

Alex la dejó inmediatamente en el suelo.

—¿Qué quieres hacer? Podríamos escondernos esta noche y venir a buscarle mañana.

—¿Escondernos? ¿De Tally? ¡En la vida! Quiero... —Miró a su alrededor—. Quiero que me ayudes a subirme a ese tejado.

—¿Cómo dices? —Alex miró la pequeña edificación que recorría la mitad de la parte trasera del hotel. Era baja, de una sola planta, y con un techo muy inclinado.

—Si le tienes miedo, hablaré yo con él primero.

—No le tengo miedo y no quiero esconderme. Si no me subes ahí, tendré que hacerlo yo misma. —Y levantó una pierna para alcanzar un barril colector de lluvia, pero era demasiado alto y sus piernas demasiado cortas.

Alex no tenía ni idea de para qué quería subirse ahí, pero la curiosidad pudo con su sentido común. Cay no debería caminar por un tejado en plena noche, pero quería ver lo que tenía planeado, de modo que, con la mano bajo su traserito redondeado, la empujó hacia arriba. Luego, tuvo que subirse al barril para ayudarla a trepar al tejado y volvió a bajar al suelo justo a tiempo para ver salir al hermano de Cay por la puerta de atrás.

Oculto en las sombras, Alex observó. Desde que la había conocido, Cay no había parado de quejarse de ese hermano y estaba impaciente por verles juntos.

Tally era joven y alto, con un toque rojizo en el pelo oscuro. Era guapo y tenía un aire de pillo que Alex sabía muy bien que gustaba a las mujeres. Parecía de esos a los que no les cuesta reírse. En silencio, Tally dejó atrás la puerta iluminada del hotel y se metió en el callejón oscuro de detrás. Alex se preguntaba por qué Tally no llamaba a su hermana, porque, en lugar de eso, el joven avanzaba por el callejón lentamente, mirando alrededor con los cinco sentidos alerta.

Cuando Cay se acercó al borde del tejado como si fuera a saltar, Alex salió de las sombras. ¿Qué demonios estaba haciendo?

Tally se paró en seco al ver a Alex y se le dilataron las pupilas. Un segundo más tarde, Cay emitió una especie de grito de guerra indio combinado con un gruñido de caimán y se lanzó desde el tejado sobre Tally.

Alex se adelantó para intentar agarrarla, pero cayó con fuerza contra Tally, que se tambaleó hacia atrás sin caerse. Entonces vio Alex cómo la estaba sujetando, cómo la protegía para que ni un solo pelo de su hermana soportara ningún mal.

Alex retrocedió y los observó. Obviamente, era algo que

había ocurrido entre ellos muchas veces, pero, aun así, por si acaso, se quedó cerca, a punto por si ella le necesitaba.

—¿Qué demonios llevas puesto? —le preguntó Tally, forcejeando con ella.

Alex apostó a que Tally no estaba acostumbrado a los músculos que había desarrollado su hermana en las últimas semanas, por lo que le pilló desprevenido cuando le deslizó el pie por detrás del tobillo y empujó. Tally cayó al suelo cuan largo era, pero mientras caía, sostuvo a Cay de manera que ella no pudiera hacerse daño.

—Le diré a madre que has renegado y que Alex me ha hecho vestirme de chico.

Tally miró a Alex desde el suelo. Cay estaba encima de su hermano.

—¿Este es el hombre quien te secuestró y te puso en peligro de muerte?

Al ver que el joven se levantaba, Alex se apuntaló.

Pero Cay descargó todo su peso en el brazo izquierdo del joven, como si fuera a rompérselo.

—¡«Que»! «Que», ¡idiota!

Tally dejó de forcejear y la miró consternado.

—¿Qué?

—Que es «que» no «quien». Alex es el bastardo que se me llevó y me metió en la espesura de Florida. Ya veo que no has estudiado mucho mientras yo no he estado.

—He cruzado todo el país buscándote, ¿cómo iba a leer?

El joven retorció el brazo para sacarlo de debajo de Cay e intentó levantarse, pero ella se tumbó sobre él.

—Si le tocas un pelo, te convierto en una chica —le amenazó Cay, aplastándole con su peso.

De entre las sombras, salió otro joven que Alex no había visto dentro. Tenía el pelo rubio oscuro y unos ojos muy serios. Era guapo, pero con una belleza discreta, muy distinta a la fogosidad de Tally. Alex le reconoció al instante y, por un momento, ambos se quedaron quietos bajo la tenue luz, mirándose. Se habían estado escribiendo desde niños y sabían más el uno del otro que cualquier otra persona. En sus cartas, se habían confiado cosas que nunca habían contado a otras personas.

—Nadie va a castrar a nadie —dijo Nate en tono sosegado, plantándose delante de Alex para mirar a los hermanos que todavía forcejeaban en el suelo.

Cay no dudó ni un minuto en dejar a Tally y saltar a los brazos de Nate. No hubo peleas, ni caídas, ni comentarios mordaces, solo un abrazo silencioso.

—¿Estás bien? —le preguntó Nate—. ¿No te has hecho daño en ninguna parte?

—No —respondió Cay, de puntillas y con los brazos alrededor del cuello de Nate.

—¿Has aprendido algo en el viaje?

—Todo. Y más aún, lo dibujé todo.

Nate levantó las cejas.

—¿En serio? ¿Y dónde están los dibujos?

—Los tiene Jamie Armitage.

—¿Cómo? —preguntó Tally al tiempo que se levantaba del suelo y se sacudía la ropa—. ¿Hay un Armitage metido en todo esto?

—Se hace llamar señor Grady, y es el líder de la expedición.

—¿Cuántos erais? —preguntó Nate—. ¿Adónde fuisteis? ¿Al sur por el St. Johns? ¿Qué fauna encontrasteis? ¿Qué..?

Cay besó a Nate en la mejilla.

—Creo que eso mejor que lo hables con Alex. Él se estudió los libros y sabe los nombres de todo. Le daré los dibujos al tío T. C. para que identifique él las plantas.

—Y supongo que este es Alex —intervino Tally, que seguía mirándolo como si le quisiera pegar.

—Sí. —Cay se alejó de sus hermanos para ponerse al lado de Alex. Fue lo único que se le ocurrió para no darle la mano, aunque pensó que incluso eso sería demasiado para Tally. Si hubiera tocado a Alex, el proteccionismo fraternal de Tally le habría empujado a pegarle—. Alex y yo...

Cay se calló al ver que Tally miraba hacia la derecha, más abajo del edificio, y se le cortaba el aliento. Cay miró a Nate, que asintió levemente. No se percató de que también había mirado a Alex.

—¿Está aquí? —preguntó Cay.

—¿Quién? —preguntó Alex, hablando por primera vez desde hacía un buen rato. Solo Nate se fijó en cómo Alex se acercaba a Cay, como para protegerla de lo que fuera que Tally miraba.

Pero, cuando Cay miró a Alex y sacudió la cabeza, él retrocedió. Nate percibió que la comunicación entre ellos había sido silenciosa y su hermana le había dicho que no estaba en peligro y no necesitaba su protección.

Lentamente, Cay bordeó el edificio. Alex la seguía de cerca. Hacia ellos se acercaba un hombre grande, tan alto como Alex, aunque con unos cuantos kilos más, y por sus andares, era evidente que era todo músculo. Alex supo enseguida que era el hermano del que Cay tanto hablaba: Adam. Por lo que había podido entender, el hermano mayor de Cay era un personaje duro y formidable, de modo que volvió a apuntalarse. Le daba lo mismo que fuera su hermano; si le decía una palabra fuera de tono a Cay, si empezaba a chillarle, se ocuparía de él. Después de todo lo que ella había tenido que pasar, nadie, ni siquiera un hermano, tenía ningún derecho a herirla de ningún modo.

Alex vio que Cay se detenía y su hermano se paraba a unos pasos de ellos. Alex la miró para saber si se había petrificado de miedo, pero no supo leer la expresión de su rostro, y cerró los puños. Tal vez perdiera si peleaba contra ese hombre, pero moriría protegiéndola.

Cuando Adam se agachó y apoyó una rodilla en el suelo, Alex no comprendió qué ocurría, pero inmediatamente vio que Adam abría los brazos y Cay corría hacia él. Con su hermano arrodillado, ambos estaban casi a la misma altura. Cay se lanzó entre sus brazos y le enterró la cara en el cuello. Un segundo más tarde, los sollozos de ambos lo llenaban todo.

Incómodo ante tal demostración de puro sentimiento, Alex se giró y miró a Nate y a Tally. Ambos tenían los ojos clavados en sus hermanos que, fundidos en un abrazo y con las cabezas gachas en signo de rendición, colmaban el aire de la cálida noche con sus sollozos. Las lágrimas corrían por las mejillas de Nate y Tally, y ninguno se molestaba en secárselas.

Alex se alejó de ellos y se refugió entre las sombras. Era como si ya hubiera perdido a Cay, como si el tiempo que habían pasado juntos no hubiera existido y ella estuviera ahora de nuevo en el lugar al que pertenecía. Alex no se había sentido jamás tan prescindible e inútil en toda su vida como en aquel momento. Aquello era entre sus hermanos y ella, y no había lugar para él ahí.

Se giró sin hacer ruido y echó a andar, pero la mano de Nate en su brazo le detuvo.

—No te vayas. Se calmarán enseguida. Adam empezará a decirle que nos ha asustado mucho y que nunca más podrá salir de casa sola. Cuando todo vuelva a la normalidad, tú y yo podemos ir a hablar a algún lado. No eres como te imaginaba.

Alex sabía a qué se refería Nate. Ambos habían sido muy modestos en sus cartas sobre el aspecto que tenían. Alex le había dicho que tenía cara de caballo y Nate que tenía el semblante gris de todos los científicos. Pero Alex parecía un ángel renacentista y las facciones talladas de Nate eran como las de una escultura griega.

—Esperaba que fueras más guapo —dijo Alex, con cara de póquer.

—Se nota que has pasado mucho tiempo con mi hermana —replicó Nate, con la misma seriedad—. No hay nada en el mundo que le impida hacer una broma. ¡Ah! Mira, ya han dejado de llorar. Tal vez consigamos cenar solos. Tengo que contarte muchas cosas y pensaré mucho mejor si tengo algo en el estómago.

Alex no pudo evitar sonreír. Nate hablaba con el mismo tono formal con el que escribía. Ah, ¡y qué familiar le resultaba! Después de tantos meses entre cosas y caras nuevas y diferentes, era muy agradable escuchar algo conocido.

—¿Necesitas un pañuelo? —preguntó Nate, con una ceja levantada.

—Dejo las lágrimas a tu familia —le respondió Alex, y se alegró al ver que Nate esbozaba una sonrisilla.

—Tienes que enseñarme lo que haces con los caballos.

—Y tú tienes que resolver el misterio que me condenó a la horca —replicó Alex.

—Hasta Tally podía haber resuelto eso —dijo Nate, como si un perro bien entrenado acabara de hacer un truco extraordinario.

Y así fue como ambos compartieron sus primeras risas, en persona.

—¿Quién es ese que ha hecho reír a mi adusto hermano pequeño? —dijo una voz desconocida para Alex.

Nate y Alex se giraron y vieron a Adam, con el brazo rodeando a Cay de tal manera que si ella hubiera querido escaparse, jamás lo habría conseguido. Alex no pudo evitar cerrar los puños. Le daba igual si era su hermano. No quería que nadie más la tocara.

—Me parece que tendríamos que tener una charla entre todos —dijo Adam, y Alex asintió.

Adam lo había dispuesto todo para que no cerraran el restaurante, y lo tenían a su entera disposición. Una vez sentados alrededor de una mesa redonda, Tally y Adam empezaron a hablar a la vez, pero Adam dejó que su hermano pequeño les contara todo lo que habían tenido que hacer para encontrar a Cay.

—Y al hijo de Mac —añadió el joven a modo de colofón, obviamente incapaz de decidir si Alex era amigo o enemigo.

Cuando los camareros empezaron a cubrir la mesa de platos con comida, Alex temió por un momento que pudieran escucharles. Tal vez ellos hubieran olvidado su condición de forajido, pero él nunca la olvidaría. Hasta que no vio la cara de confusión de uno de los camareros, no comprendió que la familia entera se había abandonado a un acento escocés tan fuerte que parecía que hubieran llegado de las Highlands el día anterior.

Tally contó que había ido al puesto comercial, donde había conocido a Agradecida y a las gemelas.

—Llegué dos días después de que os marcharais. —Perdió un instante la mirada y tuvo que sacudir la cabeza—. ¡Esas chicas! Me seguían a todas partes. Nunca había visto nada igual.

—Entonces ¿no todas las chicas son tan agresivas como ellas? —preguntó Cay y, cuando Tally le contestó que no, miró a Alex con cara de «te lo dije».

—Pero ¡ojalá lo fuesen! —exclamó Tally con entusiasmo—. No tendría que esforzarme tanto si todas fueran como ellas.

Adam miró a Tally como diciendo que cerrara la boca, pero Cay y Alex no pudieron evitar reírse.

—Ya te dije que a nosotros, los hombres, nos gustaba —dijo Alex.

—Y yo ya te dije que nosotras, las mujeres, no éramos todas como ellas —replicó ella, riendo.

—Otra vez, ambos tenemos razón —dijo Alex, riéndose con ella.

Adam miró a Tally y el joven se encogió de hombros. No tenían ni la más mínima idea de qué estaban diciendo aquel par.

—Nate se quedó en Charleston y yo vine a Nueva Orleans —añadió Adam, sobre sus risas.

—Pero no le dijiste al tío T. C. adónde ibas —le recriminó Cay en tono severo.

—En ese momento, estaba un poco molesto con él. —Adam tomó un sorbo de vino.

—Estuvo a punto de arrancarle la cabeza al tío T. C. —aclaró Tally a Cay—. Ojalá hubieras estado ahí para pintar la pelea. ¿No habría sido algo digno de ver?

—Eso habría sido harto improbable —dijo Adam.

Tally siguió contando sus aventuras y desventuras en su periplo para llegar a Florida antes de que Cay tomara el bote.

—El tío T. C. no nos dijo que estuvieras con un Armitage.

—No creo que le importara el detalle —dijo Adam—. A menos que al hombre le brotaran hojas y flores del cuerpo, no creo que el tío T. C. encontrara interesante sus orígenes.

—¿Había advertido alguien a Grady sobre mí, sobre nosotros? —preguntó Alex.

—No, que yo sepa —respondió Adam—, pero la última vez que le vi me comentó que mi hermanita pequeña ya habría crecido bastante. No creo que le costara mucho atar cabos.

Durante toda la charla, Nate estuvo callado, mirando. Le gustaba observar todo lo que le rodeaba, ya fueran personas, animales o incluso cambios en el paisaje. Tenía una memoria formidable y recordaba todo lo que veía y oía.

Ahora miraba a Alex y Cay con la concentración de quien observa a través de una lupa. Reconoció los cambios en su hermana, tanto físicos como mentales. Sabía que había estado demasiado protegida toda su vida y había llegado a decirle a su padre que el modo en que la trataban no era necesariamente bueno para ella. Si se casaba y se marchaba a otra casa, lo pasaría muy mal para adaptarse. Estaba acostumbrada solo a lo bueno y mejor. Nadie había dejado que probara las partes malas de la vida.

Pero Nate observó que su hermana pequeña estaba distinta. El hecho de que estuviera sentada junto a un hombre al que habían juzgado por asesinato, sin miedo aparente, ya era un gran cambio. De camino al restaurante, dos hombres, obviamente borrachos, habían estado a punto de tropezar con ella. Adam se había adelantado inmediatamente para apartárselos, pero ella ya les había evitado sola. Y lo había hecho con la naturalidad de quien lo ha hecho cien veces. Pero lo más sorprendente de todo fue que ni siquiera pareció reparar en ellos. Sus ojos no se despegaron de Alex. Ni por un instante.

Ahora, en el restaurante, Adam estaba enfrente de Cay, con Tally y Nate a ambos lados, y Alex estaba junto a Cay. Adam había estado contando lo que habían hecho para seguirles el rastro, mientras Tally se había encargado de añadir el dramatismo a la historia.

—Cuando estuve en la posada de Agradecida, vi un caimán —añadió Tally—. De verdad. Lo tenía a poco más de quince metros, pero me quedé quieto y lo dejé pasar.

—¿En serio? —le preguntó Cay, mirando a Alex, y los ojos de ambos detectaron en los del otro la mutua diversión.

Tally paseó la mirada de uno al otro y frunció el ceño. Tanto él como Adam eran demasiado educados para comentar que Cay y Alex comían de ambos platos. Parecían saber qué le gustaba al otro y, con solo una mirada, se cambiaban las verduras de un plato a otro. Toda la familia sabía que, a Cay, no le gustaban las judías verdes, por lo que, al ver que se las comía y las compartía con Alex, incluso Adam detuvo el tenedor a medio camino de su boca.

—No puedo dejar de pensar en tu aspecto —dijo Tally a su hermana—. Has cambiado.

—El cabello volverá a crecer —dijo ella—. Aunque no sé si quiero. Monto mucho mejor sin diez kilos de pelo ondeando detrás de mí.

—Eso es malo para tu cuello —dijo Alex, y ella se rio, como si fuera la cosa más graciosa que había oído nunca.

Tally miró a Nate, pero Nate estaba tan concentrado observando a Cay y a Alex que ni siquiera parecía haberse dado cuenta de lo que ocurría. Pero Tally sabía que su hermano estaba «conjurando», que era como ellos denominaban a su costumbre de examinar algo para discernir su significado. Sabía que, después, Nate le resumiría lo ocurrido en una concisa frase.

—Después de la cena —anunció Adam a su hermana—, iremos al hotel que he reservado y, por la mañana, haré que te traigan ropa más adecuada para ti. Ya no hay necesidad de que sigas vistiéndote de hombre. Ya tengo bastantes hermanos, no necesito otro más.

Alex levantó los ojos del plato.

—No. El corsé le hace daño. Deja que disfrute de su libertad tanto como pueda. Cuando vea a su madre, ya habrá tiempo de volver a enjaularla —dijo Alex en un tono tranquilo, pero firme, que hizo que Adam le mirara directamente a los ojos.

Nate no había visto a muchos hombres aguantar la mirada de su hermano y jamás había visto a nadie, aparte de a su padre, ganar a Adam, pero la mirada fija de Alex y su mandíbula cerrada revelaban claramente que no iba a ceder.

—Está bien —dijo Adam, al fin—, supongo que mañana seremos cinco hombres saliendo de Nueva Orleans. Pero, Cay, no puedes... —Adam calló de golpe ante la mirada de Alex.

—¿No puede qué? —preguntó Alex, con la voz de quien está a punto para empezar a pelear.

Los tres hermanos miraron a Cay, pero ella tenía la nariz prácticamente hundida en el plato.

—¿Qué crees tú que tiene que hacer? —preguntó Nate a Alex.

—Creo que tiene que... —Dejó la frase a medias e hizo desaparecer la mirada de desafío—. Creo que tiene que hacer lo que ella quiera —añadió, volviéndose hacia Cay.

El cambio de tono de Alex fue dramático. Se había mostrado dispuesto a pelearse con los más de noventa kilos de corpulencia de Adam y se amilanaba a la hora de decir a Cay qué debía hacer. En un segundo, su voz pasó de amenazadora a sumisa.

Los hombres, todos ellos de más de metro ochenta, se miraron entre ellos, miraron a la pequeña Cay y, de repente, se echaron a reír. Cay intentó mantenerse esquiva, como si no supiera de qué se reían, pero acabó también uniéndose a la fiesta. Y, cuando echó mano al flanco de Alex, desenvainó su enorme cuchillo y lo agitó en el aire, las risas aún fueron mayores.

Nate vio cómo a Cay se le deshacían los ojos al mirar a Alex. «Está enamorada de él», pensó Nate, y tuvo que reprimir una sonrisa. Le parecía magnífico que su hermana se hubiera enamorado de su mejor amigo.

Pero al recordar que Alex tenía una esposa que seguía viva a no más de tres kilómetros de donde estaban sentados, la sonrisa desapareció. Alex tendría que elegir y, si hería a Cay, tal vez Nate también tuviera que escoger entre su hermana y su mejor amigo.

24

En la cama, Cay dormía y soñaba que navegaba en la barcaza por el manso y sereno río de Florida. El señor Grady y Eli también estaban, y Alex iba sentado junto a ella. Tim iba junto a la borda del bote, acariciando el agua con la punta de los dedos, y un pequeño caimán perseguía su mano con la boca abierta. Cuando estaba a punto de avisarle, un sonido la despertó.

—¡Eh, dormilona! —dijo Alex suavemente al tiempo que se metía en la cama a su lado.

Sin abrir los ojos, Cay se acurrucó junto a él.

—Hueles de maravilla.

—No puedo decir lo mismo de ti. No te has bañado y hueles a ciénaga.

—Vaya, pensaba que te gustaban las ciénagas —dijo ella.

Cay le puso la pierna sobre la suya y se movió con intención de colocarse sobre él. A regañadientes, él se quitó la pierna de encima del estómago.

—Tu hermano está en la habitación de al lado, y con el ruido que haces, no me atrevo a hacer nada contigo.

Ella le volvió a poner la pierna encima.

—¿Desde cuándo te da miedo Tally?

—El que está aquí al lado es Adam.

Cay retiró la pierna, abrió los ojos y bajó el tono.

—En ese caso, ¿qué haces aquí y cuándo has podido bañarte?

Alex acomodó la cabeza de Cay sobre su hombro.

—Me he quedado despierto toda la noche hablando con Nate.

—¿Con Nate? ¿Mi hermano Nate?

—Claro. ¿Por qué no?

—Es que Nate no habla con nadie. Prefiere observar y aprenden a dar cualquier tipo de información. ¿Qué te ha dicho?

—Quería saber qué sabe o qué ha deducido Grady, pero no se lo podemos preguntar hasta que regrese de la selva.

Cay notó que Alex se atascaba y le dio tiempo para que llegase a lo importante. Sin embargo, antes de que hablara supo lo que iba a decir porque el brazo de Alex la estrechó para que no se moviese.

—Nate me ha hablado de Lilith. —Cay trató de volverse, pero él la retuvo—. Tarde o temprano tendrás que saberlo, así que puedes esperar a que te lo cuente uno de tus hermanos o bien escucharlo de mis labios. Tú eliges.

Era consciente de que Alex le narraría la historia con más tacto que tres de sus hermanos. Si Ethan hubiera estado con ellos, le habría pedido que se lo explicara todo, pero no estaba. Cay respiró hondo.

—De acuerdo, cuéntamelo, pero si escuchamos a alguien en la puerta y creemos que es Adam, tendrás que salir por la ventana.

Alex sonrió.

—Sabes que estamos en un cuarto piso, ¿verdad?

—Aunque estuviéramos en un duodécimo tendrías que salir igual. Ni tu vida ni la mía valdrían un céntimo si Adam te descubriese conmigo.

—Nate dijo casi lo mismo, por eso está distrayendo a Adam.

Cay levantó la cabeza y lo miró. Iba muy limpio y se había afeitado, y le pareció, con enorme diferencia, el hombre más guapo que había visto jamás. Aunque nunca se lo diría, por supuesto; y lo encontraba más atractivo incluso que su hermano Ethan.

—Parece que te has hecho muy amigo de mi hermano en muy poco tiempo.

Alex le hizo recostar la cabeza de nuevo.

—¿Quieres escuchar la historia o no? Nate no puede distraer a Adam toda la vida sin que sospeche.

—Dime una cosa —dijo Cay, y sintió que el cuerpo se le entumecía. No le gustaba pensar en lo que estaba a punto de oír—. ¿Cómo es posible que tu...? —No podía pronunciar la palabra «esposa»—. ¿Cómo es posible que esa mujer esté viva si tanta gente la vio degollada?

—Ahí está el detalle. En realidad, la vio muy poca gente. Las únicas personas que la vieron aquella noche fueron el juez, el médico y los dos hombres que me pusieron las esposas. Después se llevaron el cadáver de Lilith a la consulta del médico, la metieron en un ataúd al que clavaron la tapa y la enterraron tres días después.

—Supongo que entonces ella ya no estaba dentro del ataúd —observó Cay, y también le hubiera gustado añadir: «Lamentablemente.»

—No. Lo que Nate descubrió es que el médico estaba implicado en la conspiración. Él suministró las drogas que usaron para dormirme, y también redactó la nota, en la que tuvo mucho cuidado de no escribir que yo había asesinado a mi esposa, sino simplemente que me podían encontrar junto a ella. El médico tiró la nota a la ventana del juez y le despertó. También fue a buscar a los policías y condujo a todos hasta mi habitación. Sin embargo, él fue el único que examinó de cerca a Lilith. Los demás hombres estaban demasiado ocupados arrojándome al suelo y diciéndome que era primo hermano del diablo. Yo mismo no pude ver a Lilith más que un instante, pero lo que vi me tortura desde entonces. Esa visión fugaz fue suficiente.

—Me pregunto por qué te hizo algo tan espantoso.

—Eso no lo sabemos todavía, y no lo sabremos hasta que hable hoy con ella.

—¿Hoy? —La voz de Cay transmitía temor.

Alex le acarició el cabello y la atrajo hacia sí.

—Sí, hoy. Tus hermanos tienen a tres guardias contratados que la vigilan en este mismo instante.

—¿Sabe que estás aquí?

—No. No sabe nada. Como se le da tan bien huir de la gente, a tus hermanos les ha parecido mejor no alertarla. Contrataron a esos hombres para que la siguieran y vigilasen todo lo que hacía sin que ella los viera. Tus hermanos quieren que la «sorprenda».

El tono de Alex dejaba entrever lo que pensaba de esa idea.

Cay recordó algo y su expresión se iluminó.

—El médico murió. ¿No me dijiste que el doctor había muerto de un ataque al corazón?

—Efectivamente —confirmó Alex—. Me gusta pensar que tuvo la suficiente conciencia como para que la culpa por lo que me había hecho lo matase. Nate no cree que Lilith quisiera que me acusasen de su asesinato. Opina que su intención era que el médico declarase que su muerte había sido un suicidio.

Cay estaba desconcertada.

—¿Acaso habría mejorado algo? Algo así te habría atormentado toda la vida. Una mujer habría preferido quitarse la vida a pasar una noche contigo.

Alex le sujetó la barbilla y le hizo levantar la cara. El beso que le dio daba cuenta de cómo agradecía su comprensión.

Cay le volvió a poner la pierna sobre el cuerpo, y él la retiró. Cay suspiró.

—Entonces, ¿hoy la verás y le preguntarás por qué te hizo

algo tan despreciable, horrible y mezquino que casi consigue que te ahorquen?

Alex se rio.

—Me alegra ver que estás de mi parte, y sí, eso es exactamente lo que voy a hacer.

—Si planeaba fingir su suicidio, por favor, no olvides preguntarle por qué no acudió a rescatarte cuando se enteró, o leyó, que estaban a punto de colgarte por haberla asesinado.

—Esa es la primera pregunta de la lista.

—¿Y después? Tú... —Cay titubeó por un instante—. En cuanto soluciones este asunto puedes regresar a Virginia con nosotros.

—No —replicó él con suavidad—. No puedo. Tengo que limpiar mi nombre.

—Eso es fácil. Basta con que alguien dé testimonio de que está viva, y entonces, contratas a un abogado para que presente el documento a un juez en Charleston, y serás libre. Mi familia te ayudará. Mi padre conoce a mucha gente, creo que no tardarás nada en conseguir que se revoque la sentencia. Tú... —Al ver que Alex no decía nada, supo que todavía había más—. De acuerdo, cuéntamelo todo, incluso la parte que ocultas. —Su voz sonaba pesada, temerosa de lo que estaba a punto de escuchar.

—Es cierto que puedo lograr que se retiren los cargos, pero necesito limpiar mi nombre.

—No dejas de repetirlo, pero ¿qué quieres decir exactamente?

—Espero que nunca sepas lo que se siente cuando pasas de pensar que tienes muchos amigos a descubrir que no tienes ninguno. Antes del día de mi boda, habría jurado que tenía algunos amigos realmente fieles. George ya te contó que solíamos salir a beber juntos. Yo... —Hizo una pausa—. La verdad es que pensaba que había hecho unas cuantas buenas obras. No sabría decir la cantidad de deudas de juego que perdoné. Si un hombre no podía permitirse lo que había perdido, o si tenía una esposa e hijos a su cargo, a menudo le decía que no había recibido su apuesta a tiempo y le devolvía el dinero. Muchas veces me daban palmadas en la espalda y me decían que era realmente buena persona. Así llevaba yo mi vida. Y en cuanto a las mujeres, tuve muchas ofertas, pero nunca acepté ninguna. No quería que algún marido me persiguiera pistola en mano o que un padre o un hermano se enfadaran conmigo por lo que había hecho a una chiquilla inocente.

Cay le dio un beso en el pecho sobre la tela blanca y limpia de la camisa.

—Hice lo que pude para merecer amistad y respeto —continuó Alex—, pero cuando encontraron a Lilith muerta en mi cama, nadie dio la cara por mí. ¡Ni una sola persona!

—Excepto el tío T.C.

—Sí, salvo él.

Cay intentaba comprender lo que le había dicho Alex, y al entenderlo sintió ganas de llorar.

—Quieres volver a Charleston con... con ella y demostrar a todas esas personas que sigue viva. Una hoja de papel y un acuerdo discreto no te bastan.

Alex le estrechó el hombro.

—Lo entiendes.

—No. Simplemente, te conozco lo suficiente para saber que es lo que quieres. —Levantó la cabeza, la apoyó sobre la mano de él y le miró—. No quiero que vayas.

—Tengo que hacerlo.

—No, no tienes por qué hacerlo y te pido que no lo hagas. Al menos, no vayas solo. Adam puede acompañarte.

—Nate viene conmigo.

—¿Nate? —Cay frunció el ceño—. ¿Por qué habla tanto contigo? No hace amigos fácilmente.

—Todo esto va mucho más allá del asesinato. ¿Lo habías olvidado?

Cay era muy consciente de que Alex había esquivado la

pregunta acerca de Nate y había cambiado de tema. Sabía lo que Alex quería decir, y dejó caer la cabeza de nuevo sobre la almohada.

—Matrimonio. Si ella sigue viva, tú sigues casado.

—Exacto. Nate y yo pensamos que si contamos a un juez lo que me hizo Lilith, declarará inválido el matrimonio de inmediato.

—Una anulación.

—Correcto, un decreto legal que afirme que ese matrimonio nunca existió. Todo el país sabe que no se consumó.

Cay se volvió para mirarle.

—Voy a ir contigo.

—¡Ni hablar! Volverás a Edilean con Adam y Tally. Ya está acordado.

—¿Y quién cerró ese acuerdo?

—No me mires así. Nate y yo hemos pasado la noche hablando de todo y hemos decidido que es lo mejor. Irás a Virginia y me esperarás allí.

—Un momento, ¿estás seguro? —preguntó, alzando la voz—. Supongo que ahora tendría que ajustarme un corsé, ponerme el vestido bonito, subirme a un carruaje y volver a Virginia con mi madre.

—Eso es exactamente lo que vas a hacer —respondió Alex con firmeza—. Y no pienso discutir contigo sobre el tema. No puedes venir conmigo a Charleston.

—«Me miró a los ojos y me atrapó» —citó Cay.

—¿Cómo dices?

—Es lo que dijiste. Te pregunté si la querías y contestaste: «Con toda mi alma y todo mi corazón.» Después añadiste que la quisiste desde el momento en que la viste y que cuando vuestros ojos se encontraron, fuiste suyo.

Alex resopló.

—Estoy seguro de no haber dicho algo tan ridículo en toda mi vida. Un hombre no habla así. Es demasiado... Demasiado florido. Aunque si tuviera jazmín en el pelo...

Se le enturbió la mirada y se giró hacia ella con la intención evidente de besarla. Cay le puso las manos en el pecho y le rechazó.

—Alexander McDowell, si crees que vas a distraerme, será mejor que lo pienses dos veces. Te prometo que, si no contestas mis preguntas, me pondré a chillar y puedes estar seguro de que mi hermano entrará por esa puerta, o a través de la pared, si es necesario.

Alex suspiró, volvió a apoyar la cabeza en la almohada y miró el techo.

—Si lo que te preocupa es que me vuelva a enamorar de ella, eso no sucederá. Es un asunto de justicia y de intentar volver a ser quien era. Nunca me sacaré de la cabeza el hedor de aquella cárcel, pero haré todo lo que pueda para conseguirlo. ¿Te he contado que mientras iba de camino al juzgado me arrojaban piedras?

—Por lo menos cincuenta veces. Lo que quiero que me cuentes es tu estúpido plan de volver a Charleston y vivir con una mujer de la que estás perdidamente enamorado.

—No voy a vivir con ella y ya no estoy enamorado. —Se volvió y miró a Cay—. Estoy enamorado de otra mujer.

Ella le devolvió la mirada.

—Ni se te ocurra decir lo que creo que vas a decir. Eres un hombre casado.

Alex se incorporó hasta quedar sentado y bajó los ojos hacia ella.

—¡Es lo que te estoy diciendo! ¡Es lo que intento explicarte! Tengo que exculparme de un cargo de asesinato y tengo que salir de ese matrimonio. ¿Eres boba o acaso eres incapaz de entender algo tan simple?

—Te entiendo perfectamente.

Alex se desplomó sobre la almohada y sacudió la cabeza con frustración.

—Si los hombres supieran lo que se siente al estar casado, no se casarían nunca. —Se volvió y la miró con unos ojos que suplicaban comprensión—. No puedes venir porque no quiero que se manche tu nombre. Si me presento en Charleston contigo de un brazo y Lilith del otro, la gente dirá que tú eres el motivo por el que tuvo que fingir su muerte, independientemente de cuál sea la verdad. Buscarán algo que demuestre que no son el hatajo de necios descerebrados que realmente son. Cuando se den cuenta de que condenaron a muerte a un hombre inocente, buscarán un motivo para perdonarse a sí mismos. Si ven a otra mujer conmigo, la culparán a ella... A ti.

—Pero yo no te conocí hasta después del veredicto.

—¿Piensas que lo van a creer? Estabas en Charleston y tu padrino era la única persona que me visitaba. ¿Olvidas que te vieron ayudándome a escapar? Ya sé que tu familia limpió tu nombre en el ámbito legal, pero nadie creerá que alguien fue tan ingenuo de ayudar a un preso fugado a quien ni siquiera conocía. Con eso ya tienen munición más que suficiente para inventar historias diciendo que yo estaba con otra mujer. Dijeron que solo me casé con Lilith por el dinero que iba a heredar. Incluso apareció publicado en el periódico. Nate tiene pruebas de que Lilith no es la sobrina de la vieja señora Underwood, pero ¿quién lo va a creer?

—Se darán cuenta de que no tenías ningún motivo oculto para casarte con ella. Además, la rica soy yo —añadió Cay—. Ella es pobre, pero yo soy rica, así que si tuvieras que ir con una mujer por el dinero, sería conmigo.

Alex alzó las manos, desesperado.

—Perfecto. Dirán que en cuanto descubrí que Lilith no era rica, busqué a otra mujer que lo fuera. Dirán que convertí la vida de Lilith en un suplicio hasta el punto que tuvo que fingir su propia muerte para huir de mí.

Cay frunció el ceño.

—Y, evidentemente, la gente mirará a esa mujer y luego a mí, y decidirán que el único motivo por el que podrías haberme elegido es el dinero de mi familia.

—Sin duda alguna —replicó Alex—. Verán tu pelo sucio y esa cara, siempre llena de manchas de barro del pantano, y no entenderán por qué te prefiero a ti por delante de una belleza de renombre como Lilith.

—¿Se supone que eso me tiene que hacer sentir mejor?

—Creo que deberías confiar en mí lo suficiente como para saber que podría entrar en una habitación llena de mujeres desnudas y solo pensaría en ti.

—Hasta yo sé que en Nueva Orleans esa situación es posible, así que será mejor que Nate no me cuente que has decidido poner a prueba esa teoría.

Mientras Alex permanecía en silencio, Cay trató de encontrar un motivo lógico para acompañarle, pero no se le ocurría ninguno. Lo único que sintió fue una emoción cegadora que le desgarró el corazón.

—Estás enamorado de ella. Estás profunda y apasionadamente enamorado de ella. Lo sé.

—No es cierto. Apenas la conozco.

—Me dijiste que una persona no necesita saberlo todo de otra para enamorarse. Incluso te reíste de mis listas. ¡Esa mujer te hace hervir la sangre! Tú mismo lo dijiste.

—Y debería cortarme la lengua por haberlo dicho. Cay, cariño, ¿sabes qué he aprendido durante las últimas semanas? ¿Sabes qué me has enseñado? He aprendido que el amor es algo más que la simple pasión. El amor es preocuparse por una mujer, conocerla e ignorar sus defectos porque la quieres con toda el alma. Es algo más que ver a una mujer hermosa con un busto exuberante y pensar que vas a morir si no te la llevas a la cama. Es...

La expresión de Cay le indicó que había cometido un error.

Cay se levantó y se puso de pie junto a la cama. Le miró. Ella llevaba su ropa sucia de chico, y notaba la mugre que le impregnaba el pelo, pero Alex estaba fresco y limpio.

—Estás diciendo que yo tengo defectos mientras que ella tiene un... ¿cómo lo has llamado? Un «busto exuberante».

Además es hermosa, ¿verdad? Y siempre va bien vestida, ¿no?

Alex se puso las manos detrás de la cabeza y miró el techo. Sabía que le esperaba un arranque de ira de Cay y no podía más que esperar a que se le pasara.

—Debo recordarte que cuando te conocí yo iba bien vestida. Llevaba puesto un vestido de seda más caro que algunas casas, y tenía diamantes en el cabello. ¿Tu esposa tiene diamantes que ponerse en el pelo? —preguntó, pronunciando burlonamente la palabra «esposa»—. Además, si he tenido que llevar ropa de hombre y apretarme el busto, no tan exuberante como el de otras, ha sido para salvar tu cuello despreciable e ingrato. Tal vez piensas que todas las mujeres deberían ir por el mundo adornadas con seda y cintas, pero yo no podía porque necesitabas mi auxilio. ¿Te ayudó en algún momento tu preciosa Lilith? No, seguro que no. Ella fue el motivo por el que la gente te arrojaba piedras. Te recuerdo que, de no ser por mí, ya estarías muerto.

Alex suspiró sin apartar la mirada del techo.

—No vendrás conmigo y es mi última palabra.

Cay se dejó caer en la cama junto a él. La rabia la había abandonado.

—Podría llevar la ropa de hombre que has decidido que desprecias. No sería una gran belleza como esa mujer, pero estaría contigo.

—No —insistió Alex al tiempo que se levantaba de la cama—. Volverás a Virginia y te quedarás allí. Cuando haya terminado todo este embrollo, yo...

Alex la miró.

—¿Qué harás? ¿Venir a buscarme? ¿Se te ha ocurrido pensar que, mientras estés con ella, tal vez conozca a un hombre que también tenga alguna parte del cuerpo exuberante y me escape con él a una plantación de Florida?

Alex le dedicó una medio sonrisa divertida.

—¿Y cuál sería esa parte del cuerpo, muchacha?

—La que te resulta más preciada —contraatacó Cay.

Alex frunció el ceño. Pensaba que se refería al rostro de algún hombre, pero ella hablaba de acostarse con otros.

—Haz lo que mejor te parezca —dijo él, secamente.

Cay se puso de rodillas y lo abrazó.

—Alex, no me abandones. Tú y yo hemos pasado por muchas cosas juntos, y lo hemos superado todo. Esta es otra de esas ocasiones.

Alex la estrechó con firmeza.

—¿De veras crees que quiero ir sin ti? Imagina cómo será despertar sin ti. Los días que pasaste en la tienda de Eli, creía que me iba a volver loco.

—Lo que te volvía loco eran los ronquidos que emitía Tim —bromeó Cay con la cara recostada en el cuello de Alex.

—No —respondió Alex con suavidad—. Fue más que eso. Tú me completas.

—¿Lo dices por todo lo que perdiste en el juicio? Sé que te hago reír.

—Tú me haces... —Apartó los brazos que le rodeaban el cuello para poder mirarla—. Tienes razón al decir que no tengo derecho a decirte lo que siento hacia ti y lo que espero que ocurra entre nosotros. Ahora mismo soy un hombre casado y todavía me persigue la ley. Hasta que pueda venir a ti como un hombre puro y limpio, no me puedo permitir decirte todo lo que te quiero decir y lo que significas para mí.

Alex miró el estómago de Cay.

—¿Es posible que estés...?

—No lo estoy —contestó ella, en tono sollozante.

Había comenzado el período el día anterior. Nada le habría gustado más que decirle que llevaba a su hijo en el vientre para que tuviera que volver con ella.

La expresión de Alex mostraba tanta decepción como la de ella. Se inclinó y la miró a los ojos.

—¿De qué tienes miedo, en realidad?

—De que contemples su gran belleza y te des cuenta de que siempre la has amado.

Alex sonrió.

—Me parece algo poco probable. ¿Y si un caimán pasa corriendo por el comedor? ¿Quién me ayudará a librarme de él? ¿Y si es una víbora enorme y venenosa? Tú eres la encantadora de serpientes.

Cay no sonrió.

—Te casaste con la serpiente más venenosa de todas, y mis chistes son mejores que los tuyos.

—Tienes razón, niña, tanto en lo primero como en lo segundo. Eres mejor que yo en muchas cosas. Cuando pienso en ello, me sorprende mi arrogancia al creer que podía dibujar mejor que tú. De hecho, me sorprende haber creído que podía hacer cualquier cosa mejor que tú.

—Montas a caballo mejor que yo —le recordó ella. Le temblaba el labio inferior. La aterrorizaba la posibilidad de que cuando Alex se encontrara con su esposa se enamorara de nuevo y ella no lo volviese a ver.

—¿Qué has dicho?

Cay no respondió.

—Repítelo, niña, por favor. Quiero escucharte decir que sabes que hay algo en el mundo que sé hacer mejor que tú.

Ella le volvió a abrazar.

—Te odio y no puedes irte sin mí. Pasaré el día entero en el hotel. No saldré de nuestra habitación.

Ella le besó el lóbulo de la oreja, pero al volver los labios hacia los de Alex, él se quitó los brazos de Cay del cuello.

—Tengo que irme. Nate me espera.

Cay se arrodilló sobre la cama y se sentó sobre los tobillos.

—La vas a ver ahora mismo, ¿verdad?

—Sí, pero no porque quiera. Si dependiera de mí, no la volvería a ver, pero debo hacerlo.

—Después regresarás con ella a Charleston. Y los dos estaréis solos.

—No, ya te he dicho que Nate vendrá con nosotros.

—No entiendo por qué te acompaña Nate. No hace nada con los demás, y mucho menos con desconocidos. Él...

—Soy Merlín.

Cay permaneció sentada y parpadeó, incrédula.

—¿Eres el Merlín de Nate?

—Lo soy. Hasta que tú me lo dijiste, ignoraba que tu familia supiese de mi existencia a excepción de tu madre, por supuesto. Ella fue quien inició la correspondencia entre Nate y yo cuando éramos niños, justo después de la muerte de mi madre. Mi padre lo pasó muy mal durante el duelo, y lo llevaba en silencio. Yo necesitaba a alguien con quien hablar. Durante el primer año, escribí a Nate todos los días, y él me contestaba a diario. Solía recibir sus cartas en paquetes grandes. Me salvaron. Le debo mucho a él y a tu madre.

—Merlín.

Cay no estaba segura de si se sentía traicionada o feliz por el hecho de que existiera una conexión tan firme entre Alex y su familia.

—Así me llamó Nate cuando tu primo dijo que yo era un «mago» con los animales.

—¿Por qué no nos viniste a ver cuando fuimos a Escocia?

—Quería ir, pero mi padre dijo que la riqueza de tu familia le ponía nervioso. Terratenientes y antiguos terratenientes que vivían en un castillo no era el tipo de personas a las que estaba acostumbrado.

—Nate nunca nos hablaba de ti —dijo Cay, que todavía le miraba sorprendida.

—Pues, al parecer, a mí todavía me habló menos de ti. Lo primero que le he preguntado ha sido por qué no me había dicho que eres artista.

—No le pareció algo importante —opinó Cay.

—Es exactamente lo que ha contestado. Hace años, me contó que quería tener algo privado que no tuviese que compartir con su familia, y ese algo era yo. ¿Tally fue quien nos descubrió?

—Por descontado. No se puede guardar un secreto a Tally. Probablemente curioseó las cosas de Nate. Comparten dormitorio. —Tomó la mano de Alex y le miró a los ojos con expresión suplicante—. Deja que te acompañe, por favor. Tengo excusa para estar allí, soy la hermana de Nate.

Alex le sonrió, pero Cay se dio cuenta de que no iba a claudicar.

—Tengo que irme, niña. Nate me espera para ir a ver a Lilith. Volveré esta misma noche a contarte lo que ha pasado.

—¿Qué tipo de perfume lleva?

—No tengo ni idea.

—Si vuelves oliendo a perfume de mujer, te...

—Ya lo sé, me arrepentiré. ¿No te das cuenta de que ya me arrepiento? Ahora ven a darme un beso, tengo que irme. Nate...

—Te espera, lo sé. No te preocupes por él. Sabe distraerse solo. En este tiempo, probablemente habrá leído tres libros sobre algún tema sesudo que nadie es capaz de pronunciar y mucho menos entender. Si quieres ayudar a Nate, preséntale a alguna mujer a la que pueda amar.

—¿Una dama científica? —preguntó Alex con una sonrisa.

—No, una dama capaz de pelear contra un caimán. Si alguien necesita aprender qué es la pasión, ese es mi hermano.

—¿Igual que yo te lo enseñé a ti?

Los ojos de Alex irradiaban ternura.

—¡Ja! Yo soy la creativa. Yo fui quien te enseñó la mayoría de lo que sabes sobre cualquier tema.

—Es cierto, mi amor, lo hiciste —admitió Alex con dulzura abrazándola más fuerte—. Te echaré de menos. Da igual el tiempo que tarde, aunque vuelva en tan solo diez minutos, te echaré de menos cada segundo que pase. —Besó a Cay con suavidad, y cuando ella intentó convertirlo en algo más, él retrocedió y se desenroscó de nuevo sus brazos del cuello—. Tengo que irme. —La besó en la frente—. Volveré tan pronto como pueda. —La besó en la nariz—. Esta noche tendré una historia que contarte sobre por qué una mujer simuló su propia muerte. —La besó en la barbilla—. Y cuando te la cuente, te tendré entre mis brazos.

—¿Lo prometes?

—Por mi honor. —Se dirigió a la puerta—. Y cuando todo esto termine, te contaré detalladamente lo que siento por ti.

—¿Me lo juras?

—Te lo juro. —Abrió la puerta sonriendo y se asomó al pasillo—. Me sorprende que ninguno de tus hermanos esté vigilando tu puerta.

La volvió a mirar, y Cay percibió un deseo tan intenso en sus ojos que por un momento pensó que iba a cambiar de opinión. Sin embargo, un instante después Alex salió al pasillo y cerró la puerta tras de sí.

Cay se derrumbó sobre la almohada y se echó a llorar, pero cinco minutos después se incorporó. Le iba a seguir. Iba a comprobar con sus propios ojos que Alex ya no estaba enamorado de la mujer con la que se había casado. Si así era, sabría que podía volver a Virginia y esperarle para siempre. Pensó en pedir que le prepararan un baño, pero no había tiempo para eso. Iría como el muchacho mugriento que la gente pensaba que era.

Sin hacer ruido, se deslizó fuera de la cama y recorrió el pasillo.

25

—¿Qué diablos haces aquí? —preguntó Tally, mientras tiraba de Cay para hacerla entrar por la ventana del hotel—. ¿Y cómo diablos has trepado hasta la tercera planta?

—Si no dejas de maldecir, le contaré a padre lo de la mujer gorda que tenías sobre el regazo. ¿Sabías que toda la familia cree que eres virgen? —Cay entró en la habitación y admiró la elegancia del mobiliario—. Esta habitación es muy cara. ¿Quién la paga?

—¿Qué sabes tú de la virginidad? —preguntó Tally—. Y ¿desde cuándo te preocupa el dinero, si no es para saber cuánto puedes gastar?

—La vida nos va enseñando ciertas cosas. —Se sacudió el polvo del trasero de los pantalones. Para alcanzar la habitación había tenido que arrastrarse por un balconcillo de hierro, tratando de que no la viera la gente de la habitación de al lado.

—Parece que hables desde un púlpito. ¿Cuándo piensas cambiarte de ropa?

—Cuando me venga en gana, señor Repelente. —Cay miró a Tally de arriba abajo y vio que vestía sus mejores galas. Se alegró al ver que llevaba la chaqueta que ella había bordado—. A las gemelas les gustó tu abrigo.

—No dejaban de meterme las manos en los bolsillos. ¿Por qué no pueden ser como ellas las demás chicas?

—Porque las otras tenemos cerebro. ¿Dónde están los demás? —Sobre una mesa de mármol había un cuenco con fruta y una cesta de pan. También había una tetera con té templado—. Estoy muerta de hambre.

—Con lo que comiste anoche, pensaba que no querrías comer durante el resto de la semana. —Tally se sentó frente a ella y estiró las largas piernas—. ¿Cómo nos has encontrado?

Cay encogió un hombro.

—No ha sido muy difícil. Quiero ir a Charleston con Alex.

—Me parece que quieres pasar con ese hombre cada minuto de cada día.

Cay le indicó con un gesto que no podía contestar porque tenía la boca llena.

—No dejarán que te quedes en esta habitación, ¿sabes? Adam te mandará de vuelta.

—No, si no se entera de que estoy aquí.

Echó un vistazo a la hermosa salita. Al otro lado de la habitación había un armario alto separado unos treinta centímetros de la pared de la esquina. Junto al mueble quedaba el espacio justo para poder esconderse. Miró a Tally.

—Ni hablar. Si te escondes y te descubren, Adam me echará a mí la culpa.

Cay partió un pedazo de pan por la mitad y le untó mantequilla.

—¿Quieres que te recuerde todas las cosas que sé de ti con las que puedo hacerte chantaje?

—Creo que yo también sé algunas cosas sobre ti —replicó él, solapadamente.

—Pues me alegro mucho. Espero que le cuentes a padre que hace semanas que me acuesto con Alex McDowell para que nos obligue a casarnos.

Tally abrió los ojos como platos.

—¿Desde cuándo eres tan ordinaria?

—Desde que descubrí cómo es la vida real. ¿Me piensas ayudar o no?

—Claro que sí. Siempre te ayudo, ¿no? Pero ten en cuenta que si ves algo que no te gusta, te dolerá.

Cay se terminó el pan.

—¿Cómo es ella?

—¿Quién?

Cay le miró con los ojos entreabiertos.

—Bonita, pero no es la gran belleza que me habían dicho.

—¿Lo dices por decir?

—Sí —admitió Tally. Su hermana pequeña siempre sabía cuándo estaba mintiendo—. No viste cómo nos dijeron que vestía en Charleston, pero a pesar de la ropa barata, es una belleza. Tiene los ojos felinos, los labios como cerezas maduras, y su cuerpo es...

—Me hago una idea. Sabes lo que hizo a Alex, ¿verdad?

—Claro, pero ¿no podría haber hecho algo para detenerla?

Cay sintió que se le erizaba el vello de la nuca.

—¿Qué quieres decir? ¿Que debería haber imaginado que la mujer a la que amaba era una víbora arrastrada y mentirosa? ¿Debería haber imaginado que le estaba utilizando en la conspiración que había urdido? ¿Que le importaba un bledo que colgasen a Alex si ella obtenía lo que quería?

Al terminar, Cay estaba de pie mirando a Tally con ojos penetrantes. Tally le devolvía la mirada con interés.

—Si esto es lo que el amor hace a las personas, espero que no me pase nunca.

Cay se volvió a sentar.

—Ninguna mujer estaría tan loca como para enamorarse de ti.

—En eso te equivocas, mi querida hermana. La mitad de las mujeres de Nueva Orleans han caído a mis pies. La otra mitad quieren a Adam.

—Eso es porque Ethan no está. —Oyó ruido en la puerta—. Están aquí.

Tally la agarró por el brazo y la levantó de la silla.

—Si fuera mínimamente sensato, te volvería a sacar a patadas por la ventana.

Casi a rastras, la llevó por la habitación hacia el armario. Cay trató de ponerle la zancadilla, pero él la esquivó.

—¡Suéltame! Sé caminar.

—El problema no es que camines —le dijo mientras la metía a empujones en el pequeño espacio junto al armario—. Si no te hubieran enseñado a montar a caballo, no te habrías metido en este lío. Quédate aquí y no hagas ruido.

Cay estuvo a punto de replicar, pero se lo pensó mejor. Tally podría explicar a sus hermanos y a Alex que ella estaba allí, y la mandarían de vuelta. Para averiguar dónde iba Alex, había tenido que seguirle por las calles de Nueva Orleans. Se había escondido detrás de la gran palmera que decoraba la recepción del hotel y, cuando Alex había subido la escalera, había explicado al recepcionista que tenía que entregar un paquete a la prometida de aquel hombre. Le dejó entrever que era un anillo.

La ropa sucia de Cay había repugnado al hombre, pero también había evitado que se fijara demasiado en ella. Le había dicho que Nathaniel Harcourt había alquilado dos habitaciones en el hotel, y una de ellas era la suite nupcial del ático. Cay había pedido al hombre la llave de la habitación para poder darle una sorpresa, pero él le había lanzado una mirada que había dejado claro que no la iba a conseguir. Estaba segura de que, si se hubiera presentado como una joven dama hermosa y bien vestida, le habría dado cualquier cosa que le hubiese pedido. Al parecer, pertenecer a cualquiera de los dos sexos tenía sus ventajas y sus inconvenientes.

Finalmente, Cay había tenido que escalar los balcones de la parte trasera del hotel, que daban al jardín, para llegar a la habitación. Había estado a punto de caer dos veces, y había tenido que recurrir a la pura fuerza de sus músculos para volver a trepar a un lugar seguro. Al alcanzar el balcón superior, había susurrado: «Gracias, Florida.» Todas las cajas que había tenido que cargar, el palo que había tenido que usar para ayudar a desatascar el barco y, cómo no, las enérgicas noches que había pasado con Alex, la habían hecho mucho más fuerte.

Tally abrió las cuatro puertas del armario para esconder mejor a Cay y colocó una caja de madera decorativa debajo para ocultar sus pies. Para verla detrás de la puerta había que fijarse mucho, pero ella era de la altura justa para poder espiar por la rendija entre las puertas.

Una vez escondida, se planteó lo que estaba haciendo. Esperaba ver a aquella mujer de la que tanto había escuchado hablar. El gran amor de la vida de Alex. La mujer de la que se había enamorado a primera vista.

Tally apenas se había alejado medio metro del armario cuando se abrió la puerta. Era Nate.

—Si es usted tan amable de entrar —la invitó Nate en un tono frío, como si la situación no le afectara lo más mínimo. Sin embargo, Cay le conocía y distinguía el disgusto en su voz. A Nate no le gustaban las injusticias. En la universidad, había escrito varios ensayos en contra de la esclavitud, y había presentado una petición al presidente Adams preguntándole si él, Nathaniel Harcourt, podía ayudar a reformar el sistema judicial de Estados Unidos por completo.

Cay percibía que a su hermano le desagradaba profundamente la mujer con quien Alex se había casado llevado por la pasión.

Cay contuvo la respiración al escuchar los pasos ligeros de una mujer, y entonces la vio de espaldas. Era esbelta, y llevaba el largo cabello recogido en lo alto de la cabeza. Desde detrás, Cay adivinó un corsé firmemente ajustado bajo un vestido de seda azul que, evidentemente, le habían hecho a medida. Vestía una chaquetilla minúscula que Cay sabía que era la última moda. Cuando la mujer comenzó a volverse, el corazón de Cay estuvo a punto de detenerse.

Lilith Grey era ciertamente hermosa. Tenía unas mejillas bien dibujadas, los ojos almendrados y unos labios rojos perfectos que a Cay le pareció que llevaba cubiertos de algún tipo de color artificial.

Cay trató de ser sensata y pensar en ella desde el punto de vista de un hombre. Tally la miraba con una expresión bobalicona en el rostro, como si hubiera visto una estrella que hubiese aterrizado en este planeta. Cay pensó que, por lo menos, Nate no estaba enamorado de ella. Él miraba hacia la puerta abierta como si viese algo mucho más interesante que la mujer.

Un instante después, Nate echó un vistazo a la habitación y, al ver el cuenco de la fruta y la cesta de pan vacíos, abrió los ojos como platos. Cay se quiso morir por no haber recordado que Nate iba a estar en el dormitorio. Nate se daba cuenta de todo.

Al momento, la mirada de Nate fue de la mesa al resto de la habitación, y en cuestión de un segundo vio los ojos de Cay espiando por la rendija entre las puertas abiertas del armario. Llegó a dar un paso hacia ella, pero entonces entró Alex y Nate volvió los ojos hacia su amigo.

Cay no había pensado en lo que esperaba que hiciera la mujer por la que Alex había estado a punto de ir a la horca, pero sí consideraba que el arrepentimiento sería su principal emoción. Se disculparía y suplicaría su perdón, ¿verdad?

Sin embargo, Lilith no se inmutó mientras miraba lo que Cay supuso que era Alex acercándose a ella, y su hermoso rostro dibujó una sonrisa que la hizo todavía más encantadora. Ante la incredulidad de Cay, la mujer parecía haber visto a alguien a quien quería mucho.

Cuando Alex estuvo a pocos metros de ella, de espaldas a Cay, que no le veía la cara, la mujer dio dos pasos y abrazó a Alex.

—Cómo te he echado de menos, cariño —dijo Lilith, en tono bajo y gutural—. Cómo me alegra que vayas a seguir siendo mi marido.

Cay vio que Alex le rodeaba la cintura con los brazos y cuando Lilith le besó, él le devolvió el beso.

Cay se desmayó. La sangre abandonó su cabeza, sintió que le fallaban las fuerzas y perdió la consciencia. Tanto Tally como Nate la habían estado mirando disimuladamente y pudieron sujetarla antes de que se golpeara contra el suelo.

Alex echó a correr hacia ella, pero Tally levantó los brazos y le cerró el paso.

—Ve con tu esposa, y si te vuelves a acercar a mi hermana, te mataré.

26

Antes de abrir la puerta de su habitación de hotel, Adam supo con toda seguridad quién llamaba. Esa misma mañana, Tally le había contado que Cay se había desmayado y había estado a punto de golpearse la cabeza contra el duro suelo. Tally se había enfurecido tanto que hasta quería retar a Alex en duelo o, como mínimo, presentar cargos contra él.

—¿No os parece que la ley ya le ha causado bastantes problemas? —preguntó Nate, con su calma habitual.

Volviéndose hacia Nate, Adam le preguntó qué había pasado.

—Nuestra hermana quería ver a Alex con su esposa. Lo hizo, y fue demasiado para ella.

Tally miró a Nate con ojos penetrantes.

—Cuéntale por qué no te preocupa todo esto. Explica a Adam por qué te importa tan poco lo que le han hecho a nuestra hermana pequeña, incluido llevarla a un territorio que no aparece en los mapas donde hasta las plantas tienen dientes.

—Todavía no he visto ninguna prueba que demuestre la existencia de plantas que devoren carne humana, por mucho que al señor Connor le encante contar historias sobre ellas.

—¿Pruebas? No hace falta ninguna prueba para demostrar lo que ha ocurrido esta mañana. El hecho que tú creas que McDowell es incapaz de hacer cualquier mal, no significa...

—¡Tally! —exclamó Adam—. ¿Acaso me equivoco si digo que nuestra hermana no ha sufrido daño alguno?

—Si te parece que llorar hasta el punto de poder partir el corazón a cualquier hombre que la viera, y negarse a comer y hablar con nadie es «no sufrir daño alguno», así es.

—Es una observación interesante, teniendo en cuenta que normalmente eres tú quien la hace llorar —apuntó Nate.

—Tú... —Tally se abalanzó hacia Nate, que alzó los puños. Nate había recibido clases de boxeo de un profesional. Adam interpuso su largo brazo y detuvo a Tally.

—¡Siéntate! Intento saber qué ha ocurrido, y en vista de que tú, Tally, pareces incapaz de pensar con claridad, quiero que me lo explique Nate. Para empezar, ¿por qué cree nuestro iracundo hermano que no te preocupa nuestra hermana pequeña?

—¡Díselo! —exclamó Tally al tiempo que se dejaba caer en una silla.

—Alexander McDowell es Merlín.

Adam miró unos instantes a Nate antes de hablar.

—Ahora lo entiendo. Por eso has estado tan implicado en esta caza de la verdad.

—Sí, ese es el motivo —admitió Nate—. Como mi hermana y mi amigo estaban implicados en el asunto, debía hacer cuanto estuviera en mi mano.

—¿Qué pasó después de que Cay se desmayara? —preguntó Adam.

—La llevé a la habitación de Nate —contestó Tally.

Adam asintió. La noche anterior, Cay y él se habían quedado en un hotel, y Nate, Tally y Alex habían ido a otro. En el hotel de Nate, habían hecho los preparativos para que Alex se encontrase con su esposa.

—¿Qué hizo Alex que afectó tanto a Cay?

—Besó a esa mujer —respondió Tally.

—Si al decir «esa mujer» te refieres a su esposa, tenía derecho a hacerlo, ¿no te parece? —dijo Nate.

—¿Delante de Cay? —replicó Tally.

—Si la hubieras vigilado como es debido, no se habría escondido detrás de las puertas de un armario ni lo habría visto todo.

—¿Desde cuándo soy su niñera?

—¡Basta! —les interrumpió Adam—. Quiero saber qué ocurrió entre Alex y esa mujer.

—No lo sabemos... —respondió Nate—. Estábamos más preocupados por Cay. La llevamos a mi cuarto, la reanimé con sales y ella...

A Nate no le gustaban las grandes emociones y, sobre todo, no le había gustado ver a su hermana llorando tan afligida.

Tally continuó:

—Al volver al dormitorio donde McDowell se había encontrado con su esposa, ya no estaban. ¿Creéis que deben estar de luna de miel?

—Si están en esta ciudad, puedo encontrarlos —propuso Nate.

—No —respondió Adam—. Lo que haya entre ellos no es asunto nuestro. Tally, quiero que lleves a Cay a casa. Madre sabrá ocuparse de sus lágrimas, ella sabrá qué hacer.

—Nuestro padre se enfurecerá —dijo Nate.

—Ya lo creo —coincidió Tally con una sonrisa maliciosa—. Despellejará vivo a McDowell y clavará su piel en la puerta del granero.

—Tally, de veras creo que tus declaraciones truculentas son innecesarias —protestó Nate.

—Me gustaría que te ocuparas de nuestra hermana —pidió Adam a su hermano menor.

—¡Con mucho gusto! —Tally se levantó—. Quiero alejarla tanto de McDowell como sea posible.

Nate permaneció sentado, mirando a Adam.

—¿Qué piensas hacer?

—Yo esperaré a que Alex venga a verme.

Nate no pudo reprimir una sonrisa.

—Vendrá.

—Sí, no me cabe duda —dijo Adam—. Lo que temo es que, si después de hablar conmigo, va a ver a Cay y ella se lo perdona todo, tendremos una guerra entre manos. Quiero sacarla de aquí mientras ella siga enfadada con él..

—¿Quieres ir a hablar con ese bastardo? —preguntó Tally con curiosidad.

—Pienso escuchar hasta la última palabra que tenga que decir. Creo que es hora de que alguien le escuche. Ahora ve a buscar a Cay mientras sigue desconcertada. Para cuando entre de nuevo en razón, quiero que esté en Edilean bajo el cuidado de padre.

—Me gusta el plan —dijo Tally, que ya se dirigía a la puerta, pero se detuvo y se volvió hacia Nate—. ¿Y tú qué piensas hacer?

—Cuando Merlín... Alex haya hablado con Adam, le ayudaré en lo que necesite.

—¿Vas a poner a ese bastardo por encima de tu propia familia?

—No —dijo Nate en un tono calmado—. Voy a...

—Tally —le interrumpió Adam—, ¿quieres ir a ver a Cay y hacer lo que puedas para calmarla? Y Nate...

Nate ya se había levantado y se disponía a marcharse con Tally.

—Te dejaré a solas con él. Espero que...

—Seré justo y le escucharé —dijo Adam—. Ese hombre fue injustamente acusado de asesinato y condenado. Y no quiero ni imaginar las consecuencias que puede haber tenido para él.

Nate asintió con la cabeza y salió de su propia habitación.

Era tarde y alguien llamaba a la puerta de Adam. Estaba seguro de que era Alexander McDowell.

—¿Se ha ido? —preguntó Alex en cuanto entró en la habitación de Adam.

—Sí. Esta mañana Cay ha partido hacia Edilean con Tally. Nate te espera para ayudarte en lo que sea preciso. Cay quería quedarse, pero todos pensamos que es mejor que ahora esté con nuestra familia. —Adam hacía todo lo posible por pensar y actuar de forma racional, pero no pudo contenerse—: ¿En qué demonios pensabas cuando besaste a esa mujer delante de Cay?

Alex se desplomó en una silla. Parecía haber envejecido veinte años en un solo día.

—Para empezar, yo no sabía que Cay estaba escondida en la habitación. Le dije... —Se pasó la mano por delante de los ojos—. El hecho de haberle dicho que no podía venir debería haberme bastado para saber que vendría.

Adam se calmó un poco; en eso era exactamente igual que su hermana.

—Entonces ¿por qué besaste a una mujer después de que te hiciera algo así?

—No lo sé. Creo que fue por el alivio de comprobar que estaba viva, lo que significaba que la pesadilla de mi vida estaba a punto de terminar. Me pasaron mil cosas por la cabeza.

—Cay... —Adam se sentía dividido entre el deseo de gritarle y el sentimiento de compasión hacia él. Sin embargo, si algo sabía, era que Alex quería a Cay. Lo había visto. El amor que sentían el uno por el otro era tan intenso que casi podía tocarse—. ¿Estás enamorado de tu mujer?

Alex sacudió la cabeza y soltó una risita despectiva.

—No llegué a pasar un día entero con ella, y después de hoy, no sé cómo pude creer que estaba enamorado de ella. Cay me dijo que había sido un necio al casarme con alguien a quien no conocía, y tenía razón.

—La vi, y su belleza desconcierta a cualquier hombre.

—Eso es cierto. El hecho de que me quisiera a mí me hizo sentir que se me había concedido un gran honor, pero también me hizo sentir que tenía que ganar enormes sumas de dinero para poderle dar cuanto quisiera: casas, carruajes, ropa hermosa... Quería darle todo lo que pudiera.

—¿No es como mi hermana pequeña? —La voz de Adam transpiraba curiosidad.

Alex sonrió.

—Cay no podría ser más distinta a ella. Creo que si le dijera que quiero empezar a hacer trabajos de limpieza en la luna, Cay comenzaría a hacer las maletas para el viaje.

—Siempre supe que si alguna vez se enamoraba, sería duro para ella.

—¿No se enamoró de sus tres pretendientes?

Adam sonrió y se sentó en una silla frente a Alex.

—Yo fui quien convenció a nuestro padre para que la dejara ir a Charleston para que dispusiera de algo de tiempo para pensar sobre sus tres propuestas de matrimonio. Quería que conociese a gente nueva y que viera nuevos lugares. Esperaba que el tiempo y la distancia la hicieran olvidar a los hombres con los que consideraba casarse. —Adam se levantó, sirvió dos vasos de malta escocés MacTarvit y dio uno a Alex—. ¿Te habló de las Margaritas?

—No he oído hablar de ellas.

—Algunos de los amigos de mi padre, que también lo eran del tuyo, se instalaron en Edilean y se casaron. Por casualidad, nacieron cinco niñas el mismo año que Cay, y al crecer, pronto se hicieron amigas. A los ocho años, anunciaron que se iban a llamar La Cadena, porque su amistad era fuerte como el acero. Creo que la idea se le ocurrió a Jess, la hija de Naps y Tabitha, que... —Adam agitó la mano, descartando el hilo de la historia—. Si las conocieses, lo entenderías. El caso es que Tally escuchó la decisión y dijo que parecían más un collar de margaritas que una cadena de acero. El nombre se les quedó. Las cinco chicas siguen siendo amigas íntimas y las llamamos las Margaritas.

—Cay solo hablaba de sus hermanos —explicó Alex—. Hablaba de vosotros cuatro noche y día. No la escuché hablar de sus amigas, salvo para decirme que una de ellas tenía diez hermanos y hermanas y que el matrimonio de sus padres era infeliz. Me contó que la hija pasaba el día entero en vuestra casa para huir de la suya.

Alex también recordaba lo que Cay le había contado sobre una chica llamada Jessica y su lengua, pero no lo dijo.

—Esa debía de ser Jess. Sí, sus padres discuten mucho, pero Jess no sale de nuestra casa porque mi hermana la recibe con todos los honores. Vestidos, paseos a caballo, clases... Cay le da todo lo que quiere.

—Parece muy propio de ella... —dijo Alex con una sonrisa.

—¿Tienes hambre? No he cenado. Podría pedir que nos suban algo. Supongo que tienes mucho que contarme, y podríamos charlar mientras cenamos.

—Me parece buena idea —aceptó Alex.

Se levantó y miró por la ventana mientras Adam tiraba de un cordel de la pared. Un camarero con un uniforme blanco acudió a la habitación. Alex sabía que Adam le daba tiempo para relajarse porque quería obtener toda la información que pudiese, y también estaba convencido de que Adam debía tomar algunas decisiones. Alex sospechaba que Adam le iba a decir que no podía volver a ver a Cay hasta que hubiera terminado todo el embrollo de Lilith. Debía resolver el asunto del matrimonio y el del asesinato antes de poder volver a ver a Cay. Le parecía bien, porque era la misma decisión que Alex había tomado.

Ninguno habló mucho antes de que llegase la comida. Cuando se sentaron a comer, Adam sirvió un plato de coles de Bruselas a Alex y sus ojos le indicaron que había llegado el momento de empezar a hablar.

Alex tenía tanto que decir que no estaba seguro de por dónde empezar.

—No estoy casado.

—¿No? —preguntó Adam.

—La mujer que fue al altar junto a mí tiene un marido que vive en Inglaterra. Al parecer, asesinó al sobrino de su marido, que también era su heredero, y me utilizó para evitar que la detuvieran. Cuando vivía en Charleston, descubrió que la buscaban unos hombres, y por eso maquinó el plan para fingir su propia muerte de una forma muy visible. Pensó que aquellos hombres informarían a las autoridades inglesas de que estaba muerta, y entonces podría volver a cambiarse de nombre y... —Agitó la mano—. No tengo ni idea de lo que planeaba hacer.

Alex siguió comiendo.

—En cuanto me dijo que tenía un esposo vivo, la llevé ante un juez aquí mismo, en Nueva Orleans. Te aseguro que no fue cosa fácil. —Alex dio un bocado y masticó lentamente. Era difícil contar todo lo que había aprendido durante el día—. El juez nos ha dicho que si bastase con que dos personas jurasen que una de ellas continuaba casada con una tercera para disolver un matrimonio, en este país no quedaría ni uno. Nos ha dicho: «¡Necesito pruebas! Si se casó en Inglaterra, vayan a Inglaterra y tráiganme algún documento. Quiero papeles con sellos oficiales, con sellos dorados para creerlo todo.»

—Entonces ¿tienes que volver a Inglaterra con ella?

—Si quiero que todo este horror desaparezca de mi vida, sí, tengo que hacerlo. —Alex respiró hondo—. Creo que todo lo que he pasado por culpa de esa mujer me ha arrebatado la capacidad de sentir lástima... Al menos por ella. —Alex tomó otro bocado de bistec y esperó antes de volver a hablar. Estaba decidido a controlar la rabia.

—Ni siquiera Nate imaginó nada así... Merlín.

Alex sonrió.

—Merlín. Parece que haya pasado toda una vida desde entonces. Ojalá pudiera marcharme de aquí hoy mismo e ir a buscar a Cay como un hombre libre, pero necesitaré más tiempo para resolver legalmente este asunto. Le dije a Cay que tenía que ir a Charleston con... —Alex bajó la mirada hacia la comida—. Un documento legal que diga que no la maté no me basta. ¿Te parece que tiene sentido?

—Lo tiene. Si estuviera en tu situación... La verdad es que no sé lo que haría.

—Pero tampoco tendrías que pensarlo, ¿no crees? —replicó Alex rápidamente—. Tienes familia y amigos. Yo solo tenía a T. C.

—Creo que puedes añadir a mi hermana y a Nate a la lista de personas que te han ayudado y han creído en ti. Por cierto, Nate ya me ha hecho saber que te acompañará dondequiera que vayas. Mi hermano es una persona muy leal.

Alex sonrió y se relajó.

—Discúlpame, he tenido un día agotador.

—Tómate el tiempo que necesites, no voy a ir a ninguna parte.

Alex retiró el plato medio vacío a un lado y se levantó.

—Para empezar, tengo que ir a Charleston a limpiar mi nombre. Tengo que caminar por sus calles con... —Miró a Adam—. No se llama Lilith Grey, sino Margaret Miller. De pequeña la llamaban Megs. Todo cuanto la rodea es mentira. ¿Quieres saber su versión, la historia que al parecer pensaba que me haría perdonárselo todo?

—Creo que nada me gustaría más que escuchar por qué hizo algo tan abominable. Fumemos unos puros y tomemos brandy.

Adam tiró del cordel de la pared y el camarero regresó tan rápido que Alex pensó que el hombre debía de haber estado esperando frente a la puerta. Limpió la mesa enseguida y, en cuanto volvieron a estar a solas, Alex habló:

—¡Ese beso! ¡Cuántos problemas ha causado! Megs pensó que el beso significaba que yo la había perdonado, así que intentó dedicarme su mejor caída de ojos y se abalanzó sobre mí de un modo que antes me habría llenado de deseo. Esta vez tan solo me ha asqueado. He tardado horas en conseguir la verdad sobre ella, pero finalmente me ha contado toda la historia, y cada palabra iba acompañada de sollozos y súplicas de compasión. —Alex se calmó—. Al parecer, creció entre una gran pobreza, con un padre que le pegaba. Me disculpo de nuevo por mi falta de compasión, pero con todo lo que esa mujer me ha hecho, no puedo sentir nada por ella.

—Lo entiendo perfectamente —dijo Adam, que fumaba un puro y miraba a Alex caminar arriba y abajo por la habitación—. ¿Qué te ha dicho sobre por qué permaneció escondida mientras te juzgaban?

—Jura que no sabía que me habían acusado de su asesinato, y dice que, de haberlo sabido, habría regresado a Charleston de inmediato. No la creo. —Alex hizo una pausa—. Una vez descubrió que los hombres la buscaban por la ciudad, se le ocurrió su diabólico plan para que pensaran que estaba muerta. Se había fijado en cómo la miraba el médico, así que le lloró y se inventó cualquier historia triste y patética. No sé qué le contó, pero debió de ser una buena historia, porque el médico se avino a todo lo que ella le pidió. Ella me dijo que si él no hubiera muerto, todo habría salido a pedir de boca, pero... —Alex respiró hondo—. En cualquier caso, tras mi detención, el médico hizo que llevaran su «cadáver» a su consulta, donde ella se lavó la sangre del cuello y subió a un carruaje que la esperaba cargado con su equipaje.

—¿Y qué pensaba hacer contigo?

Alex tuvo que respirar hondo de nuevo antes de continuar.

—Nate dedujo también esa parte. El médico habría declarado que su muerte era un suicidio, y así yo me libraría de la cárcel.

—La ciudad entera habría dicho que había preferido suicidarse a pasar la vida contigo —dijo Adam en un tono que mostraba su disgusto.

—Sí, es cierto. Creo que habría preferido la horca. Incluso ahora, cuando la gente sepa que no asesiné a mi esposa, no puedo soportar que el nombre de Cay se pueda asociar a este asunto tan desagradable. Si ella viniera a Charleston conmigo, como es su deseo, la gente diría que ella tuvo algo que ver.

—Donde hay humo, hay fuego.

—Exacto. El viejo dicho. No —dijo Alex, con la expresión transformada en una mueca—, quiero que todas las habladurías apunten hacia el lugar debido: hacia Meg.

—¿Qué hizo al salir de la consulta del médico?

—Dice que fue a un pueblo minúsculo de Georgia y se instaló en él. Incluso me dijo que hizo todo lo posible para parecer pobre y así pasar inadvertida.

—¿Y cómo le fue? —preguntó Adam, dando una larga calada al puro.

—Como de costumbre, tuvo algunos problemas con los hombres. Se presentó como una viuda joven y hermosa que vivía sola en un pueblo pequeño, así que, por descontado, tuvo problemas.

—¿De dónde sacaba el dinero para vivir?

—No me lo ha dicho y yo no se lo he preguntado, pero creo que se lo robó a la vieja señora Underwood. ¿La conoces?

—Creo que Nate no olvidó contarnos ni un solo detalle de tu juicio, así que, efectivamente, nos habló de la vieja dama rica. Sin embargo, dado que mintió bajo juramento al decir que tu esposa era su sobrina, no creo que presente cargos por robo contra ella.

—No. Lilith... Megs tiene la capacidad de trastocar las situaciones feas a su favor.

—Supongo que sus «problemas con los hombres» fueron lo que la mandaron a Nueva Orleans.

—Sí, vino por eso. Me ha dicho que pensaba que le resultaría más fácil perderse en una ciudad que en un pueblecito. En mi opinión, buscaba un nuevo marido al que estafar. ¿Quién sabe? Puede que sencillamente se aburriera y quisiera emociones. Si no la hubiese visto George Campbell...

Adam tomó la palabra.

—Mientras estábamos en Charleston, Nate interrogó a alguien que mencionó Nueva Orleans, y así fue como elaboró una de sus «suposiciones informadas» relativas al lugar hacia el que se dirigía ella. Nuestro plan era que yo iría a Nueva Orleans mientras Tally iba a los pantanos a buscaros. En cualquier caso, Tally se moría de ganas de ir.

—Creo que disfrutó haciendo de explorador.

—¿Tú crees? —preguntó Adam.

—Yo estaba disfrutando de la compañía —dijo Alex, con una sonrisa al recordar los momentos junto a Cay.

—Si no te importa, creo que fingiré no haber escuchado esa parte. Al fin y al cabo, hablamos de mi hermana pequeña. ¿Has descubierto por qué esa mujer, Megs, te eligió precisamente a ti como objetivo de su artimaña?

—Ha sido una de las primeras cosas que le he preguntado. Me ha dicho que en Charleston había muchos hombres que la miraban con los ojos vidriosos de lujuria. Esas han sido sus palabras exactas: «Vidriosos de lujuria.» Lo que me diferenciaba de ellos era que yo no tenía familia en la ciudad, y las pocas personas que yo conocía no hacía mucho que me conocían a mí. Ha dicho que, después de su suicidio simulado, pensaba que yo me marcharía de la ciudad y nunca más volvería a ver a esas personas.

—Supongo que eso significa que pretendía velar por tu bienestar, no por el suyo.

—Sí, según ella.

—¿Y qué historia te ha contado para explicar su perfidia?

Alex se sentó.

—No sé si será cierto, pero repetiré lo que me ha dicho.

Ha dicho que su padre quería prostituirla. Él decía que su belleza podía hacerles ganar mucho dinero, pero Megs tenía otros planes. A los dieciséis años, vio su oportunidad de huir y la aprovechó. A unos treinta kilómetros del lugar en el que se había criado, vio un carruaje que había volcado y encontró al conductor y a la pasajera, una joven dama, tendidos a un lado de la carretera, muertos. Tengo que admitir que Megs piensa muy rápido, y al parecer no tiene ningún tipo de remordimiento por lo que hace a los demás. En cualquier caso, intercambió la ropa con la joven muerta e hizo rodar su cadáver hasta un río. Semanas más tarde, cuando encontraron el cadáver hinchado, el padre de Megs lo identificó como el de su hija.

—Así se libró de él, fingiendo su propia muerte —intervino Adam—. Supongo que como funcionó en esa ocasión, decidió usar el mismo plan años más tarde. ¿Qué hizo tras conseguir la ropa elegante?

—Se dirigió a la hacienda rica más cercana y se presentó como una joven dama que había perdido la memoria. —Alex hizo una mueca—. Cuando la conocí, me dijo que no entendía mi acento, pero hoy he descubierto que se le da muy bien imitar. Me ha enseñado su acento londinense original, imposible de entender, y a continuación ha pasado al de la aristocracia inglesa. Incluso ha imitado mi acento escocés. Debería haberse dedicado a los escenarios.

—Hay que admitir que tiene valor.

—Yo no lo llamaría así. —Alex encendió el puro—. Yendo al grano, unos años más tarde se casó con el viudo rico propietario de la casa. Él tenía cuarenta y cinco años y ella diecinueve.

—¿Estaban enamorados?

—Megs asegura que sí, pero ¿quién sabe? A mí también me decía que me quería más que a su propia vida.

—Puede que no mintiese —aventuró Adam, y Alex soltó una carcajada.

—No lo sabré nunca. Parece que toda su vida ha sido una gran mentira.

—Tal vez fuese una mentira necesaria.

—Si se supone que eso debe hacer que me compadezca de ella, te pido que pases por lo que yo pasé y veas si eres capaz de lograr que te importe su infeliz vida.

—El caso es que conociste a mi hermana gracias a ella —añadió Adam.

Alex sonrió.

—Incluso el mal más puro a veces trae algo bueno.

—¿El asesinato fue lo que la trajo a Estados Unidos?

—Sí, ciertamente. Apareció el sobrino de su marido, que era su heredero, y no se tomó bien que su tío rico se casara con una mujer joven y fértil. Contrató a unos hombres para que investigaran y descubriesen quién era en realidad.

—Un chantaje de los de toda la vida.

—Al principio sí, pero ella dice que se convirtió en algo mucho peor. Como el sobrino insistía en hacerle chantaje, acosarla y cosas por el estilo, Megs agarró un candelabro, golpeó al sobrino en la cabeza y lo mató.

Adam permaneció un momento sentado, mirando a Alex.

—Para ella, regresar para obtener un certificado que declare que vuestro matrimonio es inválido supondría tener que enfrentarse a un juicio por asesinato.

—Sí, sin duda —confirmó Alex en un tono sereno—. Le he dicho que espero poder evitarlo, y le he prometido que la ayudaría en cuanto esté en mi mano, pero no pienso echar a perder mi vida por ella.

—¿Y ella está dispuesta a volver a Inglaterra y enfrentarse a todo eso?

—En absoluto. De hecho, me ha amenazado con golpearme también a mí con un candelabro. —Alex miró a Adam—. No confío en ella. Ahora mismo los guardias que contrató Nate están dentro de mi habitación con ella. Sé que si tuviera la menor oportunidad, escaparía. No me fiaría de ninguna mujer capaz de hacer lo que ella me hizo a mí. Iré con ella primero a Charleston y después a Inglaterra. Haré lo que sea preciso para conseguir las pruebas que pueda necesitar un juez de Estados Unidos. Si tiene que ser juzgada por asesinato, que así sea. Le he jurado que me quedaré con ella por... por respeto a otro ser humano, pero eso es todo. Puede que cambie de opinión más adelante pero, ahora mismo, creo que si la ahorcan se lo tiene merecido.

Alex se pasó la mano por la cara.

—¿Cómo iba a pensar que podía amar a una mujer a la que en realidad no conocía? Debería haber hecho como Cay, y redactar una lista con las cosas buenas y malas de esa mujer.

—Creo que mi hermana no estaría de acuerdo contigo en ese punto. Me parece que si le preguntaras, te diría que deberías dejarte llevar por la pasión —dijo Adam, que observaba a Alex con ojos penetrantes.

—¿Qué mujer trataría a un hombre condenado por asesinato con la misma consideración que habría dispensado a un invitado en su propia casa?

—Mi hermana —respondió Adam—. Desde el día que nació, siempre ha sido afectuosa con nosotros. Tally le ha hecho algunas cosas realmente espantosas, pero Cay siempre se las ha ingeniado para resistir.

—¿Y qué hicisteis con Tally cuando lo descubristeis?

Adam le dedicó una sonrisa maliciosa.

—Prefiero no decírtelo, pero para cuando cumplió ocho años, ya había comprendido que no era buena idea torturar a su hermana. —La expresión de Adam se tornó seria—. ¿Qué piensas hacer con ella?

Durante un instante, Alex no pudo hablar. Caminó hacia el otro extremo de la habitación.

—Creo que necesitaré como mínimo un año para resolverlo todo.

—¿Debo entender que quieres decir que en todo ese tiempo no la verás?

Alex respiró hondo, pero el aire se le atascó en la garganta.

—Quiero darle la oportunidad de tomar su propia decisión. Quiero que sepa lo que de verdad desea. Se metió conmigo en una situación de vida o muerte, y me da miedo que tal vez piense que me quiere debido a todo por lo que hemos pasado juntos. —Alex irguió los hombros—. También tenemos el problema de la diferencia de clase. Yo no soy más que un hombre pobre de las Highlands. Se me dan bien los caballos y poca cosa más, pero Cay es hermosa y culta, y está acostumbrada a una vida que yo nunca podré darle. —Miró a Adam—. Tendría que usar el dinero de su padre, y no lo voy a hacer. Sé que Cay ha estado muy protegida y poco expuesta a la vida. Los hombres con los que se iba a casar...

—¡Son espantosos! —exclamó Adam—. Todos poseían la mitad de la inteligencia de mi hermana, un cuarto de su educación y ni un solo gramo de su talento. Cay quiere complacer a nuestros padres y piensa lograrlo a través de un matrimonio adecuado.

Las palabras de Adam no hicieron sonreír a Alex.

—Pero yo no soy «adecuado». Si me elige a mí, quiero que sea por su propia voluntad y no por... recuerdos.

—Eso es muy noble por tu parte. Si estuviese en tu lugar y hubiera encontrado a una mujer a la que amase, no la dejaría jamás. Si tuviera que hacerlo, la encerraría en una habitación y escondería la llave.

—Buena idea. La...

La mirada de Adam le hizo callar y Alex se rio.

—Quieres pedirme algo, ¿verdad? —le preguntó Adam.

—Sí. Mientras estoy ausente solucionando este horror, quiero que te encargues de que Cay se vea más expuesta a la vida. Nuestra incursión en territorio inhóspito le pareció muy emocionante y temo que sea eso lo que le gusta de mí: las cabalgadas salvajes por el campo, dormir en tiendas, luchar contra caimanes con un cuchillo...

—Creo que no conozco a la chica de la que me hablas. A mi hermana pequeña le gustan los vestidos de seda y tomar el té con amigas en tazas de porcelana francesa.

—También le gusta... —Alex no terminó la frase porque había estado a punto de decir que también le gustaba hacer el amor a la luz de la luna—. Vi una parte distinta de ella, una que apenas comienza a descubrir.

—¿Y quieres que la siga descubriendo?

—Sí, eso quiero.

Adam miró a Alex un largo rato.

—Es joven, hermosa y rica. ¿Estás seguro de que quieres que salga para que puedan verla otros hombres?

—Por supuesto que no. Si nunca hubiera conocido a Megs... —Alex se detuvo un instante y a continuación volvió a mirar a Adam—. La verdad es que nunca me habría fijado en Cay de no ser por todo lo que hemos pasado juntos. Creo que si nos hubiéramos conocido en circunstancias normales, la habría visto como la hermana pequeña de Nate y la habría ignorado. Siempre me han atraído las mujeres altas, hermosas y misteriosas.

Adam sonrió.

—Como a todos, ¿no? Pero en este caso, el misterio tenía un corazón maligno. Creo que lo que pides tiene ciertos argumentos de peso a su favor, pero no sé si yo sería tan generoso como tú si me viera en las mismas circunstancias. Hablaré con madre y ella se ocupará de que presenten a Cay algunos hombres que no sean de Edilean.

—Que no sean de Virginia. Extranjeros. Llevadla a Italia y conseguidle un maestro dibujante italiano. Creo que no es consciente del talento que posee. Imagino los cuadros de Charles Albert Yates expuestos en museos de todo el mundo.

—Ya lo entiendo. C. A. Y. Una cosa más que sabes sobre ella que su familia desconoce.

—Tengo que ir a dormir un poco. ¿Todavía tengo la habitación en el hotel?

—Dejé la habitación de Cay reservada para ti. Creo que ya sabes dónde está.

Alex sonrió con picardía.

—Sí, eso lo sé. —Se detuvo en el umbral de la puerta—. No sé cómo voy a poder superar todo esto sin el humor de Cay. Por muy mal que fuesen las cosas, siempre me hacía sonreír.

—A todos nos pasa lo mismo. En cuanto aprendió a hablar, comenzó a bromear.

—Y a dibujar.

—Sí. Lo dibujaba y lo pintaba todo. Deberías preguntar a madre sobre la vez que pintó el muro de la sala de dibujo.

—Me encantaría. Hay algo que querría saber. Cay suele hablar de la belleza de su madre. ¿Es tan hermosa como dice Cay?

—Más todavía. Ahora es mayor, pero todavía hace que los hombres se detengan en seco, cosa que irrita mucho a mi padre.

—Cay cree que no es tan hermosa como su madre.

—¿Y tú qué opinas?

—Creo que Dios sonreía mientras creaba a Cay.

—Es lo que pensamos todos. ¿Le escribirás?

Al escuchar aquello, la mano de Alex se tensó alrededor del pomo de la puerta.

—Creo que no. Quiero darle tiempo para que piense sola. La idea de un mal matrimonio le causa pavor, así que quiero que esté segura de lo que decida hacer.

—Le contaré la verdad acerca de lo ocurrido, dónde fuiste y por qué.

—Gracias —dijo Alex—. ¿Sabes? Pensaba que eras diferente de cómo eres. O tal vez eran simplemente celos provocados por el hecho de escuchar tu nombre mañana, tarde y noche. Empiezo a pensar que eres un digno hermano de Cay.

Adam miró la puerta unos minutos y, a continuación, se

dirigió al escritorio para redactar una carta para su madre. Estaba decidido a cumplir los deseos de Alex acerca de exponer a Cay a otras cosas y otras personas en su vida, pero Adam sabía a quién quería como cuñado, y estaba decidido a trabajar duro para hacerlo realidad.

Comenzó la carta.

27

Un año después
Edilean, Virginia, 1800

Cay estaba sentada junto al lago, no muy lejos de la casa, con un caballete frente a ella y una paleta de acuarelas en el regazo. Pintaba ociosamente los hermosos patitos del agua, las espadañas que crecían alrededor del borde, y él...

Le llegó el olor del jazmín, y no pudo evitar cerrar los ojos para regodearse con los recuerdos. El aroma le recordaba noches de aire caliente y húmedo y horas enteras haciendo el amor.

Al abrir los ojos de nuevo, vio la silueta de un hombre reflejada en el agua y supo al instante quién era. Trató de calmar su corazón, que había comenzado a latir con furia, y se esforzó para reprimir las ganas de ponerse en pie de un salto y abrazarle. Había pasado mucho, muchísimo tiempo desde la última vez que lo había visto.

—Vi a Tim —dijo, esforzándose por no dejar de pintar.

—¿De veras?

El sonido de su voz, que le resultaba tan familiar y a la vez algo procedente de un pasado remoto, hizo que se le acelerase el pulso. Se le había suavizado el acento, y a Cay le entraron ganas de llorar. Se había perdido ese cambio. ¿Le habría enseñado su esposa a hablar como un caballero inglés?

—Sí —confirmó—. Como no me reconoció, flirteé descaradamente con él y le pregunté por su viaje a las zonas salvajes de Florida.

Alex colocó un gran ramo de jazmines junto al caballete, para que ella pudiera verlo. Las tres estrellas de diamante y los pendientes de perlas que había dejado atrás para ir a Nueva Orleans estaban clavados en los tallos. Alex se arrodilló sobre la hierba detrás de ella, pero Cay no le miró todavía.

—¿Y qué te contó de ese viaje?

—Según Tim, me salvó la vida media docena de veces.

Una carcajada se asomó a la voz de Alex al responder:

—¿Y qué le hiciste al pobre muchacho por decir eso?

Cay no le miró, y continuó pintando como si su presencia no significase nada para ella. No se dio cuenta de que estaba pintando el lago de color rosa.

—No le hice nada. Eso sí, poco después, sufrió un accidente sumamente desafortunado con la barca de remos. Al parecer, una pobre serpiente diminuta, bueno, no tan diminuta, se encaramó a la barca con él. Tim se asustó tanto que se cayó al lago. Yo no tenía ni idea de que no sabe nadar, así que Tally tuvo que lanzarse al agua a rescatarlo.

Alex se sentó en la hierba.

—Debió de agradecer mucho que Tally estuviera allí.

—Tim dijo que era él quien estaba salvando a Tally. —Respiró hondo y se puso a pintar el cielo con un tono verde pálido—. Hope y Eli se casaron dos meses después de conocerse.

—Nate me lo contó. Tenías razón al decir que hacían buena pareja.

—Agradecida vino a verme, y por casualidad, el tío T. C. también estaba.

—Todo un golpe de suerte. ¿Las gemelas vinieron con ella?

—Sí, también vinieron —dijo Cay, y se dio cuenta de que

se le escapaba el acento escocés que siempre usaban entre ellos—. Y mi madre les encontró marido.

—¿De veras? —Alex tomó uno de los pinceles de la caja de madera del suelo y se lo pasó.

Cay volvió ligeramente la cabeza, tomó el pincel y miró la mano de Alex, pero no su rostro. Conocía muy bien esa mano, que había tocado hasta el último centímetro del cuerpo de ella.

—Me han contado que Armitage vino a verte —dijo Alex, en tono serio.

—Es verdad, y tuvimos una larga charla. Me dijo que durante el viaje me reconoció. Al principio no se dio cuenta, pero después de ver mi dibujo, dijo que me había recordado. Me dijo que también había deducido quién eras tú.

—Me lo pareció. Temí que me hiciera encerrar nada más llegar al puesto comercial.

—Jamie me dijo que se lo planteó, pero nos vio y se dio cuenta de que no me hacías ningún daño. Adam le contó todo lo que pasó.

—Tu hermano se ha comportado conmigo como un buen amigo.

—Él es así. —Cay utilizó el pincel que le había pasado Alex para pintar los patos de color púrpura—. Jamie me pidió que me casara con él.

—Adam se lo explicó a Nate por carta, y él me lo transmitió a mí —dijo Alex—. Cuando me lo leyó, salí y me emborraché durante tres días. Tuve que esperar casi un mes antes de que nos llegara una carta en la que decía que le habías rechazado.

—Mi madre se alegró, pero mi padre cree que soy idiota.

—¿Y tú qué crees? —preguntó Alex, con suavidad.

—Que no tengo cerebro entre las orejas.

Alex se rio.

—De todos modos, yo nunca te quise por tu cerebro.

Las palabras de Alex hicieron que el corazón de Cay latiera con tanta fuerza que sentía cómo se tensaban las sujeciones del corsé. Deseaba de todo corazón mirarle, pero había tenido todo un año para reflexionar sobre su vida y su futuro, y la preocupaban algunas cosas.

—Escuché decir que ella y tú pasasteis mucho tiempo juntos en Charleston. Me comentaron que hacéis muy buena pareja.

—Pues yo escuché que tu madre te presentó a mil jóvenes.

—Es cierto —dijo Cay, sonriendo mientras pintaba un pico azul a un pato—. Me llevó a Londres, a París y a Roma. Viajamos durante ocho meses completos, y conocí a todo el mundo. Un primo lejano de mi padre se casó con la hija de un conde, y eso convierte a su hijo en otro conde. Tienen poco dinero y no tienen hacienda, pero sí posee el título. Mi madre usó todos los contactos que pudo para presentarme a todos los solteros disponibles de tres países. También quería llevarme a Viena, pero a esas alturas echaba tanto de menos a mi padre que yo ya no podía soportarlo más.

—¿Qué hiciste?

—Me puse enferma. Como ninguno de los médicos fue lo bastante listo para deducir lo que me pasaba, al final, me sinceré con uno de ellos. Trazamos un plan y él informó a mi madre de que yo sufría de un caso tan grave de nostalgia que debía llevarme inmediatamente a casa. Mi madre tardó menos de veinticuatro horas en hacer el equipaje y embarcarnos. Lo curioso del caso es que...

—¿Qué fue?

—Que al llegar a casa, se puso tan enferma que tuvo que pasar cuatro días enteros en la cama. Y mi padre estaba tan preocupado por su salud que se quedó en la cama con ella.

Alex se rio y, mientras lo hacía, alargó el brazo para tomar el borde de la falda de Cay entre sus manos. No estaba seguro, pero no recordaba haber reído ni una sola vez durante el último año. Entre el infierno que había tenido que superar y la seriedad de la compañía de Nate, no había tenido gran cosa de la que reírse.

—¿Y qué hay de los jóvenes a los que conociste?

—Algunos de ellos eran maravillosos —explicó Cay con entusiasmo—, pero otros eran repugnantes. Conocí al hijo de un duque que me dijo que si le pedía que se casara conmigo, se lo pensaría. Creo que pensaba que su oferta me parecería un halago.

—Pero no te lo pareció.

—Ni mucho menos. Asistí a tantos picnics que casi me convierto en una cesta. Ópera, ballet, conciertos... ¡Y bailes! Creo que debo de haber desgastado cien pares de zapatos bailando.

—¿Y cuál fue el resultado?

—El que deseaba mi madre: peticiones de matrimonio, por supuesto. Mi familia es rica gracias a lo que aportó mi madre al matrimonio, y mi padre aumentó el dinero. Si a eso le sumamos que no soy incómoda de ver y que incluso los británicos admitían que mis modales no les avergonzaban, se entiende por qué tuve a decenas de hombres arrodillados frente a mí.

—¿Y aceptaste alguna de aquellas peticiones?

Tardó un momento en contestar.

—Estaba tan enfadada contigo por haberme abandonado, que estuve tentada de hacerlo. Me imaginé escribiéndote una carta para decirte que era muy feliz, que estaba locamente enamorada y que me iba a casar con un hombre fabuloso.

—Pero no lo hiciste —dijo Alex, y en su voz apareció un punto de alivio.

—No, no lo hice. Pero es que ninguno de aquellos hombres me conoció. Me miraban para ver si me ajustaría bien a sus vidas. ¿A cuántos hijos podría alumbrar? ¿Sería capaz de ocuparme de sus haciendas? Y mi pregunta favorita: si podría soportar que tuvieran amantes. ¿Sabes cuál fue el único hombre por el que realmente me sentí atraída?

Alex trató de no fruncir el ceño, pero no pudo.

—No. ¿Quién fue?

—Uno de los adiestradores de caballos de la enorme hacienda de un inglés que quería casarse con mi dote. Era un hombre alto, ancho de espalda y con un pelo moreno frondoso. El inglés decía que era un «brujo» con los caballos.

—¿Un brujo?

—Yo le llamaba Merlín, y en una ocasión salimos a pasear a caballo y le besé.

—¿De veras? —Alex cerró los puños.

—Sí. —El tono de voz de Cay se volvió iracundo—. ¡Sí! Mientras tú besabas a tu esposa —le dijo en tono burlón—, y, por lo que sé, dormías con ella, yo besé a un hombre.

Alex abrió de nuevo las manos. Le alegraba escuchar la ira y los celos en su voz.

—Solo la besé esa vez, cuando nos viste escondida en el armario. Aparte de eso, no la toqué, y te puedo asegurar que no compartimos el lecho. Gracias a ti, fui capaz de ver más allá de lo que me había atraído de ella y apreciar la persona que era. Ella nunca dejó de jurarme que no sabía que me habían juzgado por su asesinato, pero es imposible que no lo supiera. Nate fue al pequeño pueblo de Georgia al que ella había huido justo después de hacer lo que me hizo, y el periódico no hablaba de otra cosa. El editor incluso disponía de un registro en el que constaba que ella estaba suscrita al periódico con un nombre falso. —Respiró hondo—. Apenas soportaba estar cerca de una mujer capaz de hacerme lo que me hizo.

—Ya lo sé —admitió Cay—. Nate nos contó por carta lo mucho que te desagradaba. Sin embargo, parece ser que mi cerebro y mi corazón no están conectados. Uno escucha y entiende, pero el otro siente.

Cay estiró el pie hacia él y Alex le tocó el tobillo, protegido por una media de seda. Como no lo apartó, le puso una mano en el pie.

—¿Te contó Nate que el sobrino de su marido sigue vivo? No le mató, solo lo dejó inconsciente. Los hombres que la buscaban en Charleston estaban relacionados con su marido. Quería que regresara.

—Nate me lo contó todo por carta. —Su tono era enfático para hacerle saber que Alex no había escrito ni una sola vez. Sin embargo, se habían comunicado a través de Nate—. Entonces ¿ha vuelto con su marido?

—Ya lo creo. —Alex le quitó el zapato y le acarició el pie. Sabía que Nate había escrito a Cay y le había contado lo que pasaba, pero él se había reservado algunos detalles para contárselos en persona—. Hablé en privado con su marido y le conté todo lo que me había hecho esa mujer. Incluso hice que Megs le explicase la verdad sobre su vida anterior y que había mentido para conocerle. Sin embargo, él ya lo sabía. Ella no me lo había dicho, pero había trabajado en la cocina de él cuando era una niña y él la recordaba. Supo quién era al verla en su casa vestida con la ropa de la hija de su primo. No tardó mucho en descubrir lo que había ocurrido.

—¿Y la perdonó?

—Más que eso, la quería. Me contó que la primera vez se había casado para complacer a su padre con una mujer rica y aristocrática a la que detestaba, pero que la segunda vez se había casado para complacerse a sí mismo.

—¿Y son felices?

—Cuando Nate y yo nos fuimos, Megs estaba embarazada de él.

—¿De Nate? A padre no le gustará la idea en absoluto.

Alex pasó un momento desconcertado y entonces se echó a reír; a reír de veras. La risa se inició en su interior y se desencadenó como un volcán en erupción. Había olvidado la costumbre de Cay de bromear constantemente sobre todo. Durante un año no había estado rodeado más que de seriedad y de pocas risas mientras limpiaba su nombre y trataba con jueces, abogados y Megs. Pronto descubrió que su belleza era una triste sustituta para alguien que quería hacerle sentir bien.

La risa le relajó y no podía soportar que Cay siguiese sin mirarlo. El cuadro del lago parecía un dibujo obra de un niño daltónico en el que unos patos púrpura de pico azul nadaban sobre un lago rosa. La mano de Alex trepó por la pierna de Cay y, un segundo después, la hizo caer sobre la hierba, junto a él, y comenzó a besarle la cara y el cuello.

—Te he echado de menos —dijo Alex—. Cada segundo de cada día pensaba en ti y quería estar contigo. Nate me leía las cartas que le escribíais tu madre y tú explicando todas las fiestas y los bailes a los que asistíais. Tu madre incluso escribía sobre los malditos zapatos que desgastabas de tanto bailar.

—Yo le dije que incluyera esa parte —dijo Cay, que le miraba con ojos sonrientes.

Las manos de Cay se habían posado sobre el rostro de Alex, y sentía la suavidad de su tez. Probablemente le enseñara el centenar de retratos de él que había elaborado de memoria durante el último año. Por muchos hombres que conociera y por muy atractivos que fuesen, ella solo había podido ver a Alex.

—Pensé que tal vez había sido cosa tuya, pero me dije a mí mismo que no, que mi querida Cay nunca sería tan cruel.

—¿Yo fui cruel? Tú inventaste la crueldad. La Inquisición española tomó clases de ti. Mi terrible hermano me escribió hasta la última palabra de lo que descubristeis sobre esa... Esa mujer y su estúpido marido. ¡Él debería odiarla! ¿Seguro que no asesinó a la chica del carruaje? A lo mejor ella...

Alex la besó y dejó a medias lo que estaba diciendo. Entonces, separó los labios de los de ella y recorrió con los ojos el rostro de Cay, memorizándola, sin dejar de acariciarle el pelo hacia atrás.

—Yo también lo pensé, pero su marido siempre había sabido lo del accidente. Uno de sus obreros lo había visto, y el marido iba de camino cuando Megs se presentó en su puerta diciendo que era la chica muerta. A él le divirtió su audacia, y no tardó mucho en enamorarse de ella. —Alex bajó el tono—. ¿Quién puede entender el amor? —Recorrió las cejas de Cay con los pulgares, alisándolas—. Estoy de acuerdo con tu padre en que, si tuvieras un poco de buen juicio, deberías aceptar la petición de matrimonio de Armitage. Él es mucho más cercano a tu clase social y...

—Mi madre me contó la verdad.

Alex la miró con curiosidad. Estaban tumbados en el suelo, él medio encima de ella, pero pesaba demasiado para que ella pudiese moverse.

—¿La verdad acerca de qué?

—De mi padre y de ella.

—¿Y cuál es esa verdad? —La voz de Alex denotaba cierta diversión.

Cay le empujó para quitárselo de encima.

—¡Si me vas a mentir y a actuar como si no supieras la verdadera historia, será mejor que vuelvas al lugar del que has venido y te quedes allí! Tú dijiste que «eran la peor pareja de toda la cristiandad», así que sé que conoces toda la historia.

—¿Cómo es posible que recuerdes palabra por palabra una frase que pronuncié hace más de un año?

Ella no respondió la pregunta.

—No pienso dejar que me traten como a una niña nunca más. ¡Ni tú ni nadie!

Alex comenzó a besarle el cuello.

—¿Quieres decir que tu madre te contó que tu padre era pobre como las ratas mientras ella nadaba en oro? ¿Esa verdad?

—Por lo más sagrado, ya te estás riendo de mí. Pensaba que por lo menos me ibas a poner el anillo que compraste en el dedo antes de empezar a burlarte de mí.

—No he podido contenerme.

Alex puso la pierna sobre los muslos de ella.

Cay se volvió para mirarle y contempló la dulce familiaridad de su rostro mientras pensaba en lo mucho que le quería y que le iba a querer siempre. En el barco, durante el viaje de regreso a casa, su madre le había contado detalladamente por todo lo que habían tenido que pasar el padre de Cay y ella antes de casarse. Durante toda la vida, Cay había escuchado historias tiernas y perfectas —que en realidad eran mentira— sobre su cortejo, pero la verdad había resultado ser muy distinta, y Cay se había sorprendido al escuchar las muchas similitudes existentes entre lo que su madre y ella habían tenido que superar. Cuando su madre le contó que había afeitado a Angus y había descubierto que bajo todo ese pelo era un hombre atractivo, Cay le explicó que ella había arrojado el agua del afeitado a la cara de Alex.

—¿Solo le tiraste agua sucia? —le había preguntado su madre—. Yo, a tu padre, le disparé y estuve a punto de matarlo.

Con los ojos como platos, Cay había escuchado hasta la última palabra de la historia de su madre.

—¿Por qué me miras de ese modo? —preguntó Alex.

Estuvo a punto de repetirle lo que le había contado, pero no era el momento. En vez de eso, le miró intensamente.

—Si crees que vas a tocarme antes de la boda, ya te lo puedes ir quitando de la cabeza.

—¿Tocarte? Recuerdo un tiempo en el que...

Cay le propinó un fuerte empujón, rodó para salir de debajo de él y le tendió la mano izquierda. Su expresión indicaba lo que quería.

Alex se sentó con un suspiro derrotado.

—¿Qué te hace pensar que tengo un anillo? Ah, claro, Nate. Él no apreciaría ningún motivo para mantener en secreto el hecho de que te compré un anillo.

—Pues claro que mi hermano me contó tus planes, e incluso vuestras visitas a las joyerías de Londres. Y también me dijo que el marido de esa mujer os había dado caballos, y que comprasteis la granja de mi padre. Nate me dijo que querías bautizarla como Granja McDowell, pero si no se llama la Granja de Merlín, no pienso ir a vivir allí. ¿Te contó mi hermano que el tío T. C. llevó mis cuadros del viaje a Florida a Londres para presentarlos a la Asociación Africana, pero le dijeron que una mujer no había podido pintar esos cuadros y mucho menos haber viajado a los parajes interiores de Florida, por lo que no querían saber nada de mis obras?

—Ya lo sé, mi amor —dijo Alex con suavidad—. Me lo contó. Pero no te preocupes, ya se nos ocurrirá algo. Y puedes llamar la granja como te plazca. Traje una docena de caballos de Inglaterra conmigo, y recuperé a *Tarka*.

A pesar de que Nate parecía habérselo contado «todo», Alex era muy consciente de que su amigo no había contado a nadie que, en Inglaterra, Nate había conocido a una mujer muy parecida a él. Además, Alex había comprobado que Nate no se había dado ni cuenta de lo mucho que ella le había afectado.

—También he escuchado que tu padre vino a Estados Unidos contigo —dijo Cay, devolviendo a Alex al momento presente.

—Es cierto, y me devolvieron el dinero del premio de Charleston, y gané algo más corriendo algunas carreras mientras estaba en Inglaterra.

—Entonces ahora eres rico —dijo Cay, sentándose en la hierba a pocos centímetros de él. Lo miraba como si fuese a devorarlo.

—No según los estándares de tu padre, pero puedo mantener a una mujer —dijo sonriendo— y a uno o dos hijos.

—Solo voy a tener niñas.

—Sabia elección. Ya he conocido a tus hermanos.

—¿Qué les pasa a mis hermanos? —contraatacó Cay, pero al darse cuenta de que se burlaba de ella, le miró intensamente—. Esta me la cobraré.

—Adelante, por favor —dijo él, y en cuanto abrió los brazos para recibirla, tal y como había imaginado, ella se dejó caer entre ellos.